SWIFTのすべて

中島真志
Nakajima Masashi

東洋経済新報社

序　文

　私が本書の著者である中島真志教授に初めてお会いしたのは，2007年7月に東京で開催されたスイフト・ビジネス・フォーラムでのことでした．その席上で教授から，SWIFTに関する日本市場向けの本の執筆アイデアをうかがったとき，私は驚きつつも非常に嬉しかったことを覚えています．SWIFTは35年以上も前に設立されて以来，長きにわたって金融業界に大きく貢献してきましたが，SWIFTの機能や意義について，これほど網羅的に書かれた著作は他に例をみないものと思います．おそらく，言語を問わず，これが世界で初めてのSWIFTに関する包括的な著作でしょう．

　本書は，SWIFTという金融機関が株主となっている協同組合組織の内容やメリットについてより理解を深めたいと思っておられる，銀行・証券会社・事業法人・IT関連企業などの皆様にとって，非常に有益であるものと確信いたします．SWIFTの存在意義は，世界中の金融機関が確実にその金融業務を遂行できるようにサポートを行うことです．本書ではSWIFTが，メンバーや市場インフラ運営者，パートナーなどとの間で，どのように連携してその目的を実現しているかが，大変わかりやすく解説されています．

　私どもSWIFTは，世界的に重要な金融市場である日本市場に関与していることを光栄に思っています．日本のSWIFTコミュニティは，日本の金融業界のさらなる発展を目指して，生産性の向上，リスク管理の強化，コスト管理の厳格化などを積極的に進めています．

　この先を展望すると，まず来る2010年には，スイフト・ジャパン株式会社が設立30周年を迎えます．また，2012年には世界的な金融フォーラムである「Sibos」が大阪で開催されます．これらを鑑みるに，日本市場の将来が，刺激に満ちた明るいものであることは間違いないものと考えます．本書が，日本の皆様のさらなるSWIFTのご活用につながり，より多くの方が「SWIFTワー

ルド」に参加されることを願ってやみません．

　このたび中島教授が出版される『SWIFTのすべて』に序文を寄せさせていただけることを光栄に思うとともに，SWIFTに関する学術的な概説書を執筆してくださったことに深い感謝の意を表します．

　2009年6月

SWIFT アジア太平洋地域統括役員
イアン・ジョンストン

はじめに

　本書は，「SWIFT」に関する本邦で初めてとなる本格的な解説書である．SWIFTは，金融機関の金融取引に関するメッセージ通信を国際的なネットワークによって提供する組織である．SWIFTは，ベルギーに本部を置く非営利の協同組合として設立されており，世界200カ国以上，8000以上の金融機関を結んで金融メッセージの通信サービスを行っているほか，100以上の資金決済システムなどの市場インフラにおいても，ネットワークとして用いられている．金融業界に対して，これだけの規模と内容の通信サービスを提供しているのは，全世界的にみてSWIFTが唯一の存在である．

　今般，本書をまとめた理由は，以下のとおりである．
　第1は，国際的な金融取引の拡大などにより，金融機関や金融市場が，SWIFTに大きく依存するようになっており，その重要性が高まっていることである．SWIFTは，国際的な「金融メッセージング・サービス」を事実上，独占的に提供しており，SWIFTを完全に代替できるような通信手段は存在しない．わが国でも，250以上の金融機関が，ユーザーとしてSWIFTを利用しており，今やSWIFTを抜きにしては国際的な金融業務が成り立たない状況となっている．
　第2に，近年，SWIFTの業務内容が多角化してきていることである．SWIFTでは，従来からのコア・サービスであるメッセージ通信サービスに加えて，通信サービスを発展させた「付加価値サービス」を展開するようになっている．これらの付加価値サービスは，より複雑で高次元のサービスとなっているが，最近，続々とその数を拡大してきている．
　第3に，SWIFTの通信サービスが変革期にあることである．SWIFTでは，従来から利用してきた「MT」と呼ばれるメッセージ標準を，「MX」と呼ばれる次世代のメッセージ標準に移行することを決め，移行計画を進めている．また，SWIFTのネットワーク上でメッセージを安全にやりとりするためのセキュリティの方式についても，最近「SWIFTNetフェーズⅡ」と呼ばれる新し

いセキュリティ・モデルに移行している.

　第4に，SWIFTは，これまで銀行や証券会社などの金融機関を主なユーザーとしてきたが，2007年からは，一般の「事業法人」がSWIFTのネットワークにアクセスできるようになっており，これまでSWIFTに馴染みのなかった一般企業からも，SWIFTについて理解したいとのニーズが高まっていることである.

　第5に，このようにSWIFTが大きな変貌を遂げているなかで，SWIFTに関する情報の多くが「英語」によって発信されているため，日本のユーザーにとっては，言葉の壁（language barrier）もあって，全貌を把握することがなかなか困難である現状がある.

　執筆にあたっては，筆者がこれまで執筆してきた『決済システムのすべて』，『証券決済システムのすべて』（いずれも宿輪純一氏との共著，東洋経済新報社）と同様に，①SWIFTのベーシックな知識をカバーする「基本書」とすること，②SWIFTの進めているさまざまな新しい動きを極力盛り込むこと，などを心がけた.また，通信やシステムなど技術的な側面にはあまり深入りせずに，記述は必要最小限にとどめた.むしろ，SWIFTがどのような機能を果たしているのか，SWIFTを使って何ができるのかといった面が重要であると考えたためである.この意味で，本書は主として「文科系」（ビジネス部門，企画部門，業務部門）のためのSWIFTの概説書になっているものと思う.

　本書の構成と内容は，以下のとおりである.
　まず，第1章「SWIFTとは」では，いくつかの質問に答えるかたちでSWIFTの概要について述べている.
　第2章「SWIFTの設立と発展の経緯」では，SWIFT設立の背景とその後の発展の経緯について概観している.
　第3章「SWIFTの参加資格とガバナンス」では，SWIFTのユーザーとなるための参加資格について概観したうえで，SWIFTのガバナンスの仕組み，SWIFTの組織について述べている.
　第4章「SWIFTのネットワークとアクセス方法」では，SWIFTのネットワ

ーク構成のほか，ユーザーがSWIFTのネットワークにアクセスする場合の接続方法，SWIFTの導入をサポートする「SWIFTパートナー」などについて述べている．

第5章「SWIFTのメッセージング・サービス」では，SWIFTの本業（コア・サービス）である「メッセージング・サービス」の内容について解説を加えている．

第6章「SWIFTのメッセージ標準」では，SWIFTの現行のメッセージ標準である「MT」と次世代のメッセージ標準となる「MX」の概要について説明したうえで，MXへの移行計画について述べている．

第7章「SWIFTメッセージに使われるコード」では，SWIFTのメッセージにおいて用いられている銀行識別コード，通貨コード，証券識別コードなどのコード体系についてまとめている．

第8章「SWIFTソリューション」では，通信サービスをさらに発展させた付加価値サービスである「ソリューション・サービス」の仕組みや機能などについて解説している．

第9章「事業法人によるSWIFTへのアクセス」では，一般企業のSWIFTへのアクセス方法について解説を加えている．

第10章「日本の金融機関のSWIFT利用状況」では，わが国のSWIFTユーザーの数，メッセージ量，世界における日本の位置づけ，通信相手国，わが国のSWIFT利用の特徴などについて述べている．

第11章「SWIFTのセキュリティ」では，SWIFTにおけるセキュリティの目的について述べたうえで，旧方式および新方式のセキュリティ・モデルについて解説している．

第12章「市場インフラにおけるSWIFTの利用」では，資金決済システムや証券決済システムなどの「市場インフラ」におけるSWIFTの利用について述べている．

第13章「SWIFTと標準化」では，SWIFTが国際標準の設定機関や管理機関として果たしている役割について述べたうえで，SWIFTが提供しているディレクトリ・サービス，検索サービスについて解説している．

第14章「SWIFTに対する規制・監督」では，SWIFTに対する中央銀行に

よる協調オーバーサイトの概要と，2006～2007年にかけて問題となったデータ・プライバシー問題について触れている．

　第15章「SWIFTの新しい動き」では，SWIFTの進めている新しい動きのうち，主なものについて述べている．

　なお，SWIFTについての知識をさらに深めたいという読者のために，末尾に参考文献，略語リスト，関連ウェブサイトの一覧を掲載した．

　本書の執筆にあたっては，SWIFTサイドから，資料や計数の提供などを通じて，全面的な支援を受けた．とくに，本書の作成プロジェクトを一貫して支援していただいたアジア太平洋地域統括役員であるイアン・ジョンストン氏，スイフト・ジャパン在日代表の渡部吉昭氏，そしてSWIFT本部との調整等を中心になって進めていただいた吉見亨氏，SWIFT本部でのヒアリングのアレンジの労をとっていただいた鬼塚通丸氏には，心から感謝の意を表したい．また，このほかにも，SWIFT本部およびスイフト・ジャパンの方々からは，それぞれの担当分野について多くのことを教えていただき，感謝している．ただし，本書にありうべき誤りは，すべて著者の責に帰すものである．

　本書が，業務でSWIFTを利用している方，あるいはSWIFTの機能に興味を持っている方など，SWIFTに関心を有する幅広い方々の理解向上に向けての参考となれば幸甚である．なお，本書のうち，決済システムに関わる部分は，『決済システムのすべて（第2版）』，『証券決済システムのすべて（第2版）』と併せてお読みいただければ，一層理解が深まるものと思われる．

　最後に，本書の刊行までの過程で多大なご尽力をいただいた東洋経済新報社の高井史之氏に心から感謝の意を表したい．

2009年6月

中島真志

目　次

序文
はじめに

第1章　SWIFTとは　1

❶　SWIFTとは何か……………………………………………………………1
❷　SWIFTはどのような役割を果たしているのか……………………2
　（1）金融機関間の通信における利用……………………………………3
　（2）市場インフラにおける利用…………………………………………3
　（3）金融機関と事業法人との通信における利用……………………4
　（4）付加価値サービス……………………………………………………4
　（5）SWIFTの位置づけ…………………………………………………6
❸　SWIFTは誰のものか……………………………………………………7
❹　SWIFTは営利機関か……………………………………………………7
❺　SWIFTはなぜ標準化と関係しているのか…………………………8
❻　SWIFTの6つの階層とは何か…………………………………………8

第2章　SWIFTの設立と発展の経緯　11

❶　SWIFT設立の経緯………………………………………………………11
　（1）SWIFT設立の背景…………………………………………………11
　（2）SWIFTの設立と稼働開始…………………………………………12
❷　SWIFTの発展の経緯……………………………………………………13
　（1）1970～80年代の発展………………………………………………13
　（2）1990年代の発展……………………………………………………14
　（3）2000年以降の発展…………………………………………………14
❸　SWIFTの利用状況の推移……………………………………………15
　（1）SWIFTの参加国……………………………………………………15

　　　　（2）SWIFTのユーザー数 ……………………………………………… 16
　　　　（3）SWIFTのメッセージ量と内容 ……………………………………… 17
　❹　シュランク時代のSWIFTの変貌 ……………………………………… 22
　　　　（1）メッセージ量の増加と利用料金の引下げ ………………………… 22
　　　　（2）ビジネス・エリアの拡大と次世代ネットワークへの移行 ……… 22
　　　　（3）災害復旧力の強化と事業法人への門戸開放 ……………………… 23

第3章　SWIFTの参加資格とガバナンス　25

❶　SWIFTの参加資格 ……………………………………………………… 25
　　　（1）メンバー …………………………………………………………… 25
　　　（2）サブメンバー ……………………………………………………… 26
　　　（3）パーティシパント ………………………………………………… 26
　　　（4）クローズド・ユーザー・グループ（CUG） …………………… 28
　　　（5）ユーザー・カテゴリーの見直し ………………………………… 29
❷　SWIFTのガバナンス …………………………………………………… 32
　　　（1）メンバーの株式保有 ……………………………………………… 33
　　　（2）SWIFT理事会 …………………………………………………… 33
　　　（3）SWIFT幹部 ……………………………………………………… 35
　　　（4）年次総会 …………………………………………………………… 36
　　　（5）ナショナル・メンバー・グループ ……………………………… 36
　　　（6）外部監査と監督 …………………………………………………… 36
❸　SWIFTの組織 …………………………………………………………… 37
　　　（1）地域制 ……………………………………………………………… 37
　　　（2）グループ制 ………………………………………………………… 38
　　　（3）マトリクス組織 …………………………………………………… 38
　　　（4）本社機能 …………………………………………………………… 39

第4章　SWIFTのネットワークとアクセス方法　41

❶　SWIFTのネットワーク ………………………………………………… 41

（1）SWIFTNet……41
（2）セキュアIPネットワーク（SIPN）……42
（3）SIPNの構成……43
❷ **直接接続と間接接続**……44
（1）直接接続……44
（2）間接接続……45
（3）ユーザーの規模と接続方法……46
❸ **SWIFTNetへの直接接続のオプション**……47
（1）5つの接続パッケージ……47
（2）パッケージの構成要因……48
❹ **SWIFTパートナー**……59
（1）リージョナル・パートナー……60
（2）グローバル・パートナー……61
（3）ソリューション・プロバイダー……61
（4）SWIFT公認エキスパート（SCE）……63

第5章 SWIFTのメッセージング・サービス 65

❶ **FINサービス**……65
（1）ストア＆フォワード方式……66
（2）FINサービスの特徴……66
（3）FINサービスのオプション機能……67
（4）FINの付加価値サービス……69
（5）FINの技術的側面……73
❷ **InterActサービス**……73
（1）InterActサービスの機能モデル……74
（2）InterActサービスの特徴……75
（3）InterActサービスのオプション機能……76
❸ **FileActサービス**……77
（1）FileActサービスの機能モデル……77
（2）FileActサービスの特徴……78
（3）FileActサービスのオプション機能……80

（4）FileActサービスの利用 …… 80
　　（5）FileActコピー …… 80
❹ Browseサービス …… 81
　　（1）Browseサービスの仕組み …… 82
　　（2）Browseサービスの特徴 …… 82

第6章 SWIFTのメッセージ標準　85

❶ MTのメッセージ …… 86
　　（1）メッセージの構成 …… 86
　　（2）メッセージタイプ（MT）の分類 …… 86
　　（3）フィールドの構造 …… 91
　　（4）メッセージの検証・利用ルール …… 95
　　（5）資金メッセージの利用方法と書式仕様 …… 96
　　（6）証券メッセージの利用方法とメッセージ構成 …… 102
　　（7）MTのメンテナンス …… 114
　　（8）MT202 COVの導入 …… 115
❷ XMLベースのメッセージ（MX）…… 117
　　（1）XMLの概要 …… 118
　　（2）ISO 20022の概要 …… 121
　　（3）MXの特徴 …… 126
　　（4）MXの分類と構成 …… 130
　　（5）MXの開発手法 …… 134
　　（6）MXのメンテナンス …… 136
❸ MTからMXへの移行 …… 137
　　（1）移行の基本方針 …… 137
　　（2）MXへの移行フェーズ …… 138
　　（3）MTとMXとの変換 …… 139
　　（4）MTからMXへの移行スケジュール …… 141

目　次

第7章　SWIFTメッセージに使われるコード　143

❶ 銀行識別コード（BIC） …………………………………………………… 144
　（1）銀行識別コードとは ………………………………………………… 144
　（2）BICのコード体系 …………………………………………………… 144
　（3）BICの構成要素 ……………………………………………………… 145
　（4）企業識別コード（BEI） ……………………………………………… 146
　（5）ファンド識別コード（CIVIC） ……………………………………… 147
　（6）BICとBEIの登録 …………………………………………………… 148
❷ 国名コード ………………………………………………………………… 148
❸ 通貨コード ………………………………………………………………… 149
❹ 国際証券識別コード（ISIN） …………………………………………… 150
　（1）ISINとは ……………………………………………………………… 150
　（2）付番機関 ……………………………………………………………… 150
　（3）ANNAサービス・ビューロー ……………………………………… 151
❺ 国際銀行口座番号（IBAN） ……………………………………………… 151
　（1）IBANとは …………………………………………………………… 151
　（2）IBANの構成 ………………………………………………………… 152
　（3）IBANの具体例 ……………………………………………………… 152
　（4）IBANの登録と公表 ………………………………………………… 153
❻ 証券メッセージのフォーマット（ISO 15022） ………………………… 154
　（1）ISO 15022の概要 …………………………………………………… 154
　（2）ISO 15022による証券メッセージ ………………………………… 155

第8章　SWIFTソリューション　157

❶ Accordサービス …………………………………………………………… 158
　（1）Accordサービスの概要 ……………………………………………… 158
　（2）Accordサービスの仕組み …………………………………………… 160
　（3）Accordサービスのメリット ………………………………………… 161
　（4）Accordサービスの利用方法 ………………………………………… 162

❷ **E&Iサービス** 165
　（1）顧客からの問合せ対応 166
　（2）E&Iサービスの仕組み 166
　（3）E&Iサービスのメリット 168
❸ **キャッシュ・レポーティング** 169
　（1）キャッシュ・レポーティングの概要 169
　（2）市場インフラにおける利用 172
　（3）銀行間における利用 174
　（4）キャッシュ・レポーティングの利用モード 176
❹ **TSUサービス** 179
　（1）TSUの背景 179
　（2）TSUのコンセプト 181
　（3）TSUのスキーム 182
　（4）TSUのメリットと展望 190
❺ **FIXサービス** 192
　（1）FIXプロトコル 192
　（2）FIXサービスの仕組み 193
❻ **データ配信サービス** 194
　（1）データ配信サービスの概要 194
　（2）データ配信サービスの利用状況 195
❼ **コーポレートアクション・サービス** 195
　（1）コーポレートアクション・サービスの概要 196
　（2）コーポレートアクションのメッセージ 196
　（3）関連サービス 198
❽ **デリバティブ・サービス** 199
　（1）FpMLメッセージとISDA 199
　（2）デリバティブ・サービスの概要 200
　（3）ローン・サービス 201
❾ **ファンドサービス** 202
　（1）ファンド業界の関係者 202
　（2）対象業務とメリット 202
❿ **SWIFTNetメール** 203
　（1）SWIFTNetメールの概要 203

（2）SWIFTNetメールの特徴 …………………………………… 204
⓫ Watchサービス …………………………………………………… 205
（1）Watchアナライザー ………………………………………… 206
（2）Watchレポート ……………………………………………… 206
⓬ 業務分野別のSWIFTソリューション ………………………… 207

第9章 事業法人によるSWIFTへのアクセス 209

❶ MA-CUGによるアクセス ………………………………………… 210
（1）MA-CUGの概要 ……………………………………………… 210
（2）MA-CUGの限界 ……………………………………………… 211
❷ TRCOによるアクセス …………………………………………… 212
❸ SCOREによるアクセス ………………………………………… 213
（1）SCOREの概要 ………………………………………………… 213
（2）SCOREへの参加条件 ………………………………………… 215
（3）SCOREにおけるメッセージ ………………………………… 215
（4）SCOREのメリット …………………………………………… 216
❹ 事業法人のSWIFT利用状況 …………………………………… 217
（1）SWIFTの利用企業数 ………………………………………… 217
（2）事業法人のトラフィック量 ………………………………… 219
❺ コーポレート参加基準の緩和に向けた検討 ………………… 220

第10章 日本の金融機関のSWIFT利用状況 221

❶ わが国のSWIFTユーザー数 …………………………………… 221
（1）ユーザー数の推移 …………………………………………… 221
（2）業態別のSWIFT利用状況 …………………………………… 222
❷ わが国のSWIFTメッセージ量 ………………………………… 222
❸ 世界における日本の位置づけ ………………………………… 225
（1）FINメッセージ ……………………………………………… 225
（2）InterActとFileActのメッセージ ………………………… 227

❹ わが国の通信相手国 ……………………………………………… 228
❺ わが国のSWIFT利用の特徴 …………………………………… 228
　（1）国際業務での利用が中心 ………………………………… 229
　（2）証券メッセージのウェイトが高い ……………………… 230
　（3）決済インフラでの利用が少ない ………………………… 232
❻ SWIFTの国内組織 ……………………………………………… 234
　（1）日本スイフトユーザーグループ（SUG） ……………… 234
　（2）2つの協議会 ……………………………………………… 234
　（3）スイフト委員会 …………………………………………… 234
　（4）専門部会とスイフト理事諮問委員会 …………………… 235

第11章 SWIFTのセキュリティ　237

❶ SWIFTにおけるセキュリティの目的と手段 ………………… 237
　（1）セキュリティの目的 ……………………………………… 237
　（2）セキュリティ確保の手段 ………………………………… 238
❷ セキュリティの旧方式 ………………………………………… 244
　（1）BKE方式 …………………………………………………… 245
　（2）ハードウェア ……………………………………………… 247
　（3）SLSサービス ……………………………………………… 248
❸ SWIFTNetフェーズ2 …………………………………………… 249
　（1）新たなハードウェア：HSM ……………………………… 249
　（2）デジタル署名とPKI ……………………………………… 250
　（3）取引関係の管理ツール：RMA …………………………… 257

第12章 市場インフラにおけるSWIFTの利用　265

❶ 決済システムにおける3つのSWIFT利用形態 ……………… 265
　（1）通信ネットワークとしての利用 ………………………… 265
　（2）FINコピー・サービスの利用 …………………………… 266
　（3）決済システムのオペレーションの利用 ………………… 267

❷ 決済システムに用いられるメッセージング・サービス……267
　（1）FINサービス………267
　（2）InterActサービス………272
　（3）Browseサービス………272
　（4）FileActサービス………272
　（5）バルク・ペイメント・サービス………273
❸ 資金決済システムにおける利用………274
　（1）SWIFTを利用している資金決済システム………274
　（2）TARGET2におけるSWIFTの利用………275
❹ 証券決済システムにおける利用………278
　（1）SWIFTを利用している証券決済システム………278
　（2）SWIFT利用を予定している証券決済関連プロジェクト………278

第13章 SWIFTと標準化　285

❶ 標準設定機関としてのSWIFT………286
　（1）PMPG………286
　（2）SMPG………286
　（3）ISTH………287
　（4）ISITC………288
　（5）ISDA………289
　（6）IIBLP………289
　（7）IFSA………289
　（8）ICC………290
　（9）EPC………290
　（10）EACT………291
❷ 標準管理機関としてのSWIFT………292
　（1）銀行識別コード（BIC）………292
　（2）国際銀行口座番号（IBAN）………292
　（3）証券メッセージ（ISO 15022）………292
　（4）金融メッセージ（ISO 20022）………293
❸ ディレクトリ・サービス………293

（1）BICディレクトリ 294
（2）IBAN登録簿 295
（3）BICプラスIBANディレクトリ 295
（4）SEPA経路ディレクトリ 296
（5）EURO1/STEP1ディレクトリ 296
（6）FileActによるディレクトリの送信 297
❹ 検索サービス 297
（1）BICサーチ 297
（2）BICオンライン・プロフェッショナル 297
（3）BIC検索ツール 298
（4）SWIFTNetサービス・ディレクトリ 298

第14章 SWIFTに対する規制・監督 299

❶ 中央銀行によるオーバーサイト 299
（1）中央銀行の懸念 299
（2）中央銀行による協調オーバーサイトの枠組み 301
（3）協調オーバーサイトを実施する3つのグループ 303
（4）オーバーサイト基準の見直し 304
❷ データ・プライバシー問題 306
（1）問題の発端 306
（2）SWIFTの対応 307
（3）データ・プライバシー当局の対応 308
（4）ニューヨーク・タイムズ紙の謝罪 309
（5）問題の解決に向けたEU・米国間の合意 309
（6）データ・プライバシー当局の調査結果 311
（7）データ・センターの再編計画 311

第15章 SWIFTの新しい動き 313

❶ ネットワークの再編計画 313

（1）現行のシステム構成と問題点 ……………………………… 313
　　　（2）新センターの構築 …………………………………………… 314
　　　（3）プロジェクトのフェーズと新センターの意義 …………… 316
　　　（4）香港のコマンド・コントロール・センターの新設 ……… 316
❷　SWIFTへの接続に対する改善 ………………………………… 317
　　　（1）アライアンス・ライトの導入 ……………………………… 317
　　　（2）固定料金プログラムの導入 ………………………………… 320
❸　コミュニティ内の意見交換の充実化 ………………………… 321
　　　（1）Sibos ………………………………………………………… 321
　　　（2）swiftcommunity.net ………………………………………… 324
❹　わが国におけるSWIFT対応の動き …………………………… 324
　　　（1）保振機構とSWIFTとの協力関係 ………………………… 325
　　　（2）SWIFT-ANSERゲートウェイ・サービス ………………… 326
　　　（3）全銀システムの国際標準への対応 ………………………… 329
❺　SWIFTの中期経営計画 ………………………………………… 330
　　　（1）SWIFT2010の概要 ………………………………………… 330
　　　（2）4つの戦略分野 ……………………………………………… 330

おわりに ……………………………………………………………………… 333
参考文献 ……………………………………………………………………… 335
SWIFT関係の略語リスト …………………………………………………… 338
SWIFT関連のウェブサイト ………………………………………………… 344
索引 …………………………………………………………………………… 345

第1章

SWIFTとは

本章では、まずSWIFTの概要について理解するため、「SWIFTとは何か」について、いくつかの質問に答えるかたちで述べることとする.

1 SWIFTとは何か

「SWIFT」(Society for Worldwide Interbank Financial Telecommunication)は、金融機関の金融取引に関するメッセージ通信(「金融メッセージング・サービス」)を国際的なネットワークにより提供する組織である。SWIFTでは、自らを「安全な金融メッセージング・サービスのグローバルな提供者」(global provider of secure financial messaging services)として位置づけている.

SWIFTの性格については、一般に「金融メッセージのサービス・プロバイダー」といった言い方がなされる。このことは、2つの意味を含んでいる。1つは、SWIFTは「サービス・プロバイダー」であるということであり、世界的なネットワークを構築して、メッセージ通信サービスを提供する役割を果たしているということである。つまり、基本的には、SWIFTは「情報通信会社」(IT operations company[1])である.

もう1つは、サービスの対象が、原則として「金融機関向け」であるということである。つまり、誰もが自由に使えるNTTやKDDIなどの電気通信事業

---

1) ベルギー中央銀行の表現である("High level expectations for the oversight of SWIFT," June 2007).

者（コモン・キャリア）とは異なり，「限定されたユーザー」のために，「特殊なサービス」を提供しているということである．

こうした性格により，SWIFTには，二重の意味での高いセキュリティが求められることになる．第1に，障害に強いシステムであることが必須である．世界の金融機関を結ぶネットワークにトラブルが発生すると，それによって，支払メッセージが届かず，金融機関の業務に多大な影響が生ずるほか，金融市場にも攪乱的な影響が及ぶ可能性がある．このため，SWIFTにはまず，ネットワークの確実な運用を行うという意味での「運用上のセキュリティ」（operational security）が必要とされる．

第2には，通信相手と通信内容に関するセキュリティが必要である．第三者になりすまして，送金指図を送るようなことが可能であれば，金融取引は混乱に陥るであろう．また，ネットワーク上のデータが第三者に漏洩したり，ネットワークの途中でメッセージに改ざん（変更）が加えられたりする可能性があれば，金融機関は安心して，送金データなどを送ることはできない．すなわち，SWIFTには，通信相手の正当性や情報の機密性・完全性などを確保するという面での高い「情報セキュリティ」（information security）が必要とされるのである（詳細は第11章）．

② SWIFTはどのような役割を果たしているのか

SWIFTは，世界200カ国以上，8000以上の金融機関を結んで，国際的な支払メッセージの伝送サービスを行っている．また，100以上の資金決済システムや証券決済システムなどの市場インフラにおいて，参加者と市場インフラを結ぶネットワークとしても用いられている．

つまり，「多くの決済システムや金融機関は，メッセージング・サービスについて，SWIFTに依存している」（BIS報告書[2]）といった状況になっており，今やSWIFTは，世界の金融取引の社会的インフラ（social infrastructure）と

---

[2] 「決済システムの相互依存関係に関する報告書」（The Interdependencies of Payment and Settlement Systems）．2008年6月にBIS（国際決済銀行）の決済システム委員会（CPSS）が公表した．

図1-1 金融機関の通信におけるSWIFTの利用

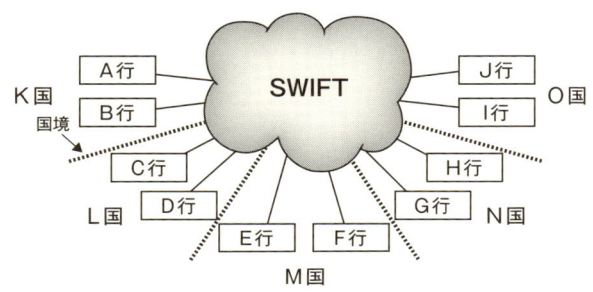

（出所）　SWIFT資料をもとに筆者作成．

して必要不可欠な存在となっている．SWIFTを抜きにしては，国際的な金融業務が成り立たない状況になっているといっても過言ではないであろう．金融のグローバル化やIT化が進展するにつれて，金融機関や金融市場は，近年，ますますSWIFTへの依存度を高めている．

こうした金融取引を支えるSWIFTの役割は，以下の4つに分けて整理することができる．

(1) 金融機関間の通信における利用

まず第1に，SWIFTのネットワークは，ユーザーである金融機関同士のメッセージ通信に用いられる．国際的な送金の例でみると，クロスボーダーの(国境をまたいだ)資金の受払いには，中央で決済を行う中央銀行のような機関が存在しないため，お互いに契約を結んだ「コルレス銀行」（correspondent bank）の間で，お互いのために資金の受払いを行うことが一般的である（たとえば，米銀A行が，邦銀B行のために米ドルの受払いを行うなど）．

こうした金融機関間における国際的な送金メッセージ（支払指図）のための通信が，SWIFTが中心業務として伝統的に行ってきた業務分野であり，主として，クロスボーダーの金融取引に用いられる（図1-1参照）．

(2) 市場インフラにおける利用

第2に，SWIFTは，各国における資金決済システムや証券決済システムな

図1-2 市場インフラにおけるSWIFTの利用

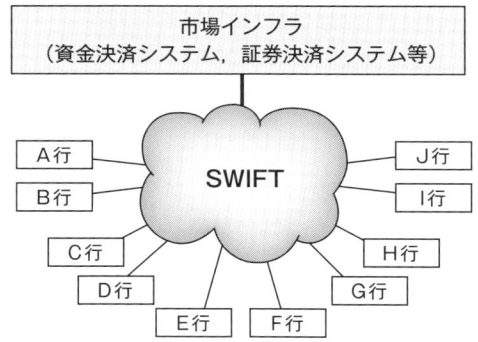

(出所) SWIFT資料をもとに筆者作成.

どの「市場インフラ」(market infrastructure)のネットワークとしても用いられている.このケースでは,SWIFTは,市場インフラとそれに参加する金融機関(銀行,証券会社など)との間を結ぶネットワーク(messaging infrastructure)として利用される(図1-2参照).この場合,主として同一国内におけるSWIFTの利用(domestic SWIFT)となる(詳細は第12章).

(3) 金融機関と事業法人との通信における利用

SWIFTは,もともと金融機関のためのネットワークとして発達してきたため,従来,ユーザーは金融機関に限定されていたが,2001年には,限定的ながら事業法人の利用が認められるようになった.また,2007年からは,より一般的なかたちで事業法人のSWIFTへのアクセスが認められるようになっており,SWIFTのネットワークは,金融機関と事業法人とを結ぶネットワークとしても用いられるようになっている(図1-3参照).こうした利用をSWIFTでは,「事業法人向けのSWIFT」(SWIFT for Corporate)と呼んでいる(詳細は第9章).

(4) 付加価値サービス

SWIFTでは,メッセージ通信サービス(messaging service)の機能を発展

図1-3 金融機関と事業法人との間のSWIFTの利用

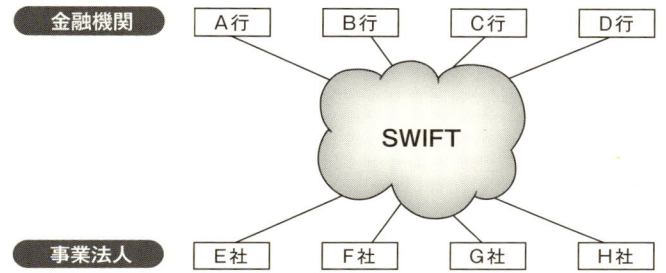

（出所）　SWIFT資料をもとに筆者作成．

図1-4 SWIFTの付加価値サービス

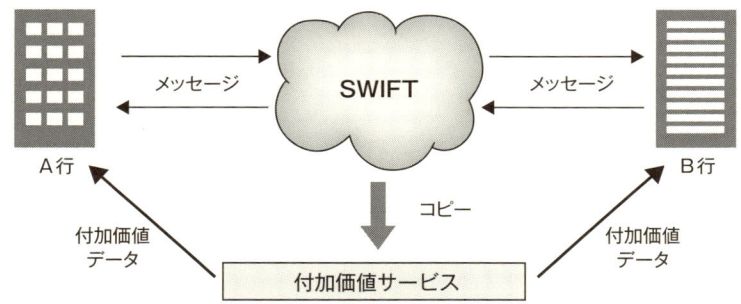

（出所）　SWIFT資料をもとに筆者作成．

させたかたちで，SWIFTのネットワーク上のデータをSWIFTサイドで加工して提供する「付加価値サービス」（value-added service）を展開してきている．

典型的なものとしては，外為取引を行った金融機関同士がSWIFTを使って約定照合を行う「Accordサービス」がある．このサービスにおいては，SWIFTは，両方の取引当事者から送られた約定データを突合したうえで，各項目が一致しているかどうかの照合結果を通知する（図1-4を参照）．

こうしたサービスでは，SWIFTが通信のみならず，データ処理までを行ってユーザーに付加価値データを提供しており，「送信者が送ったメッセージを，そのとおりに安全に受信者に送り届ける」というメッセージ通信サービスとは，質的に異なる，より高次元のサービスを提供している（詳細は第8章）．

(5) SWIFTの位置づけ

このように，SWIFTは金融機関ではないし，決済システムそのものでもないが，国際的なコルレス・バンク網や決済システムを支える基本インフラとして世界的な金融機能を支えている．現在，金融取引においてここまで重要な役割を果たしているサービス提供者は，ほかには見当たらない．ちなみに欧州中央銀行（ECB）のトリシェ総裁は，「SWIFTは，世界の金融機関に対する最も重要なメッセージング・サービスの提供者である[3]」としている．

このように金融機関の業務は，SWIFTのメッセージ通信の機能に依存する面が大きくなっているが，もし，SWIFTのシステム運行等に支障が生じた場合には，全世界的に大きな影響が及ぶ可能性があるという意味で，SWIFTのネットワークは，グローバルな「金融システムの安定性」（financial stability）とかなり密接に関係している．前述のBIS報告書でも，「SWIFTの障害は，多くの決済システムに直接かつ瞬時に影響を及ぼす可能性がある」ものとして注意を喚起している．このため，先進国の中央銀行では，SWIFTの経営・運営体制に対し，共同でオーバーサイト（監督）を行うなど，重大な関心を示している（詳細は第14章）．

前述のように，SWIFTは8000以上の金融機関をリンクして国際的な通信サービスを提供し，100以上の市場インフラのネットワークとして利用されている．これだけの規模と内容の通信サービスをグローバルに金融界に提供しているのは，世界的にみてSWIFTが唯一の存在である．つまり，SWIFTはこの分野において，事実上独占的なサービス提供者としての地位を築いている．

したがって，SWIFTを単なる「通信業者」や「サービス・プロバイダー」の1つとしてみてしまうと，SWIFTの位置づけについての認識を誤ることになる．むしろ「世界の資金決済や証券決済を支える重要なインフラストラクチャー」として位置づけることが適切であるものと考えられる．上述の中央銀行のSWIFTへの関心もこうした「金融を支えるインフラ」としての見方に基づくものである．本書でも，以下では「世界の金融取引の重要なインフラ」と

---

[3] 2006年10月4日の欧州議会における公聴会での発言による．

しての位置づけを前提として，SWIFTについての解説を試みることとする．

③ SWIFTは誰のものか

　SWIFTの組織形態は，「メンバー保有の協同組合」(member-owned cooperative) となっている．すなわち，SWIFTは，ベルギー法に基づく協同組合として設立されており，SWIFTの利用者である世界各国のメンバー（金融機関）が株主となっている．

　協同組合であることから，通常の株式会社とは異なった性格を有しており，利益追求ではなく，メンバーのメリットが優先される．また，金融業界が所有する (industry-owned) 組織であることから，金融業界の意向が経営に反映されることになる．メンバーは，SWIFTに支払う利用料金（＝SWIFTでの発信量）に比例して株式を保有する．このため，基本的に大口ユーザーの発言権が大きくなるようなガバナンスの仕組みとなっている（詳細は第3章）．

　SWIFTでは，しばしば「コミュニティ」（共同体）という用語が用いられる．これは，「SWIFTとユーザー全体を含んだ概念」であり，「利用者による共同体」としてのSWIFTの性格を表すコンセプトとして用いられ，SWIFTを理解するうえで重要な概念である．

④ SWIFTは営利機関か

　上記のように，協同組合として，メンバーである株主が所有し，統治する (shareholders own and control) 組織であるため，SWIFTは，利益追求型の営利団体ではない．もちろん，スタッフの人件費やオペレーティング・センターの運営，ネットワークの維持・開発などの必要経費を賄うために，一定の収益を必要とするが，非営利 (non-profit) の組織であるため，それを上回る収益が出た場合には，利用者に還元される．

　利用者への収益還元は，①利用料金の引下げ (price reduction)，②払戻し (rebate)，③機器の無料配布 (free distribution)，などのかたちで行われる．SWIFTのメッセージ量は，毎年かなりのペースで増加しているため，それに

応じて，利用料金は徐々に引き下げられてきている[4]．

⑤ SWIFTはなぜ標準化と関係しているのか

　SWIFTは，金融業務の標準化にも大きな役割を果たしている．まず第1に，電文のフォーマットである「メッセージ・フォーマット」について，メッセージの標準化や新しいメッセージの作成などに取り組んでいる．第2に，金融機関の識別コードや証券の銘柄コードなど，メッセージ内で使われる各種のコード体系についても，自らが登録機関や維持管理機関を務めている．

　このようにSWIFTは，国際標準の作成団体（standard setting body）となっているほか，登録機関や維持管理機関として標準化活動に大きな役割を果たしている．こうした標準化活動は，「グローバルな金融メッセージの通信を行う」というSWIFTの立場にも密接に関連している．すなわち，SWIFT自身（および利用者）が，そうしたメッセージ標準やコード体系を使ってメッセージ通信を行っているのである．このため，SWIFTでは，こうした標準化活動を業務の重要な柱の1つとして位置づけている（詳細は第13章）．

⑥ SWIFTの6つの階層とは何か

　SWIFTの全体像を把握するうえでは，SWIFTの機能を6つの「階層」（layer）に分けて理解することが有用であるものと思われる（図1-5参照）．

　まず，第1に，「メッセージング・プラットフォーム」であり，SWIFTがどのようなネットワークを構築して通信サービスを提供しているかということである．

　第2に，「接続とインターフェース」であり，ユーザーがSWIFTのネットワークにどのようなソフトウェアを使って，どのような方法でアクセスするかということである．第1と第2の点については，第4章で述べる．

　第3に，「メッセージング・サービス」であり，SWIFTのネットワーク上で

　4）　メッセージの平均単価は，2001年から2006年にかけて約50％引き下げられた．また，中期経営計画では，2011年までにさらに50％の引下げを実施する計画である．

図1-5　SWIFTの6つの階層

付加価値サービス
ソリューション
メッセージ標準
メッセージング・サービス
接続とインターフェース
メッセージング・プラットフォーム

提供されるメッセージ通信のサービスにどのようなものがあり，それぞれがどのような機能を有しているかということである．この点については，第5章で述べる．

　第4に，「メッセージ標準」であり，SWIFTの通信において使われるメッセージ標準とそのなかで用いられるコード体系についてである．この点については，第6章と第7章で述べる．

　第5に「ソリューション」である．これは，SWIFTが基本的なメッセージ通信サービスをさらに発展させて，特定分野において特定の業務フローを策定して提供されるサービスである．

　第6に「付加価値サービス」であり，SWIFTがメッセージ通信サービスのみならず，データ処理までを行うサービスである．第5と第6の点については，第8章において述べる．

　第4章以下では，SWIFTを構成するこれら6つの階層について詳細に解説するが，その前にまず，第2章でSWIFTの設立と発展の経緯を，第3章ではSWIFTの参加資格とガバナンスについてみておくこととしよう．

SWIFTの設立と発展の経緯

　前章で述べたように，SWIFTは，世界200カ国以上，8000以上の金融機関を結んで国際的なメッセージング・サービスを行っているほか，100以上の市場インフラのネットワークとしても用いられており，世界の金融取引のインフラとして，不可欠な存在となっている．国際的な金融取引の拡大やSWIFTを採用する市場インフラの増加に伴って，世界の金融取引や金融市場は，SWIFTへの依存度を徐々に高めてきている．

　本章では，このように金融取引において重要な役割を果たしているSWIFTの設立の経緯とその後の発展状況について概観することとする．

1 SWIFT設立の経緯

(1) SWIFT設立の背景

　SWIFT (Society for Worldwide Interbank Financial Telecommunication) は，1973年にベルギーに設立された協同組合 (co-operative society) であり，本部は，ブリュッセル郊外のラ・ユルプ (La Hulp) に置かれている．英文名称を直訳すると「国際銀行間通信協会」となるが，一般的には「SWIFT[1]」または「スイフト」と表記・呼称されることが多い．日本法人の名称も「スイフト・ジャパン株式会社」となっている．

---

1) 同社では，企業名の略称として，正式には「S.W.I.F.T. SCRL」を使うこととしているが，本書では，「SWIFT」で統一することとする．

SWIFT設立の背景となったのは，1960年代における国際的な金融取引の急拡大であった．当時，ユーロ・ダラー取引の急増などにより，国境を越えた「クロスボーダー取引」(cross-border transaction) が急速に拡大した．ちなみに，各国における資金決済 (domestic transaction) は，各国ごとの決済システムを通じて行われるが，こうしたクロスボーダー取引については，中央で決済を行う機関が存在しないため，銀行間で個別にコルレス契約を結んだ「コルレス銀行」(correspondent bank) を通じて行われる[2]．たとえば，邦銀が米ドルの決済を米銀に依頼し，米銀はユーロの決済をドイツの銀行に依頼するといったかたちで，相互に海外の銀行との送金や決済を自行に代わって遂行してもらうのが一般的である[3]．

　この当時，こうしたコルレス銀行間の主たる通信手段は「テレックス」(Telex) であり，各銀行の使用するフォーマットはまちまちであった．このため，海外コルレス先への送金指図や海外からの受信電文の処理は，紙ベースのテレックスを処理する手作業によって行われていたが，上記のような国際金融取引の急拡大により，手作業による事務処理が追いつかなくなった．コルレス・バンキング業務の電子化・合理化が急務となったのである．

(2) SWIFTの設立と稼働開始

　こうした背景から，関係者の間では，共通のネットワークによる，標準化されたフォーマットを使ったコルレス・バンキング業務の処理が必要であるとの共通認識が高まっていった．そして，欧州の銀行が中心となって，共通のネットワークの構築，事務処理をコンピュータ化するための通信フォーマットの統一などについて検討が行われた．

　こうした検討を経て，1973年5月に，欧米の15カ国，239行の参加により，SWIFTが設立された．その後，利用ルールの制定 (1975年)，最初のオペレ

---

[2] こうしたコルレス契約に基づく業務全般を「コルレス・バンキング業務」(correspondent banking) という．

[3] これは，①コスト面や相手国の規制などにより，世界各国にくまなく支店を設置することが困難であること，②通貨発行国の国内銀行は，その国の通貨の流動性の調達能力に優れていること，などの点によるものである．コルレス銀行では，お互いに相手行に預金口座（コルレス勘定）を設けて，資金の受払いを行うのが一般的である．

ーティング・センターの開設（1976年），ソフトウェアの開発などが行われた．こうした準備作業を経て，SWIFTのサービスが開始され，SWIFTのネットワークを通じて初めてのメッセージが処理されたのは，1977年5月のことであった[4]．今から30年以上も前のことになる．

稼働開始当初の参加メンバーは，22カ国の518行であった．サービス開始から1年以内に，メッセージ件数は予想を上回る累計1000万件を超え，順調なスタートを切った．

② SWIFTの発展の経緯

次に，設立後のSWIFTの発展の経緯を，①1970〜80年代，②1990年代，③2000年以降に分けて，概観してみることとしよう．

(1) 1970〜80年代の発展

SWIFTは，1979年に米国に第2オペレーティング・センターを建設して2センター体制となった．また，メッセージの範囲も，単純な送金から，取立て（collection），荷為替信用状（documentary credit），証券関係などに拡大した．

また，1980年には，アジアで初めて，香港とシンガポールにおいて稼働を開始し，わが国でも1981年3月に稼働を開始した．1982年には，メンバーの拡大と通信量の増大などにより，初めて単年度収支が黒字化し，財政的な基盤も安定した．

1986年には，「ECUクリアリング・サービス[5]」や外為取引の約定照合サービスである「Accordサービス」などの付加価値サービスを開始した．

1987年には，証券会社，証券取引所などをユーザーに加え，証券決済ビジ

---

[4] SWIFTのネットワーク上での最初のメッセージは，フォルティス銀行（ブリュッセル）から，アムロ銀行（アムステルダム）宛であったとされている．

[5] ECUは，European Currency Unit（欧州通貨単位）の略．単一通貨「ユーロ」の導入前の時期に，EU域内の共通単位として使用された通貨単位である．EU加盟国の各通貨の加重平均によって算出されたバスケット通貨であった．民間ECUの決済は，EBA（ユーロ銀行協会）がBIS（国際決済銀行）と協力して行い，SWIFTはネッティング・サービスを提供した．

ネスに向けて舵を切った.

(2) 1990年代の発展

1992年には,大量のデータを一括送信する「IFT」(Interbank File Transfer)サービスを開始し,サービスの幅を拡大した.

1993年には,ネットワークへのアクセス用のICカードと「BKE」(Bilateral Key Exchange：相互鍵交換)が導入され,セキュリティの向上が図られた.

また,1992年には投資顧問会社(Investment Manager),1998年には決済インフラ(Payments Market Infrastructure)などに門戸を開放し,ユーザーの範囲を一段と拡大した.

(3) 2000年以降の発展

2001～2004年にかけては,従来のX.25プロトコルのネットワークから,インターネット・プロトコル(TCP/IP)によるネットワークである「SWIFTNet」への移行を行った.

2001年には,ブンデスバンク(独)のRTGS^{plus},イングランド銀行(英)のEnquiry Linkなどの資金決済インフラにおいてSWIFTNetが導入され,市場インフラでの利用が拡大した.

この間,ファンド管理会社(Fund Administrator),証券市場におけるデータ提供業者(Securities Market Data Provider)などの新たな参加者のカテゴリーを認めた.また2001年には,限定的ながら初めて事業法人がSWIFTのネットワークを利用することを許容したほか,2007年には,「SCORE」と呼ばれる,より一般的な事業法人のSWIFTへのアクセス手法を導入した.

さらに,2007～2008年にかけては,「SWIFTNetフェーズ2」と呼ばれる新たなセキュリティ方式への移行を行った.

このように,SWIFTは,ユーザーや参加国を拡大する一方で,コア・サービスの拡充,付加価値サービスの導入,セキュリティの向上,ネットワークのアップグレードなどを行ってきており,機能を向上させつつ,ビジネスが質・量ともに拡充してきている.

表2-1 SWIFTの設立・発展の経緯

年	内容
1973年	欧米15カ国の239行が，SWIFTを設立．
1975年	利用ルールを制定．
1976年	最初のオペレーティング・センターを開設（欧州）．
1977年	SWIFTがサービスを開始．
1979年	第2オペレーティング・センターを開設（米国）．
1979年	メッセージの範囲を取立て，荷為替信用状，証券関係などに拡大．
1980年	アジアで初めて，香港とシンガポールで稼働を開始．
1980年	スイフト・ジャパン株式会社を設立．
1981年	日本での稼働を開始．
1982年	初めて，単年度収支が黒字化．
1986年	ECU用のネッティング・サービス，Accordサービスなどの付加価値サービスを開始．
1987年	証券会社，証券取引所，証券決済機関などをユーザーとする．
1989年	短資会社（Money Broker）をユーザーとする．
1992年	投資顧問会社（Investment Manager）をユーザーとする． IFT（Interbank File Transfer）サービスを開始．
1993年	アクセス用のICカードとBKE（Bilateral Key Exchange）を導入．
2001年	独と英の市場インフラでSWIFTNetが稼働を開始．
2002年	SWIFTNet FINが稼働を開始．事業法人の利用を開始．
2003年	ISO 15022への移行を完了．
2004年	SWIFTNetへの移行を完了．
2007年	事業法人の一般的なアクセス方法である「SCORE」を導入．
2008年	新たなセキュリティ方式である「SWIFTNetフェーズ2」への移行を完了．

3 SWIFTの利用状況の推移

ここでは，SWIFTの利用状況（参加国，ユーザー数，メッセージ量など）の推移と最近のメッセージの内訳について，計数面からみておくこととしよう．

(1) SWIFTの参加国

SWIFTのネットワークに参加している国（live countries）は，1977年のサービス開始時には15カ国であったが，1986年には50カ国，1993年には100カ国，1996年には150カ国を超えた．そして，2003年には200カ国に達し，2008年末では209カ国となっている（図2-1を参照）．これは，国連の加盟国

図2-1 SWIFTの参加国の推移

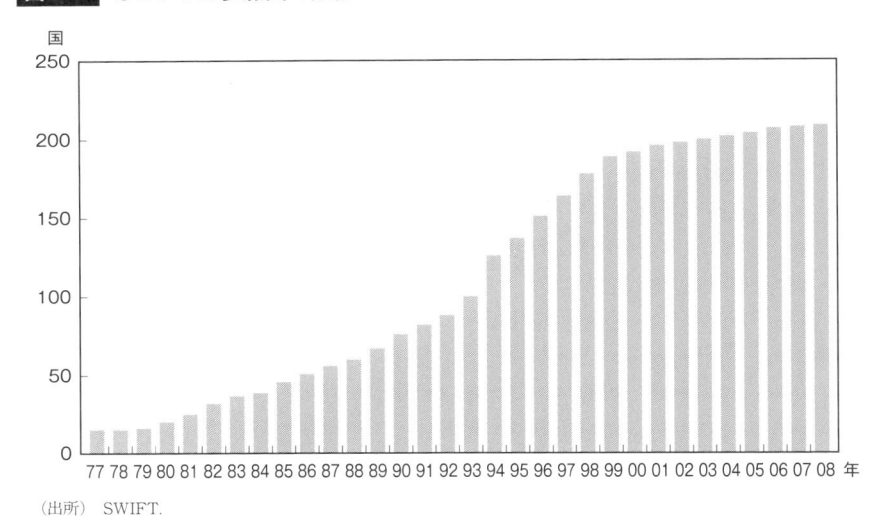

(出所) SWIFT.

数(2008年末：192カ国)をも上回る数であり，世界のほぼすべての国を網羅しているとみることができる．

つまり，SWIFTのネットワークによって，全世界の金融機関がリンクされており，このネットワークを通じて，金融機関は，世界のどの国の金融機関との間でも，送金・決済などを行うことができるようになっているのである．これは，銀行の顧客(企業，個人)の立場からみると，SWIFTのネットワークを通じて，世界中のどこの銀行にも送金ができるようになっていることを意味する．

(2) SWIFTのユーザー数

SWIFTの参加資格は，メンバー，サブメンバー，パーティシパントの3つのカテゴリーに分かれており，これらすべてを合わせてSWIFTの「ユーザー」という．

このうち「メンバー」は，銀行や証券会社の本店としての参加であり，「サブメンバー」は，メンバーの支店や現地法人による参加である．また「パーティシパント」は，マネーブローカー，証券決済機関など，金融機関ではないが，

第2章 | SWIFTの設立と発展の経緯

図2-2　SWIFTのユーザー数の推移

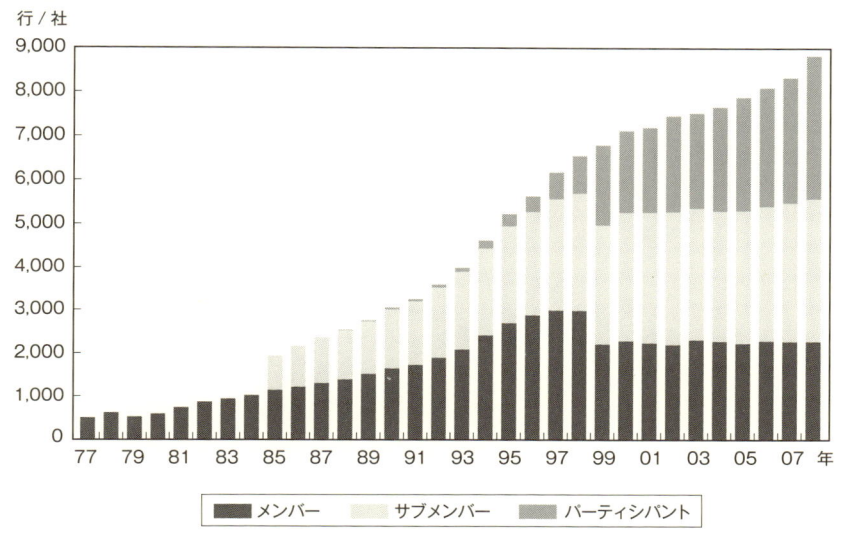

（出所）SWIFT.

特別に参加が認められている先である（詳細は第3章で後述）．

　これらすべてを合わせたSWIFTユーザーの数は，1977年のサービス開始時には518行であったが，その後徐々に増加して，1982年には1000社（行），1986年には2000社，1990年には3000社，1994年には4000社に達し，ほぼ4年ごとに大台を更新した．その後，1995年には5000社，1997年には6000社，2000年には7000社，2006年には8000社を上回り，2008年末では8830社となっている（図2-2を参照）．

(3) SWIFTのメッセージ量と内容

①メッセージ量の推移

　SWIFTのメッセージ量を主要サービスであるFIN（Financial Messaging）サービスでみると，年間のトラフィック量は，1990年代には3.2倍へと顕著な増加をみせた（1990年3.3億件→1999年10.6億件）．

　また，2000年代に入ってからも，ほぼ一貫して年率10％を上回る伸びを続

図2-3 SWIFTのメッセージ量の推移

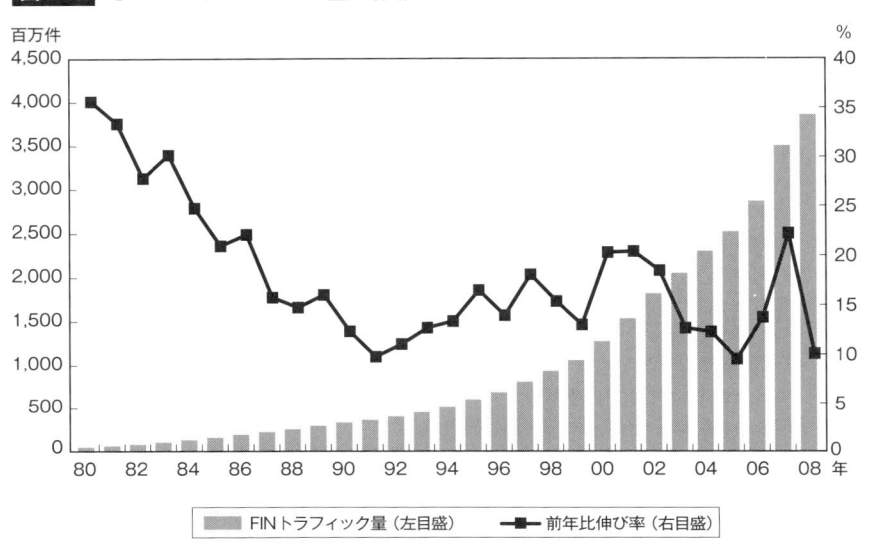

(出所) SWIFT.

けており，2000年の12.7億件から2008年には38.5億件へと，さらに3倍に増加している．1990年に比べると，トラフィック量は11倍以上に膨らんでいる(図2-3参照).

②メッセージの構成比

FINサービスは，対象とする業務によって，①資金決済に関する「資金メッセージ」(payment message)，②証券決済に関する「証券メッセージ」(securities message)，③外為・デリバティブ取引関連の「外為・デリバティブ・メッセージ」(treasury[6] message)，④貿易金融関連の「貿易金融メッセージ」(trade message) などに分かれる．

2008年の実績をみると，もともとSWIFT設立以来の中心業務であった資金メッセージが49.5％とトップを占める．また，近年伸長著しい証券メッセージ

---

6) SWIFTでは，外為・デリバティブ分野のことを「トレジャリー分野」(treasury) と呼んでいる．一般の用法とは異なるため，注意が必要である．

第2章 | SWIFTの設立と発展の経緯

図2-4 SWIFTメッセージの構成比（2008年中）

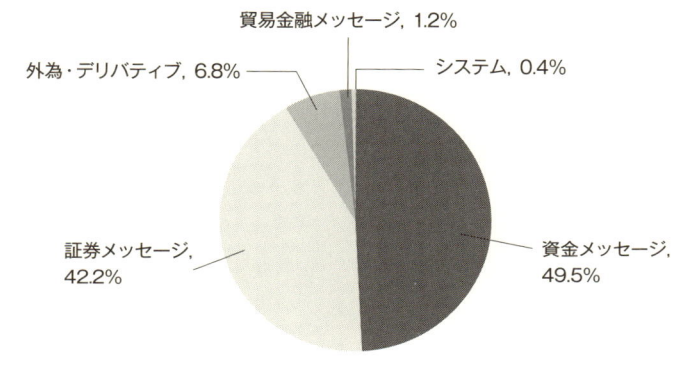

貿易金融メッセージ, 1.2%
外為・デリバティブ, 6.8%
システム, 0.4%
証券メッセージ, 42.2%
資金メッセージ, 49.5%

（出所）SWIFT.

図2-5 資金メッセージと証券メッセージの構成比・伸び率の推移

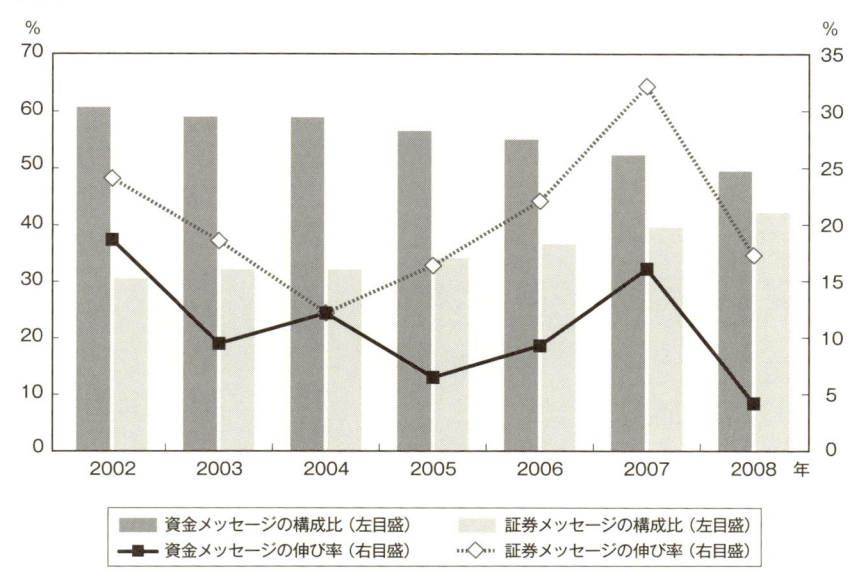

凡例：
- 資金メッセージの構成比（左目盛）
- 証券メッセージの構成比（左目盛）
- 資金メッセージの伸び率（右目盛）
- 証券メッセージの伸び率（右目盛）

（出所）SWIFT.

が42.2％とこれに次いでいる．この2分野で9割以上を占めており，外為・デリバティブ（6.8％）や貿易金融（1.2％）のウェイトは比較的小さい（図2-4

参照).なお,2008年には,資金メッセージのウェイトが,SWIFTの開業以来初めて5割を割り込んだことが特筆される(一方,証券メッセージのウェイトは,初めて4割台に乗せた).

最近では,証券メッセージの成長率が,ほぼ一貫して資金メッセージを上回っていることから,証券メッセージのウェイトが徐々に増加してきており,資金メッセージを抜くのは時間の問題とみられている(図2-5参照).もともとは「銀行のためのネットワーク」としてスタートしたSWIFTの性格が,証券業界も含めた「金融機関のためのネットワーク」へと徐々に変容してきているものといえよう.

③地域別のメッセージ量

SWIFTのメッセージ量(発信量)を地域別にみると,欧州が65%と約3分の2を占めており,米州の19%とアジア太平洋の12%がこれに次ぐ.アフリカ(3%)と中東(1%)は僅少である(図2-6参照).

経済規模からみて,欧州がかなり過大となっているが,これは,欧州では,多くの市場インフラ(資金決済システムや証券決済システム)のネットワークとしてSWIFTが使われていることが大きく影響している.つまり,海外のコルレス銀行との取引にSWIFTを使っているのみならず,国内の資金取引や証

図2-6 地域別のメッセージ量(2007年)

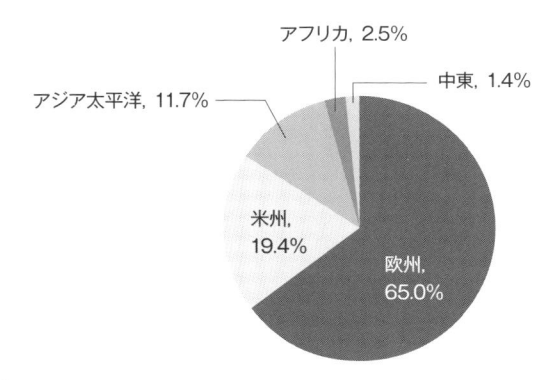

アフリカ, 2.5%
中東, 1.4%
アジア太平洋, 11.7%
米州, 19.4%
欧州, 65.0%

(出所) SWIFT.

表2-2 規模別のユーザー数

	トラフィック量 （1日当たり）	平均メッセージ数 （1日当たり）	ウェイト （ユーザー数）
小規模ユーザー	1000件未満	180件	80%
中規模ユーザー	1000～4万件未満	5700件	18%
大規模ユーザー	4万件以上	30万件	2%

券取引の決済の多くにもSWIFTを使っている[7]ため，トラフィック量が大きくなっているものである．

このように，欧州の市場インフラにおいてSWIFTの利用率が高いのは，①SWIFTがベルギーに本部を構えていることや，②欧州の銀行が中心となって設立されたといった経緯などにより，欧州の中央銀行や金融機関などが，SWIFTに対して強い親近感を抱いていること[8]が影響しているものとみられる．

④ユーザーのトラフィック量

SWIFTのユーザーをトラフィック量別にみると，1日当たりの受送信メッセージが1000件未満の小規模ユーザー（low volume customer）の数が全体の80％を占める．また，1日当たりのメッセージが1000～4万件未満の中規模ユーザー（medium volume customer）が18％を占める．さらに，1日当たりのメッセージが4万件以上の大規模ユーザー（high volume customer）は，ユーザー数ではわずか2％となっており，160社余りの大規模ユーザーがかなり大量のメッセージの受送信を行っていることがわかる（表2-2参照）．

ちなみに，平均メッセージ数（1日当たり，受送信）は，小規模ユーザーで180件，中規模ユーザーで5700件，大規模ユーザーでは30万件となっている．

---

[7] 日本の状況にたとえると，日銀ネットや全銀システムでの資金決済や，証券保管振替機構での株式・社債の決済などにも，SWIFTを利用しているというイメージである．
[8] 欧州の実務家と話をすると，「我々のSWIFT」（our SWIFT）といった言い方をすることが多い．

④ シュランク時代のSWIFTの変貌

SWIFTのCEO（最高経営責任者）は，1992年から2007年まで15年にわたって，レオナルド・シュランク（Leonard Schrank）氏が務めた．このシュランク時代は，SWIFTの大きな変貌の時期（transformational phase）にあたっている．

ここでは，シュランク氏がCEOを務めた15年間のSWIFTの歩みを振り返ってみることとしよう．

（1）メッセージ量の増加と利用料金の引下げ

1992年から2006年にかけては，メッセージ量の増加と利用料金の引下げによるSWIFTの「機能強化の時代」であった．メッセージ量は増加の一途をたどり，1992年の年間4億メッセージから，2006年には29億メッセージへと，7倍に増加した．この時期に，資金，証券，外為・デリバティブ，貿易金融のFINサービスの4つの分野のメッセージは，利用量がそれぞれ増加したが，とくに証券分野の伸びが顕著であった．また，メッセージ当たりの利用料金についての引下げが図られ，2006年までに，1992年比較で△80％の引下げが達成された．

この間，ネットワーク稼働率の向上（99.999％を目標）とした「The Road to 5×9s」が実行された．これは，①システムのリカバリー時間の大幅な短縮，②メッセージ処理効率の向上，③災害復旧手順の策定と導入，④将来のメッセージ量の増大に備えたシステムの増強，の4本柱が目標とされたため，「4本柱計画」（4 Pillars programme）と呼ばれた．

（2）ビジネス・エリアの拡大と次世代ネットワークへの移行

1997～2001年にかけては，2つのビジネス・エリアに注力が図られた．1つは，急拡大する証券市場への対応であり，証券分野でのパーティシパントの拡大などが図られた．もう1つは，資金決済システム，証券決済システムなどの「市場インフラ」（MI：Market Infrastructure）のネットワークとしての

SWIFTの利用拡大であった．当初は，2～3の採用のみであったが，2007年には100以上のマーケット・インフラに採用されるに至っており，SWIFTのメッセージ量の30％を，こうしたMI関連のトラフィックが占めている．

また，この時期の大きな課題が，X.25プロトコル・ベースのネットワークから，インターネット・プロトコル（TCP/IP）のネットワークへの移行であった．1997年のシドニーにおけるSibos[9]において，SWIFTでは，「次世代ネットワーク」（Next Generation）への移行を発表した．この次世代ネットワークが，「SWIFTNet」と呼ばれている現行のSWIFTのネットワークである．

さらに，この時期にSWIFTでは，重要なスローガンを打ち出している．それは，「システム・ダウンという選択肢はない」（Failure is not an option）というものである．これは，SWIFTが世界の金融において重要な役割を果たすようになっており，もしSWIFTのシステムがダウンするといった事態に陥れば，世界中の金融が大混乱に陥る可能性があることから，「絶対にダウンはさせない」という強い決意を表明したものである．SWIFTでは，この精神に基づいてセキュリティの向上や業務継続計画の強化を図っている．このスローガンは，頭文字をとって「FNAO」とも呼ばれており，現在に至るまで，SWIFTの重要なカルチャーの一部となっている．

(3) 災害復旧力の強化と事業法人への門戸開放

2001年の米国同時多発テロ（September 11）を受けて，SWIFTでは，「The Road to Resilience」（災害復旧力への道筋）と呼ばれるプロジェクトを開始した．このプロジェクトは，①物理的・ネットワーク上のセキュリティの強化，②人事管理の強化，③危機管理の強化，④業務継続体制の強化，の4本柱からなっており，前述の「4本柱計画」にならって「第2次4本柱計画」（4 Pillars II programme）と呼ばれた．

この計画の一環として，グローバルな顧客やマーケット・インフラの代表者による「業務復旧諮問委員会」（RAC：Resilience Advisory Council）や5つの主要通貨市場の代表による「情報連携グループ」（Communications and

---

[9] SWIFTが毎年，ユーザーを対象に開催しているコンファレンス（詳細は第15章）．

Coordination Group）との協議も行われた．SWIFTでは，セキュリティの強化により，2004年に「SAS70」（Statement on Auditing Standards No.70，米国監査基準書70号）準拠を達成している．

またこの時期に，SWIFTでは「料金引下げへの挑戦計画Ⅰ」（SWIFT Pricing Challenge I）を開始した．これは，平均的なメッセージ料金を，2002～2006年の間にそれまでの50％以下に引き下げることを目指したものであった．この目標は，2006年末までに52％の引下げを実現して達成されている．

この間，新しいネットワークである「SWIFTNet」については，2001～2002年にかけてパイロット・テストが行われたあと，2003～2004年にすべてのユーザーにおける移行が完了した．これに続いて，SWIFTNet上のセキュリティの向上プロジェクトである「SWIFTNet フェーズ2」が2007～2008年にかけて行われた．

この時期の特筆すべき事項として，事業法人のSWIFTネットワークへの参加がある．2006年6月のAGM（年次総会）において，98.6％の圧倒的な多数の賛成により，事業法人（corporate）をパーティシパントとして認めることが承認された．SWIFTは，もともと「銀行のためのネットワーク」として設立されたが，その後，証券業界にもユーザーを拡大して「金融機関のためのネットワーク」へと変貌した．そして，事業法人のアクセスを広く認めたことにより，SWIFTのネットワークは「金融機関と事業法人のためのネットワーク」に向けてさらに変容しようとしている．今後も，ネットワークとしてのSWIFTの性格は，ユーザーの構成やメッセージのウェイトなどにより，変貌を遂げていくことになるものとみられる．

第3章 SWIFTの参加資格とガバナンス

　SWIFTでは，SWIFTのサービスを構成する3大要素（key elements）として，①安全で信頼性の高いグローバルなネットワークの運営（Platform），②標準化の推進（Standards）と並んで，③コミュニティ（Community）をあげている．これは，前述のように「利用者による共同体」を意味しており，それだけ協同組合という組織形態のもとで，ユーザーとの協力関係やユーザーのガバナンスへの関与を重視している．

　本章では，SWIFTへの参加資格について概説したうえで，SWIFTのガバナンスの仕組み，SWIFTの組織について述べる．

1　SWIFTの参加資格

　SWIFTの参加資格（user category）は，メンバー，サブメンバー，パーティシパントの3つのカテゴリーに分かれている．このうち，メンバーのみがSWIFTの株主であり，SWIFTのガバナンスに関与することができる．

　各参加資格の概要は，以下のとおりである．

(1) メンバー

　「メンバー」（Member）になるためには，金融機関は，原則としてSWIFTの株式を購入し，SWIFTの株主（shareholder）となる必要がある[1]．メンバーのカテゴリーには，大きく分けて，①銀行と②証券会社および資産運用会社，

の2つがある．

① 銀　行

「銀行」（Bank）は，SWIFTの設立当初からのメンバーであり，メンバーのなかでも最大勢力となっており，SWIFTのガバナンスにおいて，重要な役割を果たしている．

② 証券会社と資産運用会社

「証券会社」（Broker and Dealer in Securities and Related Financial Instruments）は，証券の発行・引受にかかる業務や顧客とのトレーディング業務を行う金融機関である．

また「資産運用会社」（Investment Management Institution）は，証券を含む資産ポートフォリオの管理を行う会社であり，投資顧問会社，投資信託委託会社，保険会社などが含まれる．

(2) サブメンバー

「サブメンバー」（Sub-member）は，メンバーが50％以上の株式を直接所有するか，あるいは間接的に100％を所有している機関である．具体的には，メンバーの支店や現地法人などが，サブメンバーにあたる．サブメンバーは，SWIFTの株主ではないため，議決権をもたない．

(3) パーティシパント

「パーティシパント」（Participant）は，銀行や証券会社などのメンバーの業態ではないが，SWIFTの利用が認められている参加者である．パーティシパントは，SWIFTの株主ではないため，議決権は有していない．また，利用できるサービス内容に一定の制限（limited access）が課されている場合がある．

SWIFTでは，1987年に初めてパーティシパントとしての利用を認めて以降，徐々にその対象を拡大してきている．現在，パーティシパントとして認められ

---

1) 例外的に，株主（メンバー）となる条件を満たしているが，株主にならないことを選択した場合には，「非株主メンバー」（Non-shareholding Member）となることもできる．

第3章 SWIFTの参加資格とガバナンス

表3-1 パーティシパントの主なカテゴリー

業　態	英文名
証券決済機関（CSD）や清算機関（CCP）	Central Depositories and Clearing Institutions
金融市場の規制当局	Financial Market Regulator
ファンド管理会社	Fund Administrator
短資会社などのマネーブローカー	Money Broker
証券取引所，金融関連商品の取引所	Recognized Exchange for Securities and Related Financial Instruments
証券の登録機関と名義書換代理人	Registrar and Transfer Agent
駐在員事務所	Representative Office
証券のETCプロバイダー	Securities Electronic Trade Confirmation (ETC) Service Provider
証券市場におけるデータ提供業者	Securities Market Data Provider
議決権の行使代行会社	Securities Proxy Voting Agency
カストディやノミニー業務を行う会社	Subsidiary Providers of Custody and Nominee Services
外為やデリバティブの取引会社	Trading Institution
トラベラーズ・チェックの発行会社	Travelers Cheque Issuer
信託または受託業務会社	Trust or Fiduciary Services Company

（出所）"Corporate Rules," SWIFT, July 2008.

ている業態としては，表3-1のようなものがある．

このようにパーティシパントには，証券の取引・決済に関係する機関が多く含まれている．これは，証券ビジネスには，取引段階から決済段階に至るまで，各種のサービス・プロバイダーや証券決済機関，規制当局なども含めて，多くの当事者が関与しているためである．SWIFTでは，証券の取引・決済に関係するすべての当事者をSWIFTのネットワークに取り込むために，徐々にパーティシパントに新しいカテゴリーを追加してきた．これにより，銀行・証券会社などのメンバーにとっては，SWIFTという単一のネットワークにより，証券業務に関する幅広い関係者にアクセスができるようになっており，利便性が高まっている．また，このことが，前記のように，SWIFTにおいて証券メッセージのシェアが徐々に高まってきている要因ともなっている．

なお，参加資格のカテゴリーを個別に増やしてきた結果，体系が複雑になりすぎたことから，SWIFTでは，現在ユーザー・カテゴリーの再編と簡素化を進めており，2009年央には新しいカテゴリーが実施に移される予定である（詳細は後述）．

（4）クローズド・ユーザー・グループ（CUG）

以上の3つの参加資格は，SWIFTのネットワークに一般的に参加する場合の参加資格であり，SWIFTでは，これを「多対多の環境」（Many-to-Many Environment）における参加者と呼んでいる．

このほかに，特定のユーザーが特定のサービスに限定してSWIFTに参加する形態があり，これを「クローズド・ユーザー・グループ」（CUG：Closed User Group）と呼んでいる．CUGにおいては，「サービス・アドミニストレーター」（service administrator）と呼ばれる管理主体が，参加者の範囲やサービス内容を決める．CUGの種類としては，以下の4つがある．

①メンバー管理CUG（MA-CUG）

第1に，「メンバー管理クローズド・ユーザー・グループ」（MA-CUG：Member-Administered Closed User Group）がある．MA-CUGは，あるメンバーが選定したユーザーのグループについて，サービス・アドミニストレーターとの間での通信を可能とする仕組みである．サービス・アドミニストレーターは，「サービス参加者」（service participant）となることのできる参加基準（admission criteria）を定めて，参加者の認定などを行う．

MA-CUGは，通常，金融機関がサービス・アドミニストレーターとなり，自行の顧客（金融機関，事業法人など）をサービス参加者として，口座情報の提供などのサービスを提供するケースが多い．事業法人（corporate）は，2001年から特定の銀行のMA-CUGに参加することによって，SWIFTを利用することが可能となっている．

②資金決済システムの参加者

CUGの対象の第2は，「資金決済システムの参加者」（Payment System

Participant）であり，SWIFTを資金決済システムのネットワークとして利用する場合に組織される．通常，資金決済システムの運営主体（中央銀行など）がサービス・アドミニストレーターとなって，決済システムの参加者の範囲などを決定し，管理する．

③証券市場インフラの参加者

第3に，「証券市場インフラの参加者」を対象とするCUGがある．こうしたCUGは，証券決済機関（CSD）や清算機関（CCP）などがSWIFTをアクセス用のネットワークとして利用する場合に組成される．この場合にも，証券市場インフラの運営者（CSD, CCPなど）が，サービス・アドミニストレーターとなって，参加者の管理などを行う．

④事業法人

CUGの対象の第4は，金融機関以外の「事業法人」（corporate）である．事業法人は，従来から特定の銀行が管理するCUG（上記の①）に入ることができたが，2007年1月からは，より一般的な方法として，SWIFTが管理するCUGである「SCORE」（Standardised Corporate Environment）に参加することが可能となっている（詳細は第9章を参照）．

(5) ユーザー・カテゴリーの見直し

①見直しの背景

上述のSWIFTに参加するための「ユーザー・カテゴリー」（eligibility criteria）は，ビジネス・ニーズに応じてその都度，個別に新設してきた[2]ため，メンバー，サブメンバーと多くのパーティシパントを含め，合計で27ものカテゴリーに達している．また，カテゴリーにより，利用できるメッセージに制限があるなど，複雑な体系となっている．このため，SWIFTでは，複雑化したユーザー・カテゴリーを3つの大きなグループに再編し，簡素化することを

---

[2] 2007年6月の総会（AGM）でも，金融監督当局（Financial Market Regulators）が新しいパーティシパントのカテゴリーとして認められた．これは，金融機関が，SWIFTによって金融監督当局への取引報告などを行えるようにするためである．

決めた.

　この簡素化の提案は，2008年6月の年次総会 (AGM) において採択された. その後，各国における現行ユーザーの新しいカテゴリーによる認定やSWIFT内部での準備を経て，2009年半ばには新カテゴリーが実施に移され，従来のカテゴリーが廃止される予定である.

　②新しい3つのグループ
　新しいカテゴリーでは，ユーザーは，以下の3つのいずれかの「グループ」に分類される.

(a) 監督を受ける金融機関（グループ1）
　「監督を受ける金融機関」(Supervised Financial Institution) は，金融機関に関するカテゴリーである. このカテゴリーに入るためには，以下の2つが要件となっている. 第1に，金融監督当局から，ライセンスや許可を受けることが必要であったり，登録が求められていたりすることである. 第2に，金融監督当局の監督に服していることである. この2つの条件を満たす金融機関がこのカテゴリーに含まれる.
　また，金融に関する業務を行う①国際的な機関，②政府間機関，③政府系の機関，④中央銀行，などの公的な機関もこのカテゴリーに含まれる. このカテゴリーが，ユーザーの過半を占め，中心的なカテゴリーになるものとみられる.

(b) 金融業界における監督を受けない機関（グループ2）
　「金融業界における監督を受けない機関」(Non-Supervised Entity active in the financial industry) は，上記 (a) の金融機関等にサービスを提供する機関であり，金融監督当局の監督を受けないものである. サービス内容としては，資金決済，証券決済，銀行業務，保険業務，投資サービス，通信サービス，情報処理サービスなどが含まれる.

表3-2　ユーザー・カテゴリーの新旧対照表

グループ (新カテゴリー)	従来のカテゴリー	MTの利用制限
①監督を受ける金融機関	・メンバー ・サブメンバー ・以下のパーティシパント 証券会社，資産運用会社，証券決済機関（CSD），清算機関（CCP），証券取引所，金融関連商品の取引所，マネーブローカー，資産運用管理者，証券の登録機関，名義書換代理人，カストディやノミニー業務を行う会社，信託または受託業務会社など．	すべてのユーザーとの間で，すべてのメッセージの利用が可能（full usage）
②金融業界における監督を受けない機関	・以下のパーティシパント トラベラーズ・チェックの発行会社，議決権の代理行使会社，証券・外為のETCプロバイダーなど．	同じグループのユーザーとの間で，ほとんどすべてのメッセージの利用が可能（broad usage）
③クローズド・ユーザー・グループと事業法人	・以下のパーティシパント 事業法人，金融監督当局，資金決済システムの参加者，証券決済インフラの参加者，MA-CUGの参加者，外為取引を大規模に行っている企業（Treasury Counterparty）など．	限定されたユーザーと限定されたメッセージの利用が可能（focused usage）

(c) クローズド・ユーザー・グループと事業法人（グループ3）

「クローズド・ユーザー・グループと事業法人」（Closed User Groups and Corporate Entities）は，特定目的のためのクローズド・ユーザー・グループ（CUG）に参加している先や事業法人のためのカテゴリーである．「特別目的の参加者」（special purpose participants）とも呼ばれ，利用できるMTは，利用目的に必要なものに限定される．

このカテゴリーには，①事業法人，②金融監督当局，③資金決済システムの参加者，④証券市場のデータ・プロバイダー，⑤証券市場インフラの参加者，⑥メンバーが管理するクローズド・ユーザー・グループ（MA-CUG）の参加者，⑦外為取引を大規模に行っている企業（Treasury Counterparty），などが含ま

れる．

　③見直しの影響

　既存のユーザーや新規にSWIFTに参加するユーザーが，どのグループに該当するかについては，各国のナショナル・ユーザー・グループがまず審査・決定を行い，SWIFTへの申請を行うこととされている．

　なお，SWIFTの株主になることができるのは，依然として，①銀行，②証券会社，③資産運用会社，の3つの業態のみであり，今回のユーザー・カテゴリーの簡素化によって，SWIFTのガバナンスには影響は生じない．

　これまでは，新規ユーザーの申込みがあっても，当該業種が既存のカテゴリーに含まれていない場合には，次回の年次総会において新たなカテゴリーの承認を受けてからでなければ，ユーザーになることができなかった．今回の簡素化により，そうした手続きを待つ必要がなくなり，幅広い業種の企業がSWIFTのユーザーになることが可能となる．その意味では，カテゴリーの簡素化であると同時に，SWIFTへの「参加基準の柔軟化」であるとみることもできる．今回の簡素化は，SWIFTの進める「イージーSWIFT」（SWIFTへのリンクを容易にする）路線の一環である．

② SWIFTのガバナンス

　SWIFTは，ベルギー法の下で，協同組合（co-operative society）として設立されている．このため，SWIFTは，株主であるメンバーのために，安全で標準化されたメッセージ・サービスを提供することを目的として，株主である金融業界が所有・統治する組織となっている（shareholders own and control）．

　すなわち，株主によって選出された25名の「理事」（Director）が「理事会」（Board of Directors）を組織して，組織運営や戦略に関する重要事項を決定する．SWIFTの日々の業務に関するマネジメントは，CEO（Chief Executive Officer）に委託され，CEOとSWIFT幹部が行う．理事会は，CEOおよび幹部の経営状況に対するチェックを行うこととなっている．

(1) メンバーの株式保有

メンバーは，SWIFTの株式を保有し，株主としてSWIFTのガバナンスに関与する．SWIFTのメンバーになるにあたって，各機関は，当初，SWIFTの株式の1株を割り当てられる．この株式は，額面125ユーロであるが，購入価格は，財務諸表等に基づいて算出された現在価値（current transfer value）によることとされている．

メンバーの持株比率については，SWIFTへの支払手数料（＝SWIFTネットワークの利用量）に応じたものとすることとされており（定款第9条），そのための「株式の再配分」（share re-allocation）が，少なくとも3年に1度ずつ行われることになっている．

こうした再配分により，すべてのメンバーが平等に1票をもつという国連スタイルではなく，「大口ユーザーが利用量に応じて大きな発言力をもつ」という仕組みとなっている．保有株式数は，以下で述べるように，理事の推薦権や年次総会での投票権にも直結しており，「利用量に応じた発言権」というポリシーが，SWIFTのガバナンスの基本方針となっている．

なお，SWIFTの株主となることができるのはメンバーのみであり，パーティシパントについては，株式を保有することはできない．すなわち，パーティシパントは，SWIFTのネットワークを「利用することはできる」が，SWIFTの「ガバナンスに関与することはできない」仕組みとなっている．

(2) SWIFT理事会

SWIFTのガバナンスにおいて，中心的な役割を果たすのが「SWIFT理事会」である．

①SWIFT理事

SWIFT理事会は，25名の「理事」（Director）によって構成される．各国は，その国の株主が保有している総株式数によって，次のようにランク付けされ，そのランクに従って，理事を推薦することができる．

(a) 上位6カ国	2名の理事を推薦できる
(b) 次の上位10カ国	1名の理事を推薦できる
(c) その他の国	2カ国以上で理事を共同推薦することができる．ただし，この方法による理事は，3名以下とされる．

　すなわち，上位6カ国が2名ずつの計12名，次の上位10カ国（7位～16位）が1名ずつの計10名，少数株主国が3名の理事を選出する仕組みとなっており，SWIFTの利用量の多い大株主国の意向が反映しやすい仕組みとなっている．

　理事は，上記のランクに基づく各国のナショナル・メンバー・グループ（国単位のメンバーの集まり）の推薦に基づいて，年次総会で決定される[3]．理事の任期は3年であるが，再任が可能である．

　現在，2名の理事を出している上位6カ国は，米国，英国，ドイツ，フランス，スイス，ベルギーである（2008年6月）．また，わが国は，上記（b）のランクに相当し，1名の理事を出している．

②理事会の責務

　「SWIFT理事会」（Board of Directors）は，SWIFTの企業戦略の策定，SWIFT幹部の経営状況に対する監督などに対して責任を有する．現在，SWIFT理事会の議長（Chairman）はCiti（米国）のYawar Shah氏[4]が，副議長（Deputy Chairman）はUBS（スイス）のStephan Zimmermann氏が務めている．SWIFT理事会は，年に4回以上開催されることとなっている[5]．

　理事会での決定は，「理事会決議」（Board Resolution）として株主に報告されるほか，定款の変更を要するなど，重要性の高い案件については，年次総会での承認を受けて最終決定がなされる．

---

[3] このように理事の選任は，事実上，各国レベルで行われており，各国の有力銀行から選ばれる例が多い．

[4] 前任は，ABN AMRO銀行（オランダ）のJaap Kamp氏が2000～2006年にかけて務めた．

[5] 理事は，理事会出席のための旅費等は支給されるが，それ以外には，SWIFTからの報酬は受け取らないこととされている．

③ 6つの委員会

SWIFT理事会には，6つの「委員会」(committee) が設置されている．

すなわち，内部監査や予算・決算等の監視に関しては「監査・財務委員会」(AFC：Audit and Finance Committee) が，役員の人事や報酬に関しては「人事委員会」(Human Resources Committee) が設けられている．また，業務に関しては，「銀行ペイメント委員会」(Banking and Payments Committee) と「証券委員会」(Securities Committee) の2つの委員会がある．また技術的な問題を取り扱う委員会として，「標準化委員会」(Standards Committee) と「技術製品委員会」(Technology and Production Committee) がある．

これらの委員会は，SWIFT理事会やSWIFT幹部に対する助言を行ったり，各分野におけるプロジェクトの進捗状況についての点検を行ったりする．

(3) SWIFT幹部

SWIFT理事会は，SWIFTの組織としての大きな方向性や戦略を決めるが，日々の業務のマネジメントについては，CEO（最高経営責任者：Chief Executive Officer）を中心とするSWIFT幹部に委任されている．

SWIFT幹部は，「リーダーシップ会議」(Leadership Council) を形成して，業務的な意思決定を行っている[6]．リーダーシップ会議は，CEOのほか，地域本部のヘッド（3名），市場部門の責任者，プロダクト部門の責任者などによって構成されている．

SWIFTのCEOは，現在，ラザロ・カンポス（Lázaro Campos）氏が務めている[7]．カンポス氏は，2007年4月に，それまで15年にわたってCEOを務めたレオナルド・シュランク（Leonard Schrank）氏を引き継いでCEOに就任した．

---

6) 従来の「役員運営グループ」(ESG：Executive Steering Group) に代わるものとして組織された．
7) カンポス氏は，1987年のSWIFT入社で，CEO就任までにSWIFTで20年のキャリアを有する．国籍はスペイン．CEO就任前は，銀行部門（Banking Industry Division）のヘッドであった．

（4）年次総会

SWIFTの「年次総会」（AGM：Annual General Meeting）は，年に1回，毎年6月（第2水曜日）に開催される．年次総会には，株主であるメンバー機関の代表者（representative）が出席し，保有株式数に応じて投票を行う．AGMでは，年次財務諸表（Annual Report）の承認や，理事や会計監査人の選出が行われる．また，定款の変更が必要となる事項や，理事会で決議された重要事項についての最終的な承認を行う場となっている．

議案についてとくに反対がない場合には，全会一致（unanimous）の可決とされるが，反対がある場合には投票が行われる．議案のうち，SWIFTの定款（By-laws）の変更，パーティシパントのカテゴリーの変更などの重要事項については，総投票の75％以上の賛成が必要とされる．それ以外の議案については，50％以上の賛成によって可決とされる（いずれも株式数ベース）．

（5）ナショナル・メンバー・グループ

SWIFTのメンバー（株主）は，各国ごとに「ナショナル・メンバー・グループ」（NMG：National Member Group）を組織している．NMGには，外国銀行の支店や現地法人は含まれず，その国の金融機関が本部として参加している機関（たとえば，日本であれば邦銀，日系証券会社など）のみが含まれる．

NMGでは，その国特有の事情のSWIFTサイドへの説明，その国を代表する理事の推薦などの機能を有する．ただし，NMGは，SWIFTのガバナンスの一部を形成するものではないとされる．

（6）外部監査と監督

SWIFTは，2つの面での外部監査を受けている．第1は，会計監査（Financial Audit）であり，現在Ernst & Young社が担当している．第2は，安全性の監査（Security Audit）であり，PricewaterhouseCoopers社が担当している．

SWIFTの主席監査役（Chief Auditor）がこれらをとりまとめ，2つのレポーティング・ラインに報告する．レポート先の1つは，理事会の下に置かれた「監査・財務委員会」（AFC）であり，もう1つの報告先はCEOである．

このほか，SWIFTでは，先進国の中央銀行による協調オーバーサイト（監督）を受けている（詳細は第14章を参照）．

❸ SWIFTの組織

SWIFTの組織は，①世界を3地域に分けた「地域制」，②機能・セグメント別の「グループ制」，③財務・法務などの「本社機能」，によって構成されている．

職員数は，全世界で2040名であり，このうち約半数の1080名が本部のあるベルギーに，残り960名がベルギー以外の全世界のオフィスに勤務している（2007年末）．

従来は，本社におけるグループ機能が強く，各地域オフィスは窓口的な機能のみを果たし，業務的な判断は本社で一括して行うという中央集権的な体制となっていたが，カンポス氏のCEO就任後の2007年に，地域本部に大幅に権限を委譲した（「地域化」（regionalization）と呼ばれる）．このため現在では，各地域本部が担当地域について，ある程度の自主性をもって運営する体制となっている．

（1）地域制

SWIFTでは，世界全体を，①米州（北米・南米）地域，②アジア太平洋地域，③欧州・中東・アフリカ（EMEA：Europe, Middle East and Africa）地域，の3地域に分けている．

各地域には，「地域統括役員」（Regional Head）が置かれ，その地域の運営全体についての責任を有する．また，各地域本部には，市場マネージャー，製品マネージャー，標準化スペシャリスト，販売サポート，顧客サポート，顧客担当マネージャーなどが配置されている．

SWIFTのオフィスは，米州地域に4カ所，アジア太平洋地域に8カ所，EMEA地域に11カ所の計23カ所に置かれている（表3-3参照）．多くの国では，100％子会社のかたちで現地法人が設置されている．このうち日本には，「スイフト・ジャパン株式会社」が設立されている．

表3-3 SWIFTのオフィス所在地

地域名	オフィスの所在国（都市）
米州地域	米国（ニューヨーク，サンフランシスコ，マイアミ），ブラジル
アジア太平洋地域	豪州，インド，日本，韓国，香港，シンガポール，中国（北京，上海）
EMEA地域	ベルギー，英国，ドイツ，フランス，イタリア，スペイン，スウェーデン，スイス，オーストリア，南アフリカ，アラブ首長国連邦

（2）グループ制

SWIFTにおけるグループは，機能・セグメント別に，①市場グループ（markets group），②製品グループ（products group），③顧客サービス・グループ（customer service group），④ITオペレーション・グループ，の4つに分けられている．それぞれの機能は，以下のとおりである．

①市場グループ

市場ごとのユーザー・ニーズにあわせて，地域に適したソリューションの開発と営業を行う．このグループの機能には，標準化（Standards）も含まれる．

②製品グループ

各種のプロダクト（サービス）の開発と管理を行う．

③顧客サービス・グループ

ユーザーとSWIFT間における日常のオペレーションのサポートを行う．

④ITオペレーション・グループ

すべてのプロダクトおよび技術プラットフォームなど，IT面の設計や開発を行う．また，セキュリティ面の管理，オペレーション・センターやグローバルネットワークの運営なども行う．

（3）マトリクス組織

「地域制」と「グループ制」は，両者が協力して，それぞれのセグメントご

図3-1　SWIFTのマトリクス組織

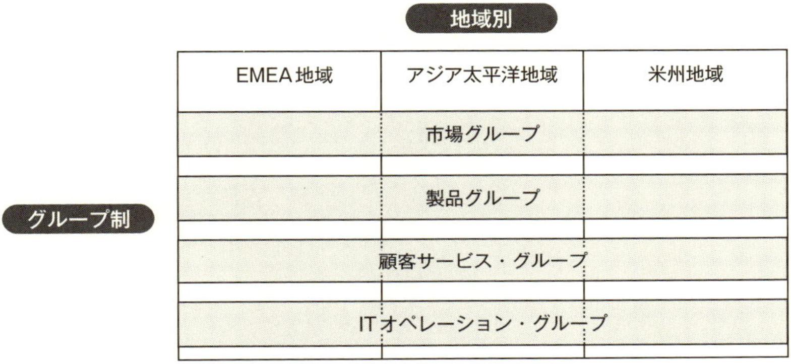

	地域別		
	EMEA地域	アジア太平洋地域	米州地域
グループ制	市場グループ		
	製品グループ		
	顧客サービス・グループ		
	ITオペレーション・グループ		

とに最良のソリューションが得られるようにするための機能を果たすことになっており，地域別と機能別を組み合わせた格子状の「マトリクス組織」（matrix organization）となっている（図3-1参照）．

マトリクス組織は，専門性と市場対応性を同時に達成するという面で，一般にスピードとイノベーションに優れた組織であるとされるが，一方で，複数の指示命令系統をもつことになるため，調整コストが高く，運用が難しいといった面も指摘されている．SWIFTでは，2007年にこうしたマトリクス組織に移行したところであり，今後の運用動向が注目される．

（4）本社機能

上記のような顧客や製品に関連する部門以外の部署は，本社機能（Corporate Function）として，本部に集中されている．

本社機能には，①ステークホルダー・リレーション・グループ，②財務・総務グループ，③法務グループ，④人事グループ，などがある．

第4章 SWIFTのネットワークとアクセス方法

本章では，SWIFTのネットワークの構成や，ユーザーがSWIFTのネットワークにアクセスする場合の接続方法といったやや技術的な側面について述べる．また，SWIFTと協力関係にあり，SWIFTへの接続やサービス導入をサポートする「SWIFTパートナー」についても説明を加える．

1 SWIFTのネットワーク

SWIFTのネットワークは，一般には「SWIFTNet」と呼ばれ，また技術的な側面からは「SIPN」と呼ばれる．以下では，これらについて説明する．

(1) SWIFTNet

SWIFTのネットワークである「SWIFTNet」は，インターネット・プロトコル（TCP/IP）ベースのネットワークである．このネットワーク上においてSWIFTのすべてのサービスが提供される「メッセージのプラットフォーム」（messaging platform）となっている[1]．

上述のように，SWIFTNetは，世界の200カ国以上の8000以上の金融機関を結んでいるため，SWIFTNetにアクセスすることは，これらの世界中の金融機関との間でメッセージの交換（送金指図等）ができることを意味する．

---

1) SWIFTでは，2001〜2004年にかけて，X.25プロトコルによる旧ネットワーク（STN：SWIFT Transport Network）から，現行のSWIFTNetへの移行を行った．

(2) セキュアIPネットワーク（SIPN）

SWIFTNetは，安全性の高いインターネット・プロトコル（IP）ベースのネットワークという意味で，技術的には「セキュアIPネットワーク」（SIPN：secure IP network）と呼ばれる．SIPNは，①ネットワーク障害を避けるために完全な二重化（full redundancy）が行われていること，②高い障害回復機能（advanced recovery mechanism）を有していること，などが特徴である．

SIPNは，SWIFTが，通信業者（「ネットワーク・パートナー」と呼ばれる）のサービスを利用することにより，ワールド・ワイドなIPネットワークである「IP-VPN」（Internet Protocol-Virtual Private Network）を構築しているものである．

VPNとは，一般に「仮想私設通信網」と呼ばれ，インターネットなどの公衆網を，暗号化やアクセス制御，トンネリング[2]などの技術を使って，仮想的に専用線のようなプライベートネットワークとして利用するサービスである．VPNは，従来のような専用回線サービスに比べて，回線コストを低く抑えることができ，また柔軟なネットワーク構成を構築しやすいため，近年，普及が進んでいる．

SWIFTでは，SIPNの提供業者として，①AT&T，②BT Infonet，③Colt，④Orange Business Serviceの4社をネットワーク・パートナーに選定している．複数の通信業者を使う「マルチ・ベンダー・モデル」を採用していることから，SIPNは「マルチ・ベンダーSIPN」（MV-SIPN：Multi-Vendor Secure IP Network）とも呼ばれる．

これらの複数の通信業者のネットワークは，SWIFTが管理する「基幹ネットワーク」（後述）によって接続され，世界中を結ぶグローバルなネットワークを形成している．

---

2) 公衆回線上に，ある2点を結ぶ閉じられた仮想的な直結の通信回線を確立する技術のこと．ネットワーク上に，外部から遮断された通り道を作るようにみえることから，「トンネリング」（tunneling）と呼ばれる．あるプロトコルのデータを他のプロトコルのデータで包み込む「カプセル化」（encapsulation）などによって行われる．

(3) SIPNの構成

SIPNの構成をみると，以下のとおりである（図4-1参照）．

①ネットワーク機器（M-CPE）

まず，ユーザーのサイトには，「M-CPE」(Managed Customer Premises Equipment：ユーザーのサイト内で管理された機器）と呼ばれるネットワーク機器が置かれる．M-CPEは，「VPNボックス」(Virtual Private Network box）と「ネットワーク・ルーター」によって構成される[3]（いずれも，1つまたは複数により構成）．

VPNボックスは，暗号機能や認証機能などを有しており，ユーザーのサイトと基幹ネットワーク間のセキュリティを確保する役割を果たす．一方，ネットワーク・ルーターは，ネットワーク同士を相互接続する通信機器である．

②ローカル・ループ

M-CPEから，ネットワーク・パートナーのネットワークまでをつなぐ接続部分を「ローカル・ループ」という．この部分もネットワーク・パートナーが管理を行う．ネットワーク・パートナーのネットワークの入り口部分は「POP」(Points of Presence）と呼ばれる．つまり，ローカル・ループは，ユーザー側のM-CPEとネットワーク・パートナー側のPOPとの間をつなぐ部分である．

③アクセス・ネットワーク

ネットワーク・パートナーが提供する部分が「アクセス・ネットワーク」であり，上記のように4つの通信業者が提供している．アクセス・ネットワークは，「基幹アクセスポイント」(Backbone Access Point）において，SWIFTの管理する「基幹ネットワーク」に接続されている．

基幹アクセスポイントは，SWIFTが所有・管理している物理的なサイトであり，異なるパートナーのネットワークが，ここで基幹ネットワークに接続さ

---

[3] VPNボックスはSWIFTが，ルーターはネットワーク・パートナーが管理を行う．

図4-1 セキュアIPネットワーク（SIPN）の構成

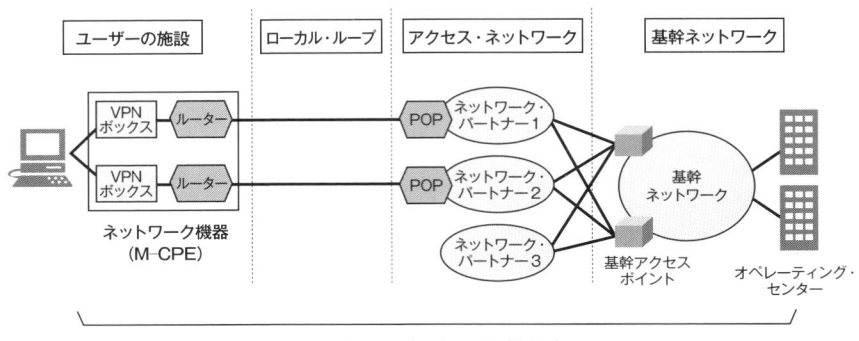

（出所）"SWIFTNet Connectivity Packs," SWIFT.

れている．

④基幹ネットワーク

「基幹ネットワーク」（SIPN Backbone Network）は，SWIFTが管理している高速で高い耐障害性（fully resilient）を有するIPネットワークであり，基幹アクセスポイントから，SWIFTのオペレーティング・センター（OPC：欧州と米国の2カ所）までを結んでいる．

❷ 直接接続と間接接続

SWIFTNetへの接続方法には，大きく分けて，①ユーザーが直接SWIFTのネットワークにアクセスする「直接接続」（direct connectivity）と，②第三者を経由してアクセスする「間接接続」（indirect connectivity）とがある．

（1）直接接続

直接接続は，自行のシステム（またはSWIFT端末）を直接SWIFTNetに接続する形態であり，大規模行をはじめ，多くの先がこの方法により，SWIFTNetにリンクしている．

(2) 間接接続

一方，間接接続は，小規模なユーザーが安価なコストでSWIFTに接続するための方法であり，以下の3つの形態がある．

①共有接続

「共有接続」(shared connection) は，他のユーザー（SWIFT接続先）を経由して，SWIFTNetに接続する方法である．この接続方法によるユーザーは，共有接続を通じて受送信したメッセージに関して，自ら直接，受送信したのと同じ責任を有する．

②サービスビューロー

「サービスビューロー」(Service Bureau) は，SWIFTNetへの接続に関する業務を受託する先である．サービスビューローは，SWIFTNetへの接続（および場合によってはSWIFTインターフェースへの接続）をユーザーに代わって行う．サービスビューローは，SWIFTユーザーである必要はなく，通常は，IT系や通信系の企業が，こうした業務に携わっている[4]．ユーザーの責任については，上記①と同じである．

サービスビューローの受託業務は，主として接続にかかる技術的なオペレーションであり，SWIFTの管理業務 (administration) や利用料金の支払の代行など，ユーザーがより幅広いサービスを必要とする場合には，下記のメンバー・コンセントレーターに依頼することになる．

③メンバー・コンセントレーター

SWIFTのメンバーである金融機関が，小規模なユーザー向けに提供するSWIFTNetへの接続サービスが，「メンバー・コンセントレーター・プログラム」(Member/Concentrator Programme) である．メンバー・コンセントレーターは，小規模ユーザーに代わって，SWIFTNetへの接続のほか，SWIFTの

---

[4] わが国では，NTTデータ，三菱総研DCS，JSOLの3社が，サービスビューローとして登録されている．

管理業務,SWIFTメッセージへの変換,SWIFT利用料金の支払代行などを行う.なお,メンバー・コンセントレーターとなるためには,SWIFTのメンバーであることが必要条件となっている.

小規模ユーザーにとっては,メンバー・コンセントレーターを利用することによって,SWIFTに接続するためのコスト(事務コストを含む)を軽減することができる.

一方,メンバー・コンセントレーターにとっては,顧客向けの付加価値サービスを提供できるというメリットがある.とくに,小規模な金融機関に対して,すでに他のサービス(外貨決済のサービスなど)を提供している大手金融機関にとっては,有力な追加サービスになりうるものとされている.

(3) ユーザーの規模と接続方法

接続方法を決めるうえで,ユーザーは,タイプA,タイプB,タイプCの3つのタイプに分類されている(表4-1参照).

「タイプA」は,グローバルに業務を展開する大規模ユーザーであり,直接接続(大容量)やサービスビューロー経由による接続が推奨されている.また,「タイプB」は,地域金融機関などの中規模ユーザーであり,直接接続(中容量)のほか,3種類の間接接続(共有接続,サービスビューロー,メンバー・コンセントレーター)のいずれかによる接続が推奨されている.さらに「タイプC」は,ほぼ国内業務に特化した小規模ユーザーであり,直接接続(小容量)およ

表4-1 ユーザーの規模と接続方法

ユーザーのタイプ	タイプA	タイプB	タイプC
規模・業務内容等	・グローバルな金融機関である. ・SWIFTを利用する多くの業務ラインを抱える. ・SWIFTのメッセージ量が多い(1日1万件以上).	・地域金融機関である. ・SWIFTを利用する複数の業務ラインがある. ・SWIFTのメッセージ量は中規模である(1日1000件程度).	・国内業務に特化している. ・SWIFTを利用するのは,1つの業務ラインのみである. ・SWIFTのメッセージ量は少ない(1日50件以下).
推奨される接続方法	直接接続(大容量) サービスビューロー経由	直接接続(中容量) 間接接続(3種類のいずれか)	直接接続(小容量) 間接接続(3種類のいずれか)

び3種類の間接接続のいずれかが適当とされている.

③ SWIFTNetへの直接接続のオプション

SWIFTNetへの直接接続を行うにあたっては,「SWIFT認定サービス・プロバイダー」を利用することが強く推奨されている.認定サービス・プロバイダーには,SWIFTの認定を受けた「公認エキスパート」が在籍し,専門的なサポートを受けることができる.

(1) 5つの接続パッケージ

SWIFTNetへの直接接続を行うユーザーに対して,SWIFTでは,トラフィック量に応じて,回線アクセス方法,耐障害性,アクセス回線容量などを組み合わせた5つの接続パッケージ(「パック1」から「パック5」まで)を設定しており,「接続パック」(connectivity pack)として提供している(表4-2参照).

表4-2 5つの接続パッケージの概要

	パック1	パック2	パック3	パック4	パック5
ピーク時の処理能力	1システムTPS未満	1システムTPSまで	5システムTPSまで	40システムTPSまで	40システムTPS超
ソフトウェア	SAB, SNL	SAB, SNL	SNL	SNL	SNL
SNL耐障害性	オプション	オプション	高速リカバリー機能が必須	高速リカバリー機能とバックアップ・サイト機能が必須	高速リカバリー機能とバックアップ・サイト機能が必須
HSMのタイプ	カードトークンボックス	カードトークンボックス	ボックス	ボックス	ボックス
回線アクセス方法	ダイヤルアップ接続	Dual-I接続, Dual-P接続, 複数回線でのSingle-P接続	Dual-I接続, Dual-P接続, 複数回線でのSingle-P接続	Dual-P接続, 複数回線でのSingle-P接続	Dual-P接続, 複数回線でのSingle-P接続
アクセスポート回線容量	56Kbps	64Kbps(標準またはエコノミー)	64Kbps 128Kbps 256Kbps	256Kbps 512Kbps 1.5Mbps 2Mbps	1.5Mbps 2Mbps 以上

(出所) "SWIFTNet Connectivity Packs," SWIFT.

「パック1」が最も小規模なユーザー向け,「パック5」が最も大規模なユーザー向けである.「パック1」から「パック5」に向かうに従って,処理能力や回線容量が大きくなるとともに,機能が高度化し,セキュリティの水準も高くなっている.ユーザーは,自らのメッセージ量などに応じて,これらの接続パックのなかから適切なものを選択して,SWIFTへの接続を行うことになる.

(2) パッケージの構成要因

上記の5つのパッケージを構成している要因は,①ピーク時の処理能力,②インターフェース,③耐障害性,④HSMのタイプ,⑤回線アクセス方法,⑥アクセスポート回線容量などである.これらの詳細は,以下のとおりである.

①ピーク時の処理能力

ユーザーが接続方法を選択するうえで,まず初めに考慮する必要があるのが,「ピーク時の処理能力」(peak throughput) である.この処理能力は,1秒ごとのトランザクション数である「システムTPS」(system Transactions Per Second) によって計測される.

1システムTPSまでであれば「パック1」または「パック2」が,5システムTPSまでであれば「パック3」が,40システムTPSまでであれば「パック4」が,それを超える場合には「パック5」が推奨されている.

②基本ソフトウェア (SNL)

SWIFTNetのメッセージ・サービスにアクセスするためには,「SWIFTNet Link」(SNL) という通信のための基本ソフトウェアが必須 (mandatory) となっている.これは,「パック1」から「パック5」まで共通である.

SNLは,ユーザーのアプリケーションとネットワーク (SIPN) とを繋ぐための技術的な相互運用性 (technical interoperability) を提供するものである.またSNLには,SWIFTNet上で暗号の鍵配送を安全に行うためのPKI (公開鍵基盤) の機能が盛り込まれている (詳細は第11章を参照).

③インターフェースとSWIFT端末

ユーザーがSWIFTに接続するためのインターフェースとしては，大きく分けて，①FINサービス用のソフトウェア群と，②InterAct, FileAct, Browseなどのサービス用のソフトウェア群があり，ユーザーは，これらのなかから単体またはいくつかを組み合わせて利用することができる．また，これらのいくつかを組み合わせてパッケージ化したものとして「SWIFTNetキット」がある．それぞれの概要は，以下のとおりである．

(a) FINサービス用のインターフェース (CBT)

FINメッセージを送受信するためのソフトウェアを「CBT」(Computer-Based Terminal) と呼ぶ．CBTとしては，以下の2つが提供されている．

(イ) SWIFTAlliance Access (SAA)

「SWIFTAlliance Access」(SAA) は，中・大規模ユーザー用のサーバー・ソフトウェアであり，中規模金融機関における単体での利用や，大規模金融機関がデータセンターで支店分を含めて集中処理を行うケースなどに幅広く利用されている．サービスビューローにおいても，一般的に利用されているソフトウェアである．各金融機関の業務系システムとの連動のためのツールも複数用意されているほか，安全性に配慮して，CPUの二重化やバックアップの高速化にも対応している．WindowsのOSのほか，UnixのOS[5]にも対応している．最新のSAAでは，MTのみでなく，MXについてもサポートしている[6]．

(ロ) SWIFTAlliance Entry (SAE)

「SWIFTAlliance Entry」(SAE) は，上記SAAを若干簡素化して，中小規模ユーザー用に提供されているソフトウェアである．WindowsのOSのみに対応している．SAAと同様，最新のバージョンでは，MTだけでなく，MXもサポートしている．

---

[5] IBM AIXとSun Solarisの2種類．
[6] MTとMXについては，第6章を参照．

(ハ) SAAとSAE用の端末ソフト

ユーザーが電文入力を画面から行う場合には，MT用には「SWIFTAlliance Workstation」(SAW) が，MTおよびMX用には「SWIFTAlliance Messenger」(SAM) が端末用ソフトウェアとして提供されている．いずれも，Windowsパソコンに導入のうえ，SAAやSAEに接続して利用される．

(b) InterAct, FileAct, Browseサービス用のインターフェース

InterActサービス，FileActサービス，Browseサービス用には，以下のソフトウェアが提供されている．

(イ) SWIFTAlliance Gateway (SAG)

「SWIFTAlliance Gateway」(SAG) は，上述のSAA/SAEを含めて，統合的にSWIFTへ接続するためのサーバーとして利用できるほか，単体でInterAct, FileAct, BrowseといったSWIFTNet用のメッセージを包括して管理するサーバーとしても利用される．また，サードパーティが提供するCBTをSWIFTに接続する際のゲートウェイとしても用いられる．SAGは，WindowsとUnixのOSに対応している．複数のシステムへの連動用のツール（「アダプター」と呼ばれる）が提供されており，ユーザーの社内システムをSWIFTに接続して，大量のメッセージを送受信するのに適している．

(ロ) SWIFTAlliance Starter Set (SAS)

「SWIFTAlliance Starter Set」(SAS) は，SAGを簡素化したソフトウェアであり，SAA/SAEと同じ筐体に導入されることを条件に提供されているソフトウェアである．SAGのように複数のアダプターを利用することはできないため，SASの利用は，RMA[7]など限定的なサービスに対応したものとなっている．

---

7) 通信相手との取引関係を管理するためのツール．詳細は，第11章3を参照のこと．

図4-2 SWIFTのソフトウェアの鳥瞰図

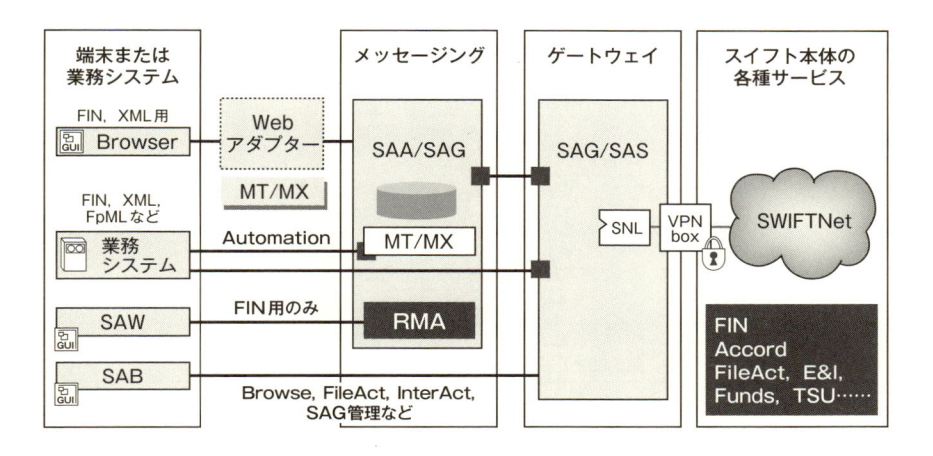

（ハ）SWIFTAlliance Webstation（SAB）

「SWIFTAlliance Webstation」（SAB）は，上記SAG/SASの端末用ソフトとして位置づけられるソフトウェアである．ユーザーは，WindowsパソコンにSABを導入して，SAG/SASの端末としてFileActやBrowseのサービスを利用するために使用する．SABは，SAG/SASの管理者用の端末ともなる．

SABは，Java版のSNLを利用することにより，スタンドアロン端末として利用することができる．また，数台のSABをSAGに接続して用いることもできる．SABは，FileActやBrowseのサービス以外にも，AccordサービスやTSUサービスの操作端末としても利用される[8]．

（c）SWIFTNetキット

「SWIFTNetキット」（SWIFTNet Kits）は，中小規模のユーザー（1日平均の送受信件数が1000件以下）が，SWIFTを利用するための基本ソフトウェア，サーバー製品，端末製品，回線のバックボーン保守費，電子証明書などを一括したパッケージとして発注できるものであり，現在，6種類のキットが提

---

[8] AccordサービスやTSUサービスについては，第8章を参照．

表4-3 SWIFTNetキットの種類

キット名	概　要
アクセス・キット	SNL，SAA，SAGのほか，端末としてのSAW，SAM，SABが一括して提供されている．SWIFTNet Mailを利用するための，ソフトウェアも含めて提供されている．
エントリー・キット	アクセス・キットの簡便版として，SNL，SAE/SASが提供されているもの．
ゲートウェイ・キット	SNL，SAGおよびSABが提供されており，主にFileActサービスの利用に適したもの．
リンク・キット	SNLとSABが提供されている．サードパーティ製品を利用している際にSWIFTとの接続を可能にするもの．
リモート・キット	SAEとSAW/SAMの機能を提供するもの．
エッセンシャル・キット	サービスビューローなどの間接接続を利用する際には，ソフトウェア製品は必要ないため，ユーザーとしての登録費用などが含まれているもの．

供されている（表4-3参照）．

④SNL耐障害性

処理量の多いパッケージにおいては，通信の基本ソフトである「SNL」が障害にあっても，通信が継続できるための機能が必要とされている．この機能は「SNL耐障害性」（SNL Resilience）と呼ばれる．

具体的には，「パック1」と「パック2」においては，SNL耐障害性はオプション（とくに義務づけはなし）となっているが，「パック3」においては，「高速リカバリー機能」が義務付けられている．また，「パック4」と「パック5」においては，「高速リカバリー機能」と「バックアップ・サイト機能」の両方が義務付けとなっている．各機能の概要は，以下のとおりである．

(a) 高速リカバリー機能（Fast application recovery）

「高速リカバリー機能」は，コンピュータのトラブルが発生した際に，迅速な復旧を行う機能である．これにより，トラブルの発生しているSNLから，正常なシステムのSNLへとトラフィックを素早く移動させることができる．「パック3～5」のユーザーは，この機能を必ず導入しなければならない（必須）．

高速リカバリー機能を実現するためには，ユーザーは，①アクティブ機とス

タンドバイ機による構成（active/standby configurations），または②アクティブ機を複数台稼働させる構成（multi-active configuration）のどちらかをとることが必要である．

(b) バックアップ・サイト機能（Disaster recovery site）
「バックアップ・サイト機能」は，コンピュータのメイン・サイトが大規模災害等によりダウンした場合に，遠隔地に設けた「バックアップ・サイト[9]」により，SWIFTによる通信を継続する機能である．
「パック4」と「パック5」のユーザーは，こうしたバックアップ・サイトを設置することが求められている（必須）．バックアップ・サイトでは，SNLのほか，M-CPE（ネットワーク機器）を独立して使えるようにしておく必要がある．

⑤HSMのタイプ
SWIFTのネットワークでは，暗号技術を用いて，メッセージの暗号化やアクセス・コントロールを行っている．この暗号化処理を行うための秘密情報を格納するためのハードウェアが，「HSM」（ハードウェア安全モジュール：Hardware Security Module）である．
HSMには，①HSMカード（およびカードリーダー），②HSMトークン，③HSMボックス，の3種類がある．FINサービスによる通信を行うためには[10]，HSMの利用が必須である．
「パック1」と「パック2」では，HSMボックス，HSMトークン，HSMカードのいずれかを用いることができる（ただし，端末ベースのSABの場合には，HSMトークンのみ）．「パック3〜5」では，HSMボックスを用いることとされている．なお，1つのSNLでは，1種類のHSMしかサポートすることができない．3種類のHSMの概要は，以下のとおりである．

---

9) disaster recovery site またはcontingency siteとも呼ばれる．
10) InterActとFileActのサービスにおいても，HSMの利用が義務付けられる予定である．

(a) HSMカード（およびカードリーダー）

「HSMカード」は，カードリーダーに差し込んで利用するもので，1枚のカードには1つのPKI情報（PKI profile）しか蓄積することができない．カードリーダーは，USBポート（接続口）に接続することができ，HMSカードへの読込みや書込みを行うことができる．1つのSNL（基本ソフトウェア）では，4台までのカードリーダーを使うことができる．

「パック1」と「パック2」のユーザーは，HSMカード（およびカードリーダー）を利用することができる．

(b) HSMトークン

「HSMトークン」は，USBメモリー型の小型・軽量の装置である．ユーザーは，HSMトークンをUSBポートに差し込んで使う．HSMトークンには，1つのPKI情報（PKI profile）しか蓄積することができない．1つのSNLでは，最大4つまでのHSMトークンをサポートする．

SWIFTNetに直接接続しているSAB（SWIFTAlliance Webstation）と「パック1」と「パック2」のユーザーは，HSMトークンを使うことができる．

(c) HSMボックス

「HSMボックス」は，LAN[11]によって複数のSNLに接続することができるハードウェアである．通常のHSMボックスでは250個のPKI情報を，ダブル・クラスター型のHSMボックスでは500個のPKI情報を蓄積することができる．最大5つのSNLが，1つのHSMボックスを共有することができる．

このようにHSMボックスは，社内で比較的多くの人がSWIFTを利用する大規模ユーザー向けである．どのパックのユーザーもHSMボックスを利用することができる．ただし，SABではHSMボックスを用いることはできない．

---

11) Local Area Networkの略．一般には「行内通信網」と訳される．回線を使って同じ建物のなかにあるコンピュータなどを接続し，データをやりとりするネットワークのこと．

第4章 SWIFTのネットワークとアクセス方法

⑥回線アクセス方法

ユーザーの拠点から，SWIFTのIPネットワーク（SIPN）への回線接続を行う方法としては，①ダイヤルアップ接続，②Dual-I接続，③Dual-P接続，④Single-P接続の4つの方法が設けられている．いずれのアクセス方法においても，安全な接続を確保するため「VPNボックス」（Virtual Private Network box）を使って回線へのアクセスが行われる．なお，今後は，インターネットによるアクセス方法も提供される予定である．現状の各アクセス方法の概要は，以下のとおりである．

(a) ダイヤルアップ接続

「ダイヤルアップ接続」は，ネットワーク・パートナーが用意している接続先電話番号（アクセス・ポイント）にダイヤルして，電話回線経由でSIPNに接続を行う方式である（図4-3参照）．

ダイヤルアップ接続のためには，公衆回線（PSTN：Public Switched

図4-3 ダイヤルアップ接続の構成（公衆回線接続のケース）

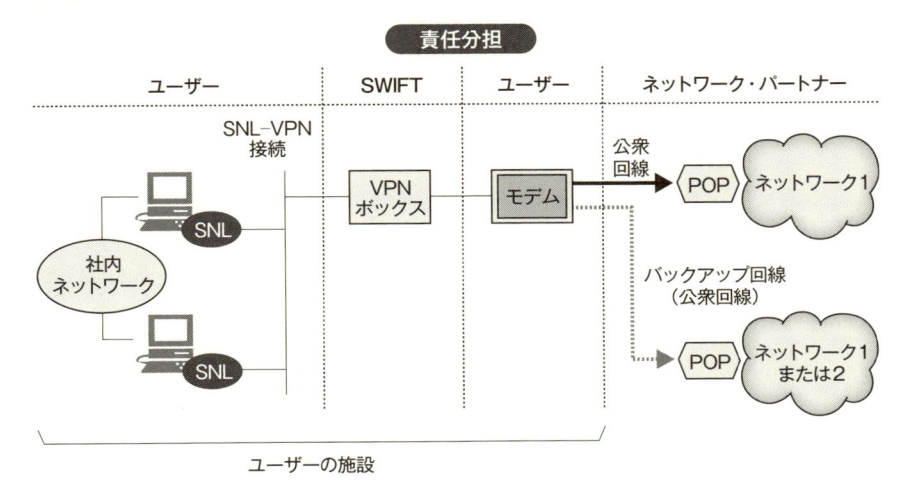

（出所）"SWIFTNet Connectivity Packs," SWIFT.

図4-4 Dual-I接続の構成(専用回線を利用したケース)

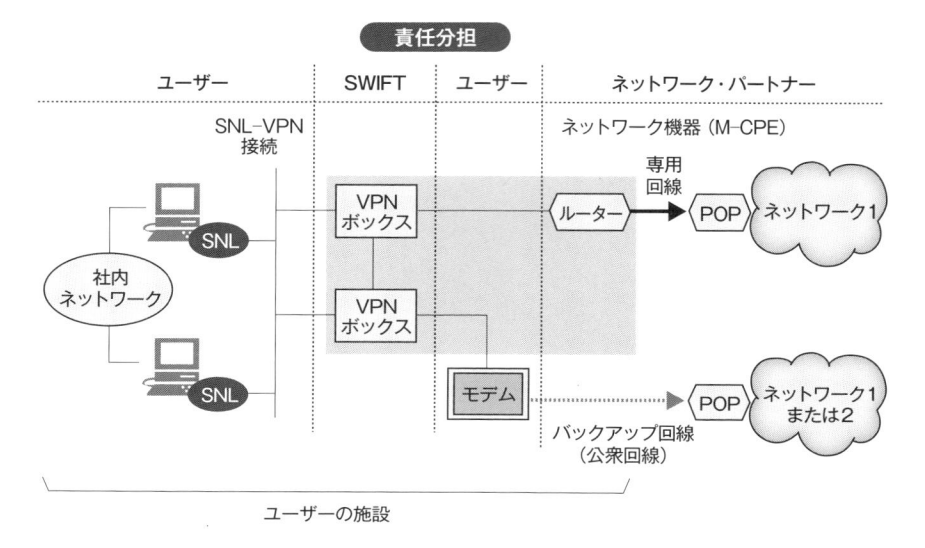

(出所)"SWIFTNet Connectivity Packs," SWIFT.

Telephone Network)のほか,ISDN回線(総合デジタル通信網:Integrated Services Digital Network)が利用可能であるが,一般的には,公衆回線(PSTN)が用いられる[12].ダイヤルアップ接続は,トラフィックの少ない「パック1」でのみ利用可能である.

(b) Dual-I接続

「Dual-I接続」は,2台のVPNボックスを使った接続方法であり,1台が「アクティブ機」(active VPN box),もう1台が「スタンドバイ機」(standby VPN box)となる.アクティブ機は,①専用回線(permanent leased-line),②DSL接続(Digital Subscriber Line),などを経由してSIPNへの接続を行う.一方,スタンドバイ機については,公衆回線(PSTN)によるダイヤルアップ接続が行われる(図4-4参照).

---

12) ISDN回線を利用する場合には,SWIFTの許可が必要とされている.

第4章 SWIFTのネットワークとアクセス方法

図4-5 Dual-P接続の構成

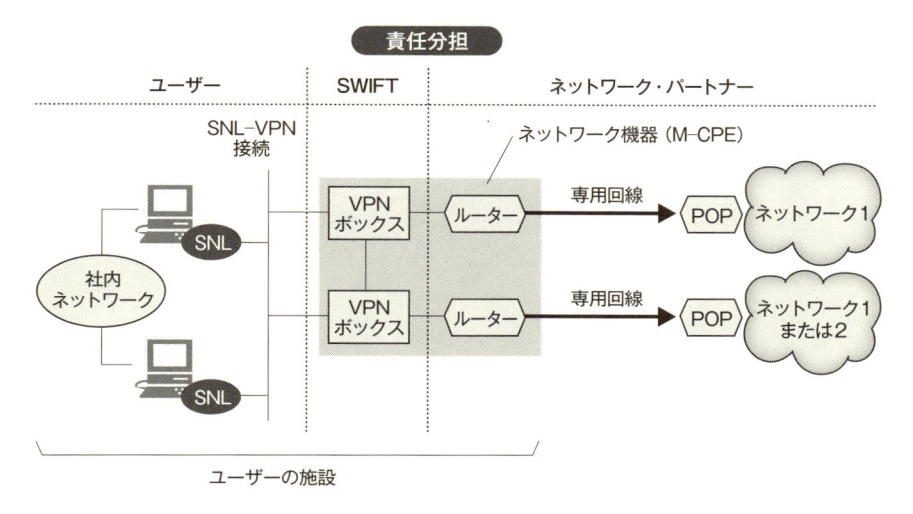

（出所）"SWIFTNet Connectivity Packs," SWIFT.

Dual-I接続は，「パック2」と「パック3」において利用することができる．

(c) Dual-P接続

「Dual-P接続」は，2台のVPNボックスを使った接続方法であり，アクティブ機とスタンドバイ機の構成をとる点では，Dual-I接続と同様である．ただし，Dual-P接続では，両方のVPNボックスが，それぞれ専用回線によって接続されている点が異なっており，通信の確実性を高めた構成となっている（図4-5参照）．Dual-P接続は，「パック2～5」で利用することができる．

(d) 複数回線でのSingle-P接続

「Single-P接続」は，複数のM-CPE（ユーザーサイト内のネットワーク機器）を使った構成であり，それぞれのM-CPEは，1台のVPNボックスから，専用回線を通じてSIPNへ接続される（図4-6参照）．Single-P接続は，必ず複数回線の構成（multi-line configurations）で利用しなければならない．

図4-6 複数回線でのSingle-P接続の構成

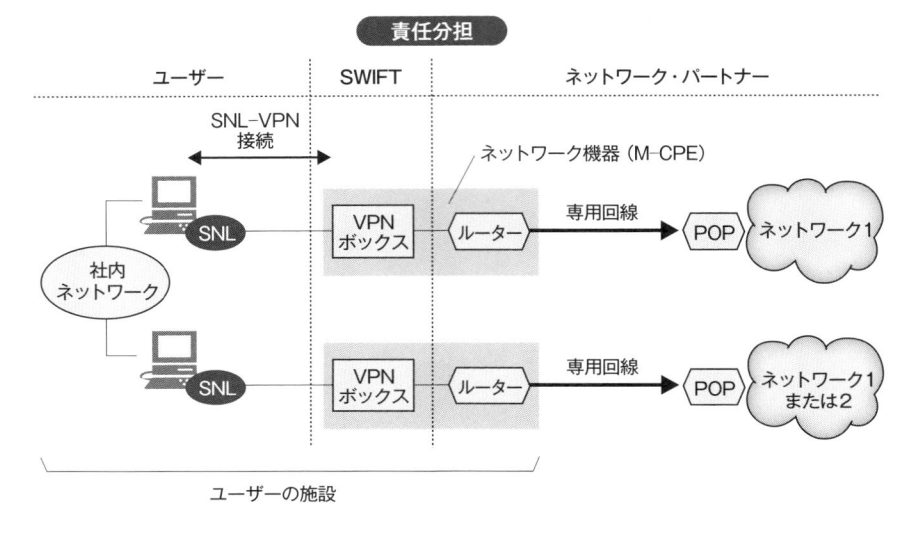

（出所）"SWIFTNet Connectivity Packs," SWIFT.

　この構成の場合，各VPNボックスにはバックアップ機がないため，ネットワークのトラブル等により通信ができなくなった場合には，SNLを別のM-CPEに繋ぎ換え（switch-over）しなければならない（手動または自動による）．

　Single-P接続では，各VPNボックスがアクティブ機となるため，複数のVPNボックスおよびそれに接続する回線をフルに利用することができるというメリットがあるが，ネットワーク障害が発生した場合には，繋ぎ換えを行う必要があり，耐障害性の点では，自動的なバックアップを行うDual-P接続よりも堅牢性が低い．このため，SWIFTでは，メイン・サイトには，Dual-I接続やDual-P接続で接続を行ったうえで，バックアップ・サイトでの接続にSingle-P接続を利用するといった使い方を推奨している．

　複数回線でのSingle-P接続は，「パック2～5」で利用することができる．

⑦アクセスポート回線容量

　「アクセスポート回線容量」（access port bandwidth）は，SWIFTNet内の

IPネットワークにおける回線容量である．すなわち，POPから先のネットワーク・パートナーの管理するアクセス・ネットワークとSWIFTの管理する基幹ネットワークが対象となる．SWIFTNetの容量をフルに利用するためには，POPまでのローカル・ループの回線容量を，アクセスポート回線容量と同じかまたはそれより大きくしておくことが必要である．

(a) ダイヤルアップ接続

公衆回線（PSTN）の場合には56Kbps[13]，ISDN回線の場合には64Kbpsが標準である．前述のとおり，原則として公衆回線が用いられるため，「パック1」の回線容量は56Kbpsとなる．

(b) 専用回線

専用回線の容量としては，64Kbps，128Kbps，256Kbps，512Kbps，1.5Mbps[14]（米国），2Mbps（欧州）などがある．

「パック1」では56Kbpsの回線容量を，「パック2」では64Kbpsの標準ラインまたはエコノミー・ライン[15]を利用することができる．「パック3」では64〜256Kbpsの回線容量が，「パック4」では256Kbps〜2Mbpsの回線容量が，「パック5」においては1.5〜2Mbps以上の大容量が必要とされている（表4-2参照）．

❹ SWIFTパートナー

SWIFTでは，上述のようなネットワークを運営し，またユーザーのSWIFT導入をアシストしてもらうために，多くのベンダー，コンサルタント，接続サービス業者などと協力関係を築いている．

---

13) Kbpsは，Kilobits per secondの略であり，「キロビット／秒」である．1秒間に何千ビットのデータを送ることができるかを示す通信速度の単位である．1Kbpsは，1000bpsである．
14) Mbpsは，Megabit per secondの略であり，「メガビット／秒」である．1Mbpsは，100万bpsである．
15) 保証される最低回線容量は小さい（8Kbpsまたは16Kbps）が，その分，料金が割安となっている回線サービスのこと．

表4-4 SWIFTのパートナーの種類

パートナーの種類	主な役割
リージョナル・パートナー	特定の国や地域において，SWIFTの製品・サービスのプロモーションやマーケティング，システム・インテグレーション，コンサルティングなどを行う．
グローバル・パートナー	全世界的に，SWIFTの製品・サービスのプロモーションやマーケティングを行う．
ソリューション・プロバイダー	以下の分野において，SWIFTの認定を受けた製品・サービスを提供する． ①アプリケーション ②サービス ③インターフェース ④接続サービス

これらの先は，SWIFTの「パートナー」(partner) と呼ばれ，いずれもSWIFTの認定を受けたうえで活動を行っている．

SWIFTのパートナーには，①リージョナル・パートナー，②グローバル・パートナー，③ソリューション・プロバイダーがある（表4-4参照）．各パートナーの概要は，以下のとおりである．

(1) リージョナル・パートナー

「リージョナル・パートナー」は，SWIFTのために，特定の国や地域において，製品・サービスのプロモーションやマーケティングを行う企業である．同パートナーは，ユーザー（既存および新規）に対して，SWIFTの製品・サービスの販売活動を行うほか，その導入サービスを提供する．また，SWIFTのトレーニング・コースを運営したり，現地でのヘルプ・デスクのサービスを提供したりする場合もある．

リージョナル・パートナーは，SWIFTの製品やサービスの枠を超えて，総合的なシステム・インテグレーション[16]，コンサルティング，システム・サポートなどを行っているケースが多い．

全世界で25社のリージョナル・パートナーが認定されており，日本では「住

---

[16] 企業内の情報システムの立案から導入・保守まで，単一のサービス事業者が一括してサービスを提供すること．

商情報システム」と「NTTデータジェトロニクス」の2社が認定を受けている．

(2) グローバル・パートナー

「グローバル・パートナー」は，リージョナル・パートナーと同様な機能を果たすが，国や地域が限定されておらず，全世界的にSWIFTの製品・サービスのプロモーションやマーケティングを行う企業である．2009年2月時点で，IBM社，SAP社，Accenture社，Microsoft社の4社がグローバル・パートナーとしての認定を受けている．

なお，リージョナル・パートナーとグローバル・パートナーは，従来は合わせて「ビジネス・パートナー」と呼ばれていた[17]．

(3) ソリューション・プロバイダー

SWIFTを利用するためのアプリケーション（ソフトウェア），サービス，インターフェース，接続サービスのうち，SWIFTの認定（SWIFTReady certification）を受けた製品・サービスを提供する業者のことを「ソリューション・プロバイダー」（solution provider）という．

ソリューション・プロバイダーの提供するサービス分野には，以下の4つがある．

①アプリケーション

SWIFTの認定を受けたSWIFT用のアプリケーションやミドルウェアのことを「SWIFT認定アプリケーション」（SWIFTReady application）という．①ビジネス・アプリケーション（送金，キャッシュ・マネジメント，外為，貿易金融，証券，ERPパッケージ[18]など）や，②ミドルウェア[19]，EAI[20]などが対象となり，認定を受けた業者は「SWIFT認定アプリケーション・プロバイダー」（SWIFTReady application provider）と呼ばれる[21]．

17) SWIFTが，新しい「パートナーシップ・モデル」を導入したことに伴い，呼称が変更されたもの．
18) Enterprise Resource Planning（経営資源計画）のためのパッケージ．企業内のあらゆる経営資源（人員，資産，資金，情報など）を有効活用するために，これらの経営資源を企業全体で統合的に管理し，最適に配置・配分するためのソフトウェア．

表4-5 認定サービス・プロバイダーの主なサービス

サービス名	サービス内容
SWIFTソフトウェアの導入サービス	SWIFTAlliance，SWIFTNet製品などの導入サービスを提供する．
SWIFTNet接続サービス	SWIFTNetへの接続に関する技術的なサポートを行う．SWIFTとの諸連絡などの調整的な役割を果たすケースのほか，全体的なプロジェクト管理を行う場合もある．
アップグレード・サービス	SWIFTのソフトウェア製品やSWIFTへの接続方法のアップグレードをサポートする．
SWIFTの各種サービスの導入サポート	SWIFTの各種の付加価値サービス（「SWIFTソリューション」と総称される）の導入をサポートする．

　SWIFTの認定を受けたソフトウェアは，それを示す「ラベル」（SWIFTReady application label）を付けて，ユーザーへの販売が行われる．ラベルは，「送金業務用」（SWIFTReady Payments），「TSU用」（SWIFTReady Trade Service Utility）など，それぞれの業務分野を示したものとなっている．

　②サービス

　SWIFT製品の導入サービス，運用・保守サービス，SWIFTNetへの接続サービス，SWIFTソリューションの導入サービスなどについて，SWIFTの認定を受けたものを「SWIFT認定サービス」（SWIFTReady service）という．

　SWIFTでは，ユーザーに対して，ソフトウェアや製品の導入，システムへの実装などのサービスを直接行っておらず，SWIFTから認定を受けた「SWIFT認定サービス・プロバイダー[22]」（SWIFTReady service provider）が行うシステムをとっている．こうした認定サービス・プロバイダーには，SWIFTの認定を受けた「SWIFT公認エキスパート」（SCE：SWIFT-Certified Expert）

---

19) オペレーティング・システム（OS）とアプリケーションの中間的な処理を行うソフトウェアの総称．
20) Enterprise Application Integrationの略．企業内で使われている異なるコンピュータ・システム同士を連携させ，データやプロセスを統合するためのソフトウェアのこと．
21) こうしたアプリケーションの構築・提供を行う業者のことを，従来は「ソリューション・パートナー」と呼んでいた．
22) 従来は，「サービス・パートナー」と呼ばれていた．

が在籍しており，ユーザーに対するサポートを行う（詳細は後述）．

わが国では，やはり「住商情報システム」と「NTTデータジェトロニクス」の2社が認定サービス・プロバイダーとなっている．認定サービス・プロバイダーでは，表4-5のようなサービスを提供している．

③インターフェース

ベンダーの提供するSWIFTへのインターフェースのうち，SWIFTの認定を受けたものを「SWIFT認定インターフェース」(Qualified Interface) という．

④接続サービス

SWIFTNetへの接続をユーザーに代わって行う「サービスビューロー」のうち，SWIFTの認定を受けたサービスを「SWIFT認定接続サービス」(SWIFTReady connectivity) という．

(4) SWIFT公認エキスパート（SCE）

「SWIFT公認エキスパート」(SCE) は，製品や分野ごとに試験を受けてSWIFTから認定を受けている専門家であり，ユーザー施設内でのサポート (onsite assistance) 等を行う．世界で約50社のサービス・プロバイダーがSWIFTから認定 (accreditation) を受けており，約170名の公認エキスパート (SCE) がサポート活動を行っている．

SWIFTによるサービス・プロバイダーとしての認定は，研修プログラムや公認エキスパートへのテスト等により，毎年，更新される．公認エキスパートの認定の分野やコースは，表4-6のとおりである．

公認エキスパートは，SWIFTの発行する特別なバッジをつけており，バッジの裏側には，各SCEが認定されている分野が示されている．

公認エキスパートには，①「技術エキスパート」(technical expert) と②「業務エキスパート」(business expert) の2種類がある．技術エキスパートは，主として，SWIFTの通信インフラ面に関する専門的な知識を有し，ネットワークの接続やアップグレード，障害対応などを行う．一方，業務エキスパートは，SWIFTのサービスの業務的な側面についての専門的な知識を有し，ユーザー

表4-6 SWIFT公認エキスパート（SCE）の認定分野

認定分野（domains）	認定コース（tracks）
SWIFTNetのインフラ	①SWIFTAllianceへのアクセス/エントリー/開始セット（starter set） ②インターフェース ③SWIFTNetへの接続
SWIFTNetによる資金決済	①大量小口送金 ②資金残高報告 ③送金照会の自動処理 ④企業向けサービス ⑤TARGET2向けサービス
SWIFTNetによる外為業務	Accordサービス
SWIFTNetによる貿易金融業務	TSUサービス
SWIFTNetによる証券業務	①FIX業務 ②投資ファンド業務 ③ユーロクリア向けサービス

（出所）"Service Partners Factsheet," SWIFT.

の業務との関連で必要なアドバイスやガイダンスを行う．

「SWIFT ソリューション」のためのサービス・プロバイダーとして認定を受けるためには，技術エキスパートと業務エキスパートの両方（各最低1名）を擁していることが必要であり，2つ以上のソリューション分野をカバーしていることが必要とされている．

第5章
SWIFTの
メッセージング・サービス

　SWIFTは，もともと銀行間のメッセージ通信を行うために設立された組織である．このため「メッセージング・サービス」(messaging service) は，SWIFTの最も基本的なサービスであり，いわば「本業」(コア・サービス) である．

　SWIFTでは，メッセージング・サービスとして，①FINサービス，②InterActサービス，③FileActサービス，④Browseサービスの4種類を提供している．

　SWIFTでは，単一窓口 (single window) の仕組みをとっているため，SWIFTNetに接続して基本インターフェースを導入していれば，追加的な接続等を行わずに，基本的にこれらすべてのサービスを利用することができる．

　本章では，これらのコア・サービスの内容について述べる．

1　FINサービス

　「FINサービス」(Financial Messaging) は，SWIFTの最も中核となるサービス (core messaging service) であり，ユーザー間で金融関連のメッセージを安全かつ効率的に受送信することを可能としている．FINサービスでは，「MT」(Message Type) と呼ばれるメッセージ標準が業務分野ごとに定められており，ユーザーは，MTの各フィールド（記入欄）に通信内容（金融機関名，受取人名，通貨種類，金額等）を入力して送信を行う（詳細は第6章を参照）．200カ国

以上,8000以上の金融機関の間で,1日に1500万件以上のメッセージがやりとりされている.

(1) ストア&フォワード方式

FINサービスでは,「ストア&フォワード方式」(store-and-forward mode) がとられている.この方式では,送信者(sender)が送ったメッセージは,SWIFTのセンターにいったん蓄積されたうえで,受信者(receiver)に送られる.

この方式では,送信者がメッセージを送った時点で,受信者がSWIFTのネットワークに接続していることは必ずしも必要とはされないため,安定したメッセージの送受信が確保される.メッセージは,SWIFTシステム内のキュー(待ち行列)に置かれたうえで,受信者が受信可能な状況(SWIFTのネットワークに接続した状態)になった時点で,配信される.

(2) FINサービスの特徴

FINサービスは,以下のような特徴を備えている.

①PKIに基づく安全性

FINサービスにおいては,PKI(公開鍵暗号)の技術を使って,「認証」(authentication)や「データの完全性」(integrity)などを実現している.これらの機能により,「なりすまし」(通信相手を擬装すること)や「改ざん」(メッセージの内容に変更を加えること)などを防止しており,安全なメッセージ通信を可能としている(セキュリティの詳細については,第11章を参照).

②クローズド・ユーザー・グループによるコントロール機能

FINサービスにおいては,どのユーザーが,どのタイプのメッセージを,どのユーザーに対して送ることができるのかという「クローズド・ユーザー・グループ」(CUG)のルールに基づいて,1件ごとのメッセージのチェックを行うことが可能である.この場合,CUGのルールに適合しないメッセージは配信されない.

③フォーマットのチェック機能

FINサービスでは，メッセージが「MT」（Message Type）と呼ばれるSWIFTのメッセージ標準に準拠してフォーマットされているかどうかについて，中央（SWIFTシステム）において「メッセージの検証」（message validation）を行う．このため，標準フォーマットに準拠していないメッセージが配信されることはない．

④否認防止機能

FINサービスは，セキュリティの一環として，「否認防止」（non-repudiation）の機能を有しており，送信者（あるいは受信者）が事後になって，その送信の事実（または受信の事実）を否認することができない仕組みとなっている．否認防止の対象期間は，メッセージの送受信から124日以内である．

(3) FINサービスのオプション機能

FINサービスでは，ユーザーの選択により，以下のような機能をオプションとして付加することができる[1]．

①メッセージの優先度付け

ユーザーは，メッセージに「至急」（urgent）のフラグを立てる（設定を行う）ことができる．これにより，特定のメッセージについて，受信者に迅速な対応を促すことができる．

②配信通知

送信者は，FINメッセージが受信者に到着したことの通知を受け取る「配信通知」（delivery notification）の機能を利用することができる．

---

1) オプション機能を利用するためには，FINサービスのメッセージ料金のほかに，追加料金が必要となる（以下のサービスについても同じ）．

③配信不能警告

送信者は，一定の時間内にFINメッセージが相手に届いていない場合には，警告を受け取る「配信不能警告」（non-delivery warning）の機能を利用することができる．

④オンライン・メッセージ保存機能（Online Retrieval）

ユーザーは，受送信を行ったメッセージのうち，過去124日分をSWIFTのセンターに保存しておき，オンラインで確認することができる．

⑤大量データ保存機能

上記のオンライン・メッセージ保存機能では，1回の要求で99件までのメッセージを呼び出すことができるが，大規模災害等により，ユーザーのメイン・サイトが被災したといった場合には，より大量のデータを復旧する必要が生じる．こうした場合に用いられるのが「大量データ保存機能」（Bulk Retrieval）である．

この機能には2つの種類があり，まず「緊急要請」（urgent request）では，過去に受送信したメッセージのうち1時間以内分を復旧することができる．また，「非緊急要請」（non-urgent request）では，過去に受送信したメッセージのうち24時間以内分を復旧することができる．この機能は，主として，大規模災害によって大量のFINデータが消失したといった場合に備えた災害対策用に用意されている．

⑥一斉通知機能

ユーザーは，他のすべてのFINユーザーあるいは特定のユーザー・グループに対して，「一斉通知」（user broadcast）を行うことができる．このサービスは，銀行の合併や支店の統廃合（それに伴う銀行コードや支店コードの変更）などを通知するために用いることができる．

（4）FINの付加価値サービス

FINの仕組みを応用した付加価値サービスとして，①FINコピー・サービスと②FINインフォームがある．

①FINコピー・サービス

「FIN コピー・サービス」（FIN Copy Service）は，FINメッセージの一部または全部をコピーして，第三者である中央機関[2]（決済システムの運営者など）に送るサービスである．FINコピー・サービスには，YコピーとTコピーの2種類がある．

「Yコピー」（Y-Copy）では，メッセージのコピー（通常は一部の情報のみ）

図5-1　YコピーとTコピーのメッセージ・フロー

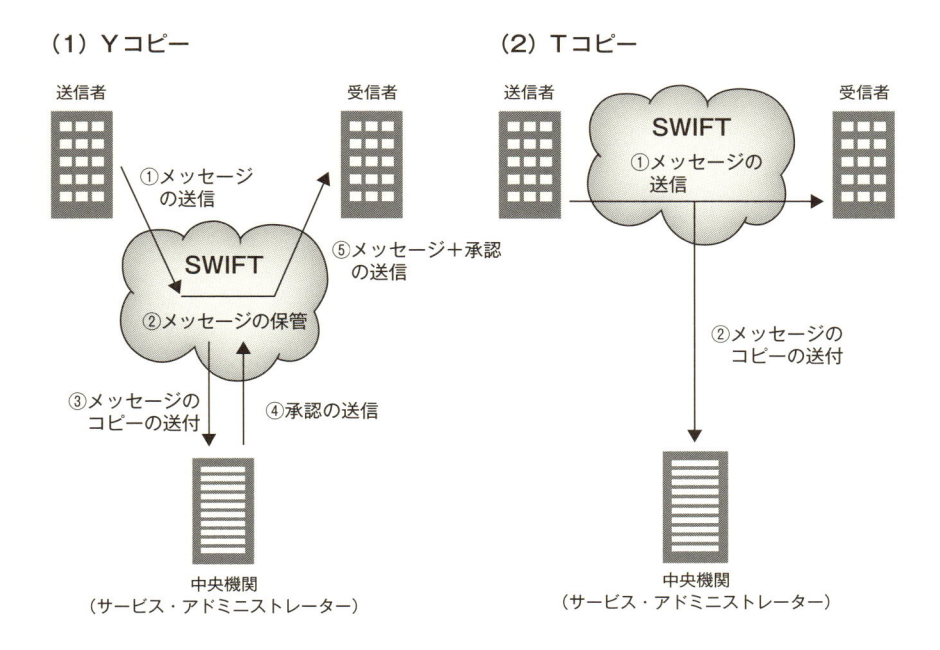

（1）Yコピー

送信者 → ①メッセージの送信 → SWIFT → ⑤メッセージ＋承認の送信 → 受信者

SWIFT：②メッセージの保管

③メッセージのコピーの送付 ↓　↑ ④承認の送信

中央機関
（サービス・アドミニストレーター）

（2）Tコピー

送信者 → SWIFT：①メッセージの送信 → 受信者

②メッセージのコピーの送付 ↓

中央機関
（サービス・アドミニストレーター）

2）　サービス・アドミニストレーター（service administrator）と呼ばれる．

が中央機関に送られたあと，その承認（authorization）があって，初めてオリジナルのメッセージが受信者に送られる．一方，「Tコピー」（T-Copy）では，メッセージのコピー（通常は全部の情報）が中央機関に送られるが，その承認を必要とせずに，オリジナルのメッセージが受信者に送られる．両者のメッセージ・フローの形が，それぞれYの字，Tの字となることから，Yコピー，Tコピーと呼ばれている（図5-1を参照）．

FINコピー・サービスは，主として，資金決済システムや証券決済システムにおいて利用されている（詳細は第12章を参照）．

②FINインフォーム

「FINインフォーム」（FIN Inform）も，やはりFINの付加価値サービスであり，ユーザーの受送信したメッセージを，事前に設定した条件に基づいてコピーして，金融機関の他部門（本社，バックアップ・サイトなど）や第三者（アウトソース先，監督当局など）に送信するサービスである（図5-2を参照）．メッセージ全体のコピー（full copy）とすることも，メッセージの一部のコピー（partial copy）とすることもできる．たとえば，本社での集中処理やモニタリングのため

図5-2 FINインフォームの概念図

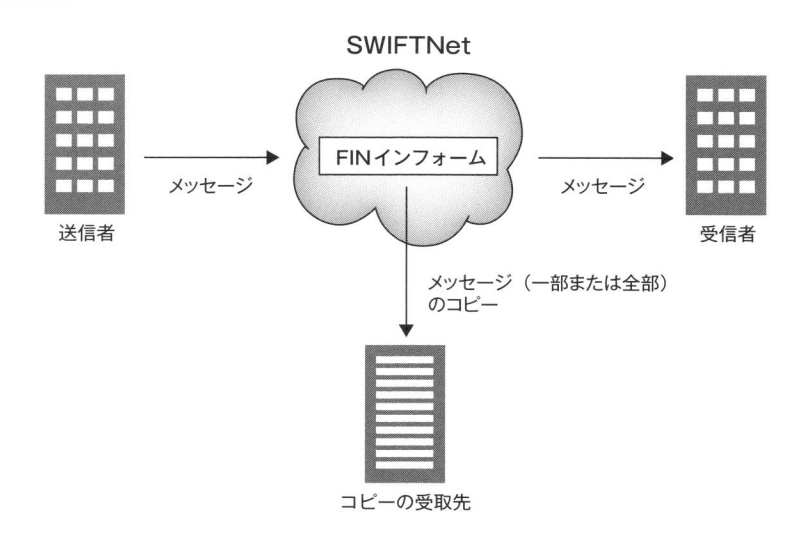

に子会社や支店の受送信メッセージのコピーを本社に集約したり，アウトソーシングのために外部委託先にメッセージを送ったりする場合などに利用される．

あらかじめ条件（コピー対象となるMT，コピーの送付先など）を定めておけば，その条件に従って，メッセージのコピー作成とその指定先への送付が自動的に行われる[3]．このため，送信者・受信者は，とくにコピーのための作業を必要としない．FINインフォームは，リスク管理，データのバックアップ，アウトソーシング，マネーロンダリング対策，統計報告などの目的で利用されている（仕組みの詳細はBOX5-1を参照）．

【BOX5-1】FINインフォームの仕組み

FINインフォームを利用するにあたっては，ユーザーである「サービス・アドミニストレーター」（本社など）が，コピーすべきメッセージのタイプ，コピーの受取先[4]（copy destination），コピー対象の選択方法，コピーの対象フィールドなどのサービス条件（service parameter）を事前に決めておく．コピーの送信元と受取先は，クローズド・ユーザー・グループ（CUG）を組成してこのサービスを利用する．

(1) コピー対象の選択方法

コピー対象の選択方法には，以下の4つのパターン（copy-triggering pattern）がある．

①送信者オプション

「サービス参加者」（service participant：支店など）が「送信した」メッセージのうち，対象となるメッセージ・タイプがすべてコピーされる．

②受信者オプション

サービス参加者が「受信した」メッセージのうち，対象となるメッセージ・タイプがすべてコピーされる．

---

[3] こうした機能は，前述したTコピーの仕組みを利用して実現されている．
[4] 受取先として，最大5先までを指定できる．

③送信者および受信者オプション

サービス参加者同士で「受信および送信した」メッセージのうち，対象となるメッセージ・タイプがすべてコピーされる．

④送信者または受信者オプション

サービス参加者が「受信または送信した」メッセージのうち，対象となるメッセージ・タイプがすべてコピーされる．

(2) コピーの対象のフィルタリング

上記のようなコピー対象の選択方法に加えて，特定のフィールドにおける通貨コード，支店名，相手先（BIC），決済日など，メッセージに含まれる要素によって，フィルタリングをかける（メッセージを選別する）ことも可能である．

また，メッセージのなかの特定のフィールドだけをコピーするように指定すること（partial copy）により，機密情報の送信先を限定し，また蓄積するコピーの量を削減することができる．

(3) 元のメッセージへの影響

コピーされたメッセージは，受信者への送信と同時に，コピーの受取先に対して配信される．また，FINインフォームでは，コピーが行われるのみであり，元のメッセージ（original message）に関しては，送信者・受信者の双方に対して，何ら影響は及ぼさない．

表5-1 FINコピーとFINインフォームの相違点

	FINコピー	FINインフォーム
コピー対象の指定	送信者がコピーを指定する．	サービス・アドミニストレーターの指定による．
サービス参加者	送信者と受信者の両方がサービス参加者であることが必要．	送信者および/または受信者がサービス参加者であることが必要．
元のメッセージへの影響	Yコピーの場合には，第三者（決済システムの運営者など）が，メッセージの許可や拒否を行うことができる．	元のメッセージには，影響を及ぼさない．

> FINコピーとFINインフォームについては，類似のサービスであるため，両方をまとめて，「FIN copying services」と呼んでいるが，両者の間には，コピー対象の指定方法や元のメッセージへの影響などの点で，若干の違いがある（表5-1を参照）．

(5) FINの技術的側面

技術的な面からみると，FINサービスには，後述するInterActサービスと同じ技術が用いられている．すなわち，FINメッセージは，ネットワーク上ではInterActの封筒（InterAct envelope）のなかに入れられて伝送される．

ただし，このInterAct封筒は，送信者サイドでメッセージを発出するときにインターフェースが自動的に付加し，また受信者サイドでメッセージを受領するときには，やはりインターフェースが自動的に取り去る．このため，ユーザー・サイドではとくに意識する必要はない．

② InterActサービス

「InterActサービス」は，ストア＆フォワード方式であるFINサービスとは異なり，メッセージの交換をインタラクティブに行うことのできるサービスである．すなわち，ユーザーが相手に要求メッセージ（request message）を送ると，即座に応答メッセージ（response message）を受け取ることができる．このため，タイム・クリティカルな業務に適しており，リアルタイムで決済指図の処理が行われる「RTGSシステム[5]」や，「CLS銀行[6]」，SWIFTの「Accordサービス[7]」などで用いられている．このサービスにおいては，しば

---

[5] Real-time Gross Settlement System. 資金決済システムのうち，決済指図が1件ごとにグロス金額ベースで即時に処理されるシステムである（詳細は『決済システムのすべて（第2版）』（東洋経済新報社）の第3章を参照）．
[6] Continuous Linked Settlement Bank. 時差の存在による外為決済リスクを削減するためにニューヨークに設立されている銀行であり，多通貨の決済サービスを提供している（詳細は『決済システムのすべて（第2版）』の第7章を参照）．
[7] SWIFTの提供する外為取引などの約定確認（confirmation）の照合サービス．詳細は第8章1を参照．

しば，送信者は「要求者」（requester），受信者は「応答者」（responder）と呼ばれる．

（1）InterActサービスの機能モデル

InterActサービスには，以下のように3つの業務処理モデル（working mode）がある（図5-3参照）．このうち，InterActサービスにおいて特徴的なのは，①と②のインタラクティブ・サービスである．

①リアルタイム・メッセージング・モード

「リアルタイム・メッセージング・モード」（real-time messaging mode）は，送信者がメッセージを送ると，それをリアルタイムで受信者に配信し，即座に受信者からの「配信確認」（ACK：acknowledgement）を返信するサービスである．受信者が送信者に後ほど返信したい場合には，別のリアルタイム・メッセージで返信することもできる．

このモードでは，メッセージの送信時に，送信者と受信者の両方がSWIFTのネットワークに接続していることが必要であり，常時接続が想定される受信者（決済システムの運営者である中央銀行，大手の金融機関など）向けの通信に利用される．

②リアルタイム照会回答モード

「リアルタイム照会回答モード」（real-time query-and-response mode）は，送信者が「照会」（query）を送ると，それをリアルタイムで受信者に配信し，即座に受信者からの「回答」（response）を返信するサービスである．

このモードについても，照会の送信時に，送信者と受信者の両方がSWIFTのネットワークに接続していることが必要である．このモードは，ユーザーが決済システムに対して，リアルタイムで残高を確認する場合などに利用される．

③ストア＆フォワード・メッセージング・モード

「ストア＆フォワード・メッセージング・モード」（store-and-forward messaging mode）は，InterActサービスにおけるFINと同様なサービスである．

第5章 | SWIFTのメッセージング・サービス

図5-3 InterActサービスの機能モデル

①リアルタイム・メッセージング

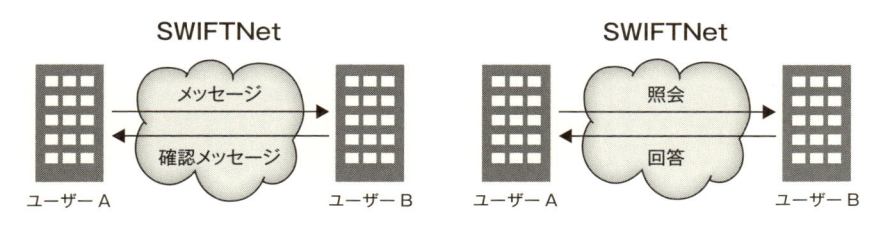

```
        SWIFTNet
ユーザーA ←メッセージ→ ユーザーB
        ←確認メッセージ←
```

②リアルタイムの照会回答

```
        SWIFTNet
ユーザーA →照会→ ユーザーB
        ←回答←
```

③ストア&フォワード・メッセージング

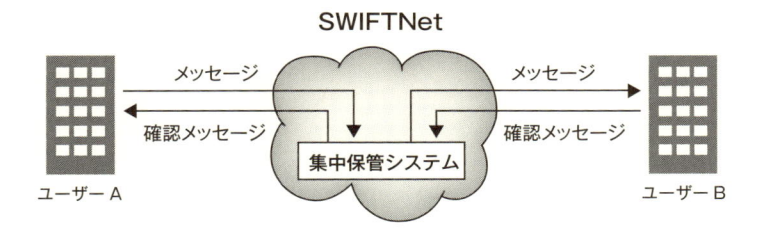

```
              SWIFTNet
ユーザーA →メッセージ→ 集中保管システム →メッセージ→ ユーザーB
        ←確認メッセージ←              ←確認メッセージ←
```

　メッセージは，SWIFTのセンターにいったん蓄積されたうえで，受信者がSWIFTのネットワークに接続して受信可能な状況となった時点で配信される．
　このサービスは，多くのユーザーに対して，指図，確認，レポートなどを一斉に送る場合などに利用される．FINサービスが，基本的に「1対1」の関係で使われるのに対して，このサービスは，「1対多」の関係において多く利用されるのが特徴である．

（2）InterActサービスの特徴

　InterActサービスには，以下のような特徴がある．

①PKIに基づく安全性
　FINサービスと同様に，PKI（公開鍵暗号）技術を使って，メッセージの暗

号化，メッセージ認証，データの完全性の確保などが行われており，高い安全性が確保されている．

②クローズド・ユーザー・グループによるコントロール機能
FINサービスと同様に，どのユーザーが，どのタイプのメッセージを，どのユーザーに対して送ることができるのかという「クローズド・ユーザー・グループ」(CUG) によるコントロールが可能である．

③フォーマットのチェック機能
InterActサービスでは，XML（eXtensible Markup Language）ベースのメッセージ（「MX」と呼ばれる）が使われるため，XMLの文法・フォーマットに適合しているかどうかのチェックが行われる．

④高度な配信コントロール
ストア＆フォワード・メッセージングでは，高度な配信コントロール (advanced delivery control) の機能がある．具体的には，送信者から受信者への「FIFO配信」（入力順による配信：first-in-first-out delivery），「重複のない1回限りの配信」（once-and-only-once delivery）などの機能を実現している（これらの機能は，InterActサービスのみ）．

また，メッセージの送信にあたっては，「シーケンス番号」（連続番号：sequence number）が付されるため，受信者サイドでは，(a) メッセージの順番の確認や (b) 順番の異常（sequence gap）の検出，などを行うことができる．

(3) InterActサービスのオプション機能
InterActサービスでは，ユーザーの選択により，以下のような機能をオプションとして付加することができる．

①メッセージの優先度付け
ユーザーは，メッセージの優先度（message priority）を「至急」（urgent）に設定することができる．これにより，「通常」（normal）のメッセージ以上の

優先度であることを受信者に知らせることができる．

②配信通知
送信者は，FINメッセージが受信者に到着したことの通知を受け取る「配信通知」（delivery notification）の機能を利用することができる．

③否認防止機能
「否認防止」（non-repudiation）の機能により，送信者（あるいは受信者）が事後になって，その送信の事実（または受信の事実）を否認することができない．

3 FileActサービス

「FileActサービス」は，SWIFTのネットワークを通じて，容量の大きい「ファイル」を転送するサービス（file transfer service）である．典型的には，大量の金融取引データや容量の大きな報告書などの配信に適している．

このため，大量の小口決済データ（bulk payment），小切手のイメージ・データ，証券取引関係のデータ，中央銀行等への報告，社内のレポーティングなどに用いられる．

（1）FileActサービスの機能モデル

FileActサービスには，以下のように3つの業務処理モデル（working mode）がある．

いずれのモードにおいても，ファイルの送信にあたっては，まず送信者と受信者との間で「交渉メッセージ」（negotiation message）がやりとりされ，受信者が，送信者からのファイル送信要求を承認すると，ファイル転送が実行される．一方，受信者がファイル送信要求を拒否した場合には，送信者には拒否を示すエラー・メッセージが返信され，ファイル転送は行われない．

①リアルタイムのファイル転送モード

「リアルタイムのファイル転送モード」(real-time file transfer mode) では，ファイルをリアルタイムで送信することができる．送信者は，受信者がファイルを受信したことを示す配信確認（ACK），またはエラー・メッセージを直ちに受信する．

このモードは，ファイルを送信した時点で，送信者と受信者の双方がSWIFTNetに接続していることが必要であり，SWIFTNetに常時接続している市場インフラの運営者や大手金融機関などへのファイル転送に適する．

②リアルタイムのファイル・ダウンロード・モード

「リアルタイムのファイル・ダウンロード・モード」(real-time file download mode) は，SWIFT端末（SAB）を使って，ファイルをダウンロードする際などに用いられる．送信者は，リアルタイムでリクエストを送信し，受信者からリクエストに応じた特定のファイルを受け取ることができる．このモードでも，送信者と受信者の双方がSWIFTNetに接続していることが必要とされる．このモードは，後述するBrowseサービスと組み合わせて用いられるケースが多い．

③ストア＆フォワードのファイル転送モード

「ストア＆フォワードのファイル転送モード」(store-and-forward file transfer mode) は，送信者が送ったファイルがいったんSWIFTのセンターに蓄積されたうえで，受信者に送られる．送信者がファイルを送った時点で，受信者がSWIFTのネットワークに接続していなくても，確実にファイルが配信されるというメリットがある．このため，多くの受信者に対してファイルを送る場合や，時差のある先にファイルを送る場合などに適する．

（2）FileActサービスの特徴

FileActサービスには，以下のような特徴がある．

①幅広いファイルをサポート

FileActサービスでは，ストア&フォワード型では25MB（メガバイト）まで，リアルタイム型では250MBまでのサイズのファイルを送ることができる．ファイルの内容は，テキストであっても，イメージ・データであっても，あるいは他の種類のデータであってもよい．

ファイルのなかで使える文字（character set）やフォーマット（content structure）には，とくに制限はない．このため，SWIFTフォーマットのほか，国内標準のフォーマット，社内フォーマットなどのファイルを送ることができる．

②PKIに基づく安全性

FileActサービスは，他のサービスと同様に，PKI（公開鍵暗号）の技術を用いてセキュリティが確保されており，メッセージの暗号化，メッセージ認証，データの完全性確保，クローズド・ユーザー・グループ（CUG）によるコントロールなどが行われている．また，FINサービスと同様に，オプションで「否認防止」の機能を付加することができる．

③送信の確実性

FileActサービスでは，①通信の途中で通信エラーが生じた場合には，自動的に復旧が行われるほか，②ファイル転送の進捗状況やステータスをモニタリングすることができ，また③オプションとして「配信通知」の機能を利用することができる．これらの機能により，送信者はファイル転送の状況や結果を確実に確認することができる．

④機能強化されたヘッダー

FileActのメッセージの「ヘッダー」（header）には，オプションとして，ファイルの要点を示す情報（支払指図の件数，支払の総額など）を添付することができる．

また，ヘッダーにおいて，ファイルの経路を指定することなどが可能であり，

いちいちファイルを開かなくても，ヘッダーによってファイルの処理を行うことができる．

(3) FileActサービスのオプション機能

FileActサービスにおいても，InterActサービスと同様に，①メッセージの優先度付け，②配信通知，③否認防止機能，などをオプションとして付加することができる．

(4) FileActサービスの利用

FINサービスを利用しているユーザーは，すでにSWIFTNetへの接続を有し，基本的なインターフェースを有している．このため，FileActサービスの利用に際して必要となるのは，①サービス利用の登録（registration）を行うことと，②ファイル転送用のインターフェースを追加すること，である．後者のインターフェースについては，難しい設定が必要とされないパッケージ製品（out-of-the-box solution）が複数用意されている．

(5) FileActコピー

「FileActコピー」（FileAct Copy）は，FileActの付加価値サービスであり，FileActにおけるファイルの「ヘッダーのデータ[8]」をコピーして，ユーザーの他部門（本社など）や第三者（アウトソース先，監督当局など）に送るサービスである．FINサービスにおけるFINコピーやFINインフォームに相当するサービスである．

「サービス・アドミニストレーター」（本社など）が，コピーの対象とするファイルやコピーの受取先などの条件（parameter）を事前に決めておき，その条件に従って，コピーの作成と転送が行われる．コピーの対象となるのは，「ヘッダーの情報」であり，送信者名や受信者名などの「技術情報」（technical information）や，ファイル内の項目数や合計金額などの「ビジネス情報」（business information）が含まれる．コピーの作成は，(a) 自動的に行うオプ

---

8) 将来的には，ファイルのデータ全体をコピーすることを可能とする計画である．

図5-4 FileActコピーにおけるTコピーとYコピー

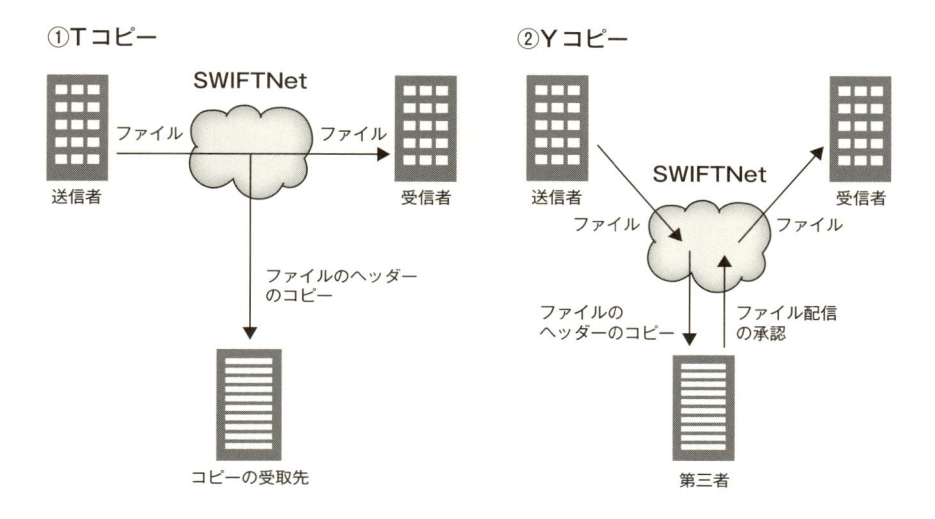

①Tコピー

②Yコピー

ションと，(b) 送信者がフラグを立てた（コピーの指示を行った）場合にのみコピーを行うオプションとがある．

FileActコピーには，①コピーの受取先に対して，自動的にコピー情報が送られる「Tコピー」（T-copy）のモードと，②第三者がコピー・ファイルの送信に対する承認（または拒絶）を行ったうえで，受信者に送信がなされる「Yコピー」（Y-copy）のモードとがある（図5-4参照）．Yコピーの場合には，第三者が承認した場合にのみ，ファイルは受信者に配信される．第三者が拒絶した場合には，ファイルは配信されず，送信者には，拒絶されたことが通知される．

❹ Browseサービス

「Browseサービス」は，SWIFTのユーザー（金融機関，市場インフラなど）が，SWIFTNetを利用して，自己の顧客等に対してポータル（ウェブサイト）による情報を安全な環境で提供する仕組みである．

図5-5 Browseサービスの構成

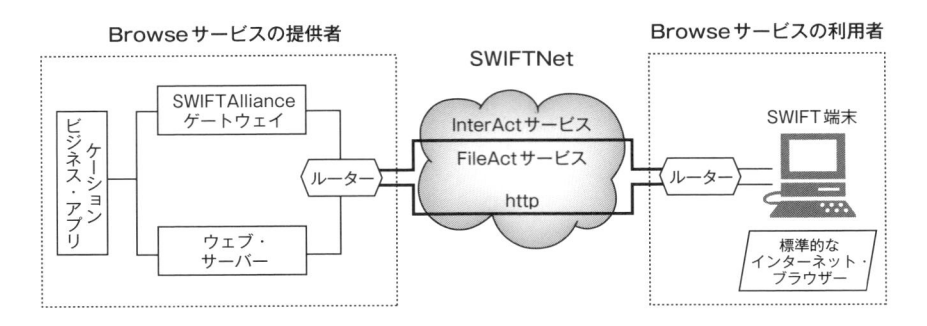

[図：Browseサービスの提供者（ビジネス・アプリケーション、SWIFTAllianceゲートウェイ、ウェブ・サーバー、ルーター）― SWIFTNet（InterActサービス、FileActサービス、http）― Browseサービスの利用者（ルーター、SWIFT端末、標準的なインターネット・ブラウザー）]

（1）Browseサービスの仕組み

「サービス提供者」は，自らのシステム（SWIFTAllianceゲートウェイ〈SAG〉とウェブ・サーバー）をSWIFTNetに接続する．一方，「サービス利用者」（service user）では，標準的なインターネットのブラウザー・ソフト（Internet Explorerなど）とSWIFT端末（SAB：SWIFTAlliance Webstation）によって，SWIFTNetへの接続を行う（図5-5参照）．

Browseサービスでは，InterActサービスとFileActサービスを利用することができるため，機密性の高いデータ（残高データ，パスワードなど）については，これらのサービスによって利用者との間で通信を行うことができる．一方，その他のデータについては，インターネットの標準プロトコルである「http」によって通信を行うことができる．この場合にも，SSLプロトコル[9]やセキュアIPネットワークを利用しているため，高い安全性が維持される．

（2）Browseサービスの特徴

多くの金融機関では，顧客に対して，インターネットや自行固有のネットワークを通じて，ポータル（ウェブサイト）による各種のサービスを提供している．しかし，インターネットは，安全性や信頼性が十分ではない．また，自行固有のネットワークは，コストが高く，顧客サイドでの接続に困難が伴うこと

---

[9] SSL（Secure Socket Layer）は，セキュリティ・プロトコルであり，暗号化，認証，改ざん防止などの機能を有する．

が多い．Browseサービスは，SWIFTNetを使うことにより，こうした問題点を解決し，安全なオンライン・ポータルのサービスを提供するためのものである．

これまでのところ，Browseサービスは，主として市場インフラ（資金決済システムなど）が取引先の金融機関に口座残高などのデータを提供するために用いられている．たとえば，ユーロの資金決済システムである「TARGET2」では，Browseサービスにより，金融機関が，決済指図の処理状況や自行の口座残高などをリアルタイムでチェックすることを可能としている．

また，最近では，事業法人もSWIFTNetへのアクセスの途が開かれているため，金融機関では，Browseサービスにより，顧客である事業法人向けに安全性の高いポータルでの情報サービスを提供することが可能となっている．

Browseサービスの特徴としては，以下のような点があげられる．

①サービス内容が不変
Browseサービスはネットワーク部分のサービスであるため，サービス提供者の側では，Browseサービスの導入によって，従来からのサービス内容（ウェブサイトのコンテンツ等）を変えることは必要ではない．また，サービス利用者の側でも，従来と同じ画面と内容をみることができる．

②簡便な導入
サービス利用者が，Browseサービスにアクセスするために必要なのは，標準的なインターネットのブラウザー・ソフトとSWIFT端末（SAB）を導入することのみである．

③InterActサービスやFileActサービスとの組合せ
Browseサービスでは，基本的には，インターネット環境の簡便性を保持しながら，高い安全性を確保することができる．また，機密性の高い情報(sensitive data)や金融取引情報（financial data）については，InterActサービスやFileActサービスを使うなど，他のサービスと組み合わせてサービス提供を行うことも可能である．

④クローズド・ユーザー・グループによるコントロール機能

　サービス提供者は，サービス利用者を「クローズド・ユーザー・グループ」(CUG) に登録し，CUGのルールに基づいて，利用者の範囲や提供する情報などをコントロールすることができる．

第6章
SWIFTの
メッセージ標準

　SWIFTは，テレックスに代わって，国際金融業務のコンピュータ処理のための共通ネットワークとして導入されたことからもわかるように，設立当初からメッセージの標準化には積極的に取り組んできた．

　SWIFTでは，サービス開始以来，「メッセージタイプ」（MT）と呼ばれる業務分野ごとのメッセージ標準を利用してきた．MTは，支払指図や外為取引，証券取引など，幅広い金融業務の領域をカバーしており，MTごとに，文字数や記載内容が定められた「フィールド」と呼ばれる記入欄が規定されている．MTは，フォーマットを細かく定めることによって，コンピュータによるメッセージの処理を可能としている．

　SWIFTでは，「ISO 20022」を次世代のメッセージ標準とすることを決め，「XML」（eXtensible Markup Language）ベースの標準メッセージ作成の作業を進めてきている．これらのXMLベースのメッセージ標準のことを「MX」と呼ぶ．MXは，2010年頃から徐々に導入が進められていく予定である．

　ただし，MXへの切替えは，ユーザーの対応も考慮して，特定の時点で一気に行うのではなく，業務分野ごとに徐々に進められる予定である．このため，当面の間は，2つのメッセージ標準の並行運用が行われ，「MTとMXの共存」（MX/MT coexistence）の期間が設けられることになる．この期間においては，MTを使うユーザーとMXを使うユーザーが混在するため，MTとMXとの間でメッセージの「変換」（translation）を行うことが必要となる．

　本章では，現行のメッセージ標準であるMTとSWIFTの次世代メッセージ

標準となるMXの概要について説明したうえで，MTからMXへの移行計画について述べる．

1 MTのメッセージ

(1) メッセージの構成

メッセージの内容の説明に入る前に，まず，「メッセージの構成」(message structure)についてみておくこととしよう．

MTのメッセージは，①ヘッダー，②テキスト，③トレイラーの3つの部分に分けられる．このうち，メッセージの主要部分となるのが，「テキスト」(Text block)であり，この部分に後述する個別のメッセージ・フォーマットが用いられる．

テキストの前に置かれる「ヘッダー」(Header block)は，メッセージの番号や属性を示すものであり，さらに (a) 基本ヘッダー (Basic Header block)，(b) アプリケーション・ヘッダー (Application Header block)，(c) ユーザー・ヘッダー (User Header block) の3つの部分に分けられる．たとえば，基本ヘッダーには，ブロックID (block identifier)，アプリケーションID (application identifier)，サービスID (service identifier)，論理端末アドレス (Logical Terminal address)，セッション番号(session number)，シーケンス番号(sequence number) などが含まれる．

また，テキストの後につけられる「トレイラー」(Trailer block)には，メッセージのコントロール情報（チェック・サムなど）などが含まれる．ヘッダーやトレイラーは，基本的には，システム的に付番や処理が行われるものであり，ユーザーとしては，あまり気にする必要がない．

(2) メッセージタイプ（MT）の分類

①MTのカテゴリー

SWIFTのFINサービスで用いられるメッセージには，「メッセージタイプ」(MT) と呼ばれるメッセージが定められているが，MTは業務分野ごとの「カテゴリー」(category) に分けられている．

表6-1 メッセージタイプのカテゴリー

MTのカテゴリー		メッセージの内容
カテゴリー1	顧客送金と小切手	顧客から依頼を受けた送金をコルレス先に通知し，支払を指示するメッセージや，小切手の通知・支払差止などのメッセージ．
カテゴリー2	金融機関の資金移動	インターバンクでの資金移動をコルレス先に指示するメッセージ．
カテゴリー3	外国為替，マネーマーケット，デリバティブ	外為取引，コール取引，デリバティブ取引に関するコンファメーション，決済指図などのメッセージ．
カテゴリー4	取立てとキャッシュレター	取立依頼やキャッシュレターに関するメッセージ．
カテゴリー5	証券市場	証券の売買注文，出来通知，アロケーション，コンファメーション，決済指図などのメッセージ．
カテゴリー6	貴金属とシンジケーション	貴金属取引に関するメッセージや，協調融資の金額，金利，手数料に関するメッセージ．
カテゴリー7	荷為替信用状と保証	貿易取引に基づく信用状や保証の発行，条件変更などのメッセージ．
カテゴリー8	トラベラーズ・チェック	トラベラーズ・チェックの販売，決済等に関するメッセージ．
カテゴリー9	キャッシュ・マネジメントと顧客状況	口座保有者に対する残高報告，取引明細の通知等に関するメッセージ．
カテゴリーn	共通グループ・メッセージ	手数料の通知，照会や回答，フリー・フォーマットのメッセージ等．

(出所) "SWIFTStandards MT: General Information," November 2006.

MTのカテゴリーは，「カテゴリー1」（顧客送金と小切手）から「カテゴリー9」（キャッシュ・マネジメントと顧客状況）までの9つの業務分野と，「カテゴリーn」の共通グループ・メッセージの計10分類からなっている[1]（表6-1参照）．

②3桁のMT番号

メッセージタイプには，それぞれ3桁の「MT番号」が付されており，各メッセージの機能を特定している（図6-1参照）．

MT番号の1桁目が，上記の「カテゴリー」（業務分野）による分類である．このため，一般に，顧客送金は「MT100番台」，銀行間送金は「MT200番台」，

---

1) このほかに，「カテゴリー0」として，システム・メッセージがある．

図6-1 MT番号の構成

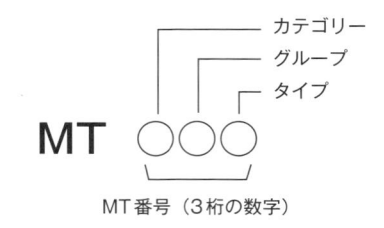

```
                    ┌──── カテゴリー
                    │ ┌── グループ
                    │ │ ┌ タイプ
            MT     ○ ○ ○
                   └─────┘
                 MT番号（3桁の数字）
```

（出所）"SWIFTStandards MT: General Information," November 2006.

外為・デリバティブ関係は「300番台」，証券関係は「MT500番台」などと呼ばれる．

　2桁目は，「グループ」（group）と呼ばれ，ある業務分野の中での大まかな機能を示す．たとえば100番台（顧客送金と小切手）において，2桁目が"0"のメッセージ（MT10n[2]）は顧客送金に関するものであり，2桁目が"1"のメッセージ（MT11n）は小切手に関するメッセージとなっている．

　さらに3桁目は，「タイプ」（type）と呼ばれ，メッセージの特定機能（specific function）を示す．たとえば，顧客送金のメッセージ（MT10n）のなかで，MT103は「単一の顧客送金」であり，MT102は「複数の顧客送金」であることを示す．

　なお，カテゴリーnにおいて最後2桁が99となっているMT（「n99」）は，フォーマットが細かく定められていない「フリー・フォーマット」（free format）のメッセージとなっている．

　MT100番台（顧客送金と小切手）を例にとってみると，業務内容に応じて11種類のメッセージタイプが用意されている（表6-2を参照）．

③カテゴリーごとのメッセージタイプの数

　カテゴリーごとに，メッセージタイプ（MT）の数をみたものが表6-3である．各カテゴリーには20〜30程度のメッセージがあり，全部で245通りのメッセ

2）「n」は，0〜9までのいずれかの数字が入ることを意味する．以下同じ．

表6-2 SWIFTのメッセージタイプ（MT100番台）

MT番号	メッセージタイプ名	メッセージの内容
101	送金依頼	他の機関にある顧客の口座からの引落しの依頼
102 102＋	複数の顧客送金	金融機関間の複数の支払指図の伝達
103 103＋ 103 REMIT	単一の顧客送金	金融機関での資金移動の指図（支払指図）
104	自動引落し・自動引落し依頼	金融機関での自動引落しの指図または依頼の伝達
105	EDIFACTエンベロープ	2kのEDIFACTメッセージを送るための封筒機能
106	EDIFACTエンベロープ	10kのEDIFACTメッセージを送るための封筒機能
107	一般的な引落しメッセージ	債務者の口座からの引落しの指図
110	小切手の通知	支払銀行への小切手発行の通知またはコンファーム
111	小切手の支払差止依頼	支払銀行への小切手の支払差止の依頼
112	小切手の支払差止依頼の状況	小切手の支払差止をするためにとられた措置の通知
121	複数の銀行間資金移動	EDIFACTのメッセージを含む複数の銀行間資金移動の伝達

（注）　手数料等の通知，取消依頼，照会，回答，フリーフォーマットなどのメッセージ（19n）を除く．
（出所）　"Category 1: Message Reference Guide," September 2006.

ージが設けられている（共通グループ・メッセージを含む）．

　なかでも，証券業務に関する500番台については，最も多い66種類ものメッセージが設定されている．これは，証券業務の多様性と複雑性を反映したものといえよう．

　④最大メッセージ長と認証の必要性

　各メッセージタイプには，「最大メッセージ長」（maximum message length）が定められている．最大メッセージ長は，「2000文字」または「10,000文字」のいずれかに定められている．メッセージ長には，メッセージの前後に付加されるヘッダー（header）やトレーラー（trailer）の文字数も含む．

　また，メッセージタイプごとに，①メッセージ認証の必要性や，②「メッセージ・ユーザー・グループ」（MUG：Message User Group）への登録の必要性が定められている．MUGとは，特定のメッセージを使用することをSWIFTに登録したグループのことを指す．一部のメッセージについては，MUGへの

表6-3 カテゴリーごとのメッセージタイプの数

カテゴリー		メッセージタイプの数
100番台	顧客送金と小切手	21
200番台	金融機関の資金移動	17
300番台	外国為替，マネーマーケット，デリバティブ	27
400番台	取立てとキャッシュレター	18
500番台	証券市場	66
600番台	貴金属とシンジケーション	20
700番台	荷為替信用状と保証	29
800番台	トラベラーズ・チェック	18
900番台	キャッシュ・マネジメントと顧客状況	29
合 計		245

（出所）"SWIFTStandards MT: General Information," November 2006.

表6-4 最大メッセージ長と認証やMUGの必要性（MT100番台）

MT番号	メッセージタイプ名	最大メッセージ長	メッセージ認証の必要性	MUGへの登録の必要性
101	送金依頼	10,000	必要（Y）	必要（Y）
102 102＋	複数の顧客送金	10,000	必要（Y）	必要（Y）
103 103＋	単一の顧客送金	10,000	必要（Y）	不要（N）
103REMIT	単一の顧客送金	10,000	必要（Y）	必要（Y）
104	自動引落し・自動引落し依頼	10,000	必要（Y）	必要（Y）
105	EDIFACTエンベロープ	2,000	必要（Y）	必要（Y）
106	EDIFACTエンベロープ	10,000	必要（Y）	必要（Y）
107	一般的な引落しメッセージ	10,000	必要（Y）	必要（Y）
110	小切手の通知	2,000	必要（Y）	不要（N）
111	小切手の支払差止依頼	2,000	必要（Y）	不要（N）
112	小切手の支払差止依頼の状況	2,000	必要（Y）	不要（N）
121	複数の銀行間資金移動	10,000	必要（Y）	必要（Y）

（注）手数料等の通知，取消依頼，照会，回答，フリーフォーマットなどのメッセージ（19n）を除く。
（出所）"Category 1: Message Reference Guide," September 2006.

登録が義務付けられており，受送信にあたって必要なMUGに登録しているかどうかのチェックが行われる．

　これらの条件をMT100番台のメッセージタイプについてみると，表6-4のとおりである．

(3) フィールドの構造

　各メッセージタイプには，メッセージのレイアウトを定める「書式仕様」(format specification) が定められている（書式仕様の具体例は，表6-9参照）．

　メッセージは，「フィールド」(field) の集まりによって構成されている．フィールドは，決められた情報（取引の当事者，金額，日付など）を記入する欄であり，フィールドごとに，以下のような要素が定められている．

①ステータス

　「ステータス」(status) は，そのフィールドへの記入が「必須」(mandatory) であるか，「任意」(optional) であるかを示すものである．必須の場合には「M」で，任意の場合には「O」で表示される．Mの場合には，そのフィールドに必要事項が記入されていることが不可欠である．書式仕様のなかでは，必須と任意の区別は「presence」と呼ばれる．

②タ　グ

　「タグ」(tag) は，フィールドを表す番号であり，通常2桁の数字か，それにアルファベットがついたもので表される．たとえばMT103においては，タグ「20」は送信者の参照番号を，タグ「36」は換算に用いられた為替レートを，タグ「59a」は送金の受取人を，それぞれ表す．

③フィールド名

　「フィールド名」(field name) は，フィールドの内容を端的に説明する名称である．たとえばMT103においては，タグ「33B」は「通貨/指図金額」(Currency/Instructed Amount)，タグ「50a」は「送金人」(Ordering Customer)，タグ「51A」は「送金銀行」(Sending Institution) とされている．

④ナンバー

「ナンバー」(No.) は，書式仕様におけるフィールドの順番を表す．「インデックス」(index) ともいわれる．フィールドの順番に従って，上から順番に付番される．

⑤内容/オプション

「内容/オプション」(content/option) は，(a) 利用可能な文字数（または桁数），(b) 利用できる文字（アルファベットか数字か），(c) 利用できるコード，について定めている．詳細は，以下のとおりである．

(a) 利用可能な文字数や桁数

各フィールドにおいて利用可能な文字数や桁数については，以下の4通りの表記方法がある．

表記方法	具体例
「nn」は，最大の文字数を表す	「16」であれば最大16文字であることを意味する（指定できる最小は1文字である）
「nn-nn」は，最小と最大の文字数を表す	「16-64」であれば16文字以上64文字以下であることを意味する
「nn!」は，固定長であることを表す	「4!」は4文字の固定長であることを示す
「nn*nn」は，最大の行数×各行の最大の文字数を表す	「4*35」であれば，4行×35文字まで記入可能であることを示す

(b) 利用できる文字

利用できる文字については，①「n」は数字のみ，②「a」はアルファベットの大文字のみ，③「c」はアルファベット大文字と数字のみ，④「h」は16進数[3] (hexadecimal) を示すAからFまでのアルファベット大文字と数字のみ，⑤「x」は，SWIFTの標準文字セット[4]である「文字セットX」(X Character

---

[3] 16進数では，7, 8, 9に続いて，A (=10), B (=11), C (=12), D (=13), E (=14), F (=15) で表記する．

[4] MTのメッセージでは，通常「文字セットX」が用いられる．

表6-5 フィールドの文字数と利用できる文字

(1) 表記方法

フィールドの文字数		利用できる文字	
nn	最大の文字数	n	数字のみ
nn-nn	最大と最小の文字数	a	アルファベットの大文字のみ
		c	アルファベットの大文字と数字のみ
		h	16進数を示すアルファベット(大文字AからFまで)と数字のみ
nn!	固定長	x	「X Character Set」に含まれる文字
		y	「Y Character Set」に含まれる文字
		z	「Z Character Set」に含まれる文字
nn*nn	最大の行数×最大の文字数	e	ブランクのスペース
		d	小数点

(2) 表記の例

指定された表記	表記の意味
2n	最大2桁までの数字
3!a	アルファベット大文字3文字の固定長
4*35x	最大4行までで,各行は最大35文字まで.文字セットには「X character Set」を使う.
16-64h	最小16文字から最大64文字までの16進数の数字またはアルファベット.

(出所) "SWIFTStandards MT: General Information," November 2006.

Set:に含まれる文字,⑥「y」は「文字セットY」(Y Character Set)に含まれる文字,⑦「z」は,「文字セットZ」(Z Character Set)に含まれる文字,を用いることができる.

文字セットX, Y, Zは,いずれも(a)数字,(b)アルファベットの大文字・小文字(ただし,文字セットYは大文字のみ),(c)特殊文字(?, +, =, *など),によって構成されている.使える特殊文字は文字セットごとに異なっており,特殊文字は文字セットXが最も少なく(15種類),文字セットZが最も多い(25種類).

フィールドの長さと利用できる文字の表記方法の一覧と具体例は,表6-5,表6-6のとおりである.

表6-6 文字セットX, Y, Zの比較

	文字セットX	文字セットY	文字セットZ
アルファベット大文字 (A～Z)	○	○	○
アルファベット小文字 (a～z)	○	×	○
数字 (0～9)	○	○	○
特殊文字 (!, %, <, >, @, #, &, +, =など)	15種類	20種類	25種類

(注) ○は使用可,×は使用不可であることを示す.
(出所) "Frequently Asked Questions on character sets and languages in MT and MX free format fields," February 2008.

(c) コード

そのフィールドにおいて利用できるコードがある場合には，そのコードが示される．コードには，業務の内容を表すもの（手数料コードなど），メッセージの用途を示す機能コード（message function code）のほか，銀行識別コード（BIC），通貨コード，各国の決済システムを示すコードなどがある（コードの詳細については第7章を参照）．

⑥シーケンス

いくつかのフィールドのまとまりを「シーケンス」(sequence) という．たとえば，MT101は，2つのシーケンスから構成されており,「シーケンスA」(一般情報〈general information〉) には，送信者，送信者の参照番号，口座提供金融機関などのフィールドが含まれる．また,「シーケンスB」(取引情報〈transaction details〉) には，取引番号，通貨，取引金額，受領者など，のフィールドが含まれる．

MT101では，複数の取引が含まれる場合には，シーケンスBを繰り返し使用することができる(repetitive sequence)．MTの書式仕様では，矢印によって，それ以下の部分が繰り返されることが示される．

(4) メッセージの検証・利用ルール

①ネットワーク検証ルール

「ネットワーク検証ルール」(Network Validated Rules) は，ネットワーク上でフォーマットが検証されるルールであり，①メッセージ構成やシーケンス，フィールドの順番，②メッセージ標準への適合（利用できる文字，フィールド間の関係など），などについて検証が行われる．また，必要な場合には，MUG（メッセージ・ユーザー・グループ）への登録の有無についても検証がなされる．

SWIFTのシステムが，メッセージが検証ルールに準拠していないことを発見した場合には，発信者に対して「NAK」（否定応答：negative acknowledgement）が発出され，「エラー・コード」(error code) とエラーのあるライン番号などが通知される．

フィールドに関するネットワーク検証ルールの具体例をMT103についてみると，表6-7のとおりである．

表6-7 ネットワーク検証ルールの具体例（MT103，抜粋）

メッセージの検証ルール	内　容
C1	タグ33B（送金通貨）に記載されている通貨コードが，タグ32A（銀行間の決済通貨）の通貨コードと異なっている場合には，タグ36（換算為替レート）に記入がなければならない．それ以外の場合には，タグ36に記入があってはならない．エラー・コードはD75とする．
C2	送金銀行の国コードと受取銀行のBICの両方が特定国のリストに該当する場合には，タグ33B（送金通貨）には記載がなければならない（必須）．それ以外の場合には，タグ33Bの利用はオプションである．エラー・コードはD49とする．
C7	タグ55a（コルレス銀行間の仲介機関）に記載がある場合には，タグ53a（送金銀行のコルレス先）とタグ54a（受取銀行のコルレス先）の両方に記載がなければならない．エラー・コードはE06とする．
C9	タグ56a（中継銀行）に記載がある場合には，タグ57a（受取人が口座を有する銀行）にも記載がなければならない．エラー・コードはC81とする．
C14	タグ70（送金情報）とタグ77T（送金情報の封筒）は，相互排他的でなければならない．このため，どちらか一方が存在することはできるが，両方に記載があることはできない．エラー・コードはE12とする．

（出所）"Message Reference Guide: Category 1."

表6-8 メッセージの利用ルールの具体例（MT103）

メッセージの 利用ルール	内　容
1	タグ77T（送金情報の封筒）は，送信者と受信者が「拡張レミッタンス情報MUG」に登録されている場合にのみ，利用することができる．このフィールドを使う場合には，送信者はユーザー・ヘッダーのフィールド119に「REMIT」と記入することが必要である．タグ77Tを利用しない場合には，ヘッダーにREMITを記入してはならない．
2	タグ72（送信者から受信者への情報）には，コード化された情報のみを記載することができる．
3	FileActを使ってメッセージを送る場合には，認証を必要とする決済関連タイプのものを使わなければならない．また，メッセージの最大サイズについて相互に合意しておく必要がある．
4	タグ33Bの送金金額を，タグ36の為替レートで換算し，タグ71Gの受取人の手数料を加え，送金人の手数料を控除したものが，32Aの銀行間の決済金額に等しくならなければならない．

（出所）"Message Reference Guide: Category 1."

②メッセージの利用ルール

「メッセージの利用ルール」（Usage Rules）は，メッセージやそのフィールドの正しい利用法について定める．このルールは，ネットワークでは検証されず，エラー・コードも定められないが，ルールの遵守は必須（mandatory）である．このルールは，対象とするフィールドについてのみ適用される．

メッセージの利用ルールの具体例をMT103についてみると表6-8のとおりであり，メッセージを送る前提となる取決めや，機械的な判断が難しい事項が含まれていることがわかる．

（5）資金メッセージの利用方法と書式仕様

以上のフィールド構造の説明をもとに，まず資金メッセージの利用方法と書式仕様についてみることとしよう．ここでは，SWIFTにおける送金用メッセージとして利用頻度の高い「MT103」を例にとって具体的にみることとする．

MT103は，「単一の顧客送金」（Single Customer Credit Transfer）のためのメッセージタイプである[5]．これは，顧客（ordering customer）が取引銀行に対して，他行の顧客（beneficiary customer）への送金を依頼した場合に，

送金銀行（Sender）から受取銀行（Receiver）に対して発出されるメッセージである．

MT103は，もともとあった「MT100」という旧メッセージタイプを機能向上させたものであり，1997～2003年にかけて[6] 段階的にMT100からMT103への移行が行われた[7]．MT103は，全般に，各フィールドの内容を特定化し，オプションを少なくし，フリー・フォーマットを極力なくす方向で改訂が行われており，メッセージ処理のSTP化に適したものとなっている．

MT103には，①MT103 Core，②MT103＋，③MT103 REMITの3通りの使い方があるが，以下では，最も基本的に利用されるMT103 Core（以下，MT103という）について述べる（②と③については，BOX6-1を参照）．

【BOX6-1】MT103＋とMT103 REMIT

（1）MT103＋

「MT103＋」は，MT103のサブセットであり，メッセージのSTP処理を可能にしていることが特徴である．すなわち，各フィールドにおける利用文字やコードなどが厳格に制限されており，決められたフォーマットに準拠しているかどうかについて，SWIFTがネットワーク上で検証（validation）を行う．これにより，受け手の銀行では，必ず一定のフォーマットでメッセージを受け取ることができるため，人手を介することがなく，メッセージをSTP処理することができる．メッセージのヘッダーのなかのフィールド119（検証フラグ・フィールド）に「STP」というコー

---

5) 複数の支払指図の伝達のためには，MT102またはMT102＋（Multiple Customer Credit Transfer）が用いられる．
6) MT103は，導入当初（1997年）は事前に登録を行ったユーザーグループ（MUG）しか利用できなかったが，2000年11月からは，すべてのユーザーの利用（general use）が可能となった．また，2002年1月からは，ユーロ圏での利用が義務づけられた．2003年11月には，すべてのユーザーのMT103対応が義務づけられ，MT100は廃止された．
7) SWIFTがMT100からMT103への移行を図った背景には，(a) MT100には，利用が任意のフィールド（optional field）が多く設けられていたが，その多くがあまり使われていなかったこと，(b) フリー・フォーマットのフィールド（free text field）に多くのデータが書き込まれるようになったこと，(c) 手数料に関するデータの記載が不十分であったこと，などの点がある．

ドを記入することにより，SWIFTではMT103＋であることを認識し，フォーマットの検証を行う．

(2) MT103 REMIT

「MT103 REMIT」は，「フィールド77T」（Envelop Contents）を利用することにより，最大9000文字までのデータを送金メッセージに添付して送ることができるのが特徴である．この送金関連データ（remittance information）のフォーマットには，SWIFTフォーマットのほか，「EDIFACT[8]」や「ANSI-X12[9]」などを使うことができる．MT103 REMITを利用するためには，「拡張レミッタンス情報MUG」（Extended Remittance Information MUG）に登録することが必要である．

なお，MT103＋，MT103 REMITは，わが国ではあまり利用されていない．

①MT103の取引フロー
それでは，まず，MT103を利用した取引フローからみることとしよう．

(a) 直接のコルレス関係がある場合
MT103による最も基本的な送金のパターンとしては，日本企業A社が取引銀行である邦銀X行に，米国への送金を依頼し，X行が米銀Y行にある受取人B社（米国企業）の口座への送金を取り組むといった例があげられる．こうしたケースで，X行とY行との間に直接のコルレス関係がある場合には，X行からY行に対して，MT103によって送金指図が行われる．このとき，X行が「送金銀行」（仕向銀行），Y行が「受取銀行」（被仕向銀行）となる（図6-2参照）.

---

[8] 国連・欧州経済委員会（UN/ECE）が採択した国際的なEDI（電子データ交換）のための標準プロトコル．ISO 9735として国際標準になっている．EDIFACTは，「Electronic Data Interchange For Administration, Commerce, and Transport」の略．
[9] 米国におけるEDI標準．米国規格協会（American National Standards Institute）の規格となっている．

第6章 SWIFTのメッセージ標準

図6-2 MT103による送金指図(直接のコルレス関係があるパターン)

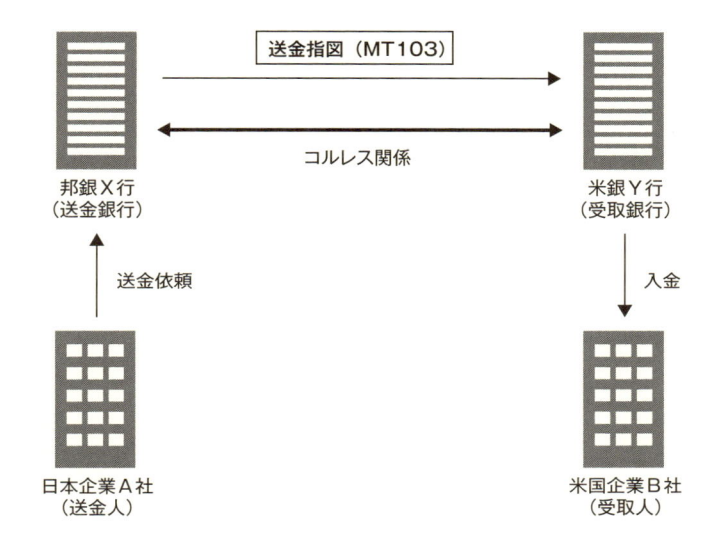

(出所) SWIFT資料をもとに筆者作成.

(b) 中継銀行を経由する場合

送金銀行と受取銀行との間に直接のコルレス関係がない場合には,両方のコルレス銀行を通じて,送金が行われる.たとえば,日本企業A社の依頼を受けて,邦銀K行が,ブラジルのM行に口座を有するB社に送金を行うものとする.

このとき,K行とM行が,ともに米銀L行のコルレス先であるとすると,送金指図は,K行から中継銀行である米銀L行経由でM行に送られ,M行の顧客であるB社の口座に入金される.このとき,K行からL行への送金指図と,これを受けたL行からM行への送金指図が,いずれもMT103によって行われる(図6-3参照).

このように3つ以上の金融機関が一連の「支払の連鎖」(payment chain)に関与している場合には,こうした送金方法は,「シリアル」(serial)と呼ばれる.

99

図6-3 MT103による送金指図（中継銀行を経由するパターン）

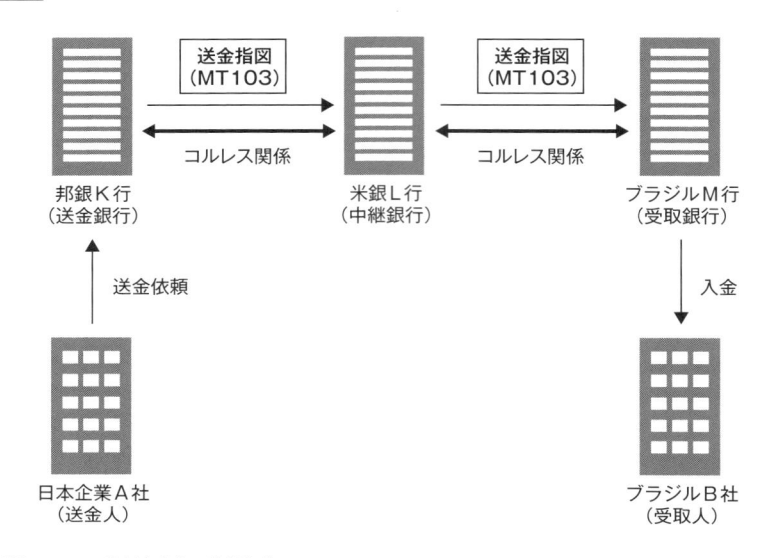

邦銀K行（送金銀行）—送金指図（MT103）／コルレス関係—米銀L行（中継銀行）—送金指図（MT103）／コルレス関係—ブラジルM行（受取銀行）

日本企業A社（送金人）→送金依頼→邦銀K行

ブラジルM行→入金→ブラジルB社（受取人）

（出所） SWIFT資料をもとに筆者作成．

(c) カバー送金

送金銀行（X行）と受取銀行（Y行）との間に直接の取引関係（口座の相互保有など）があり，送金の決済にその取引関係を使う場合には，送金に関する情報のみならず，その送金資金の支払についてもMT103のなかに含めて送信される．

一方，X行とY行の間に直接の取引関係がない場合（またはその取引関係を送金の決済に使うことを希望しない場合）には，MT103には顧客送金に関する情報のみが含まれる．そして，送金の対価の支払は，他の銀行（Z行）から，MT202（金融機関間の資金移動依頼）を使って受取銀行（Y行）に払い込まれることになる．これを「カバー資金の支払」または「カバー送金」（cover payment）という．

(d) 送金手数料の負担方法

MT103では，71A（手数料の詳細）のフィールドに，誰が送金手数料を負

図6-4 送金手数料の負担オプション

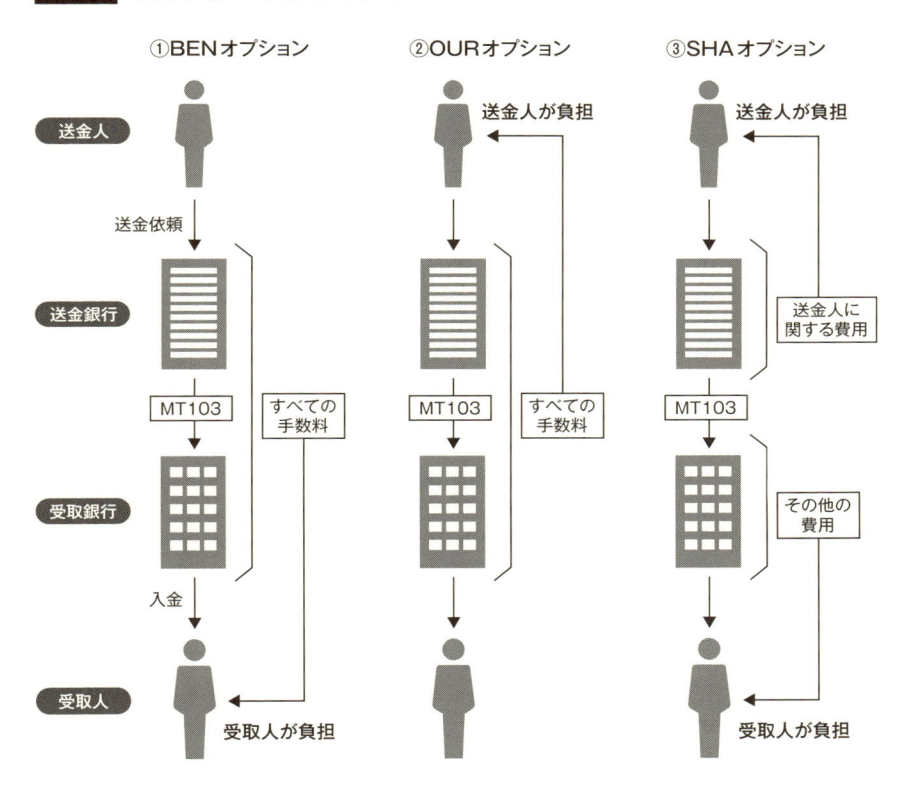

①BENオプション　②OURオプション　③SHAオプション

送金人／送金銀行／受取銀行／受取人の各段階でのフロー：
- ①BENオプション：すべての手数料を受取人が負担
- ②OURオプション：すべての手数料を送金人が負担
- ③SHAオプション：送金人に関する費用は送金人が負担、その他の費用は受取人が負担

（出所）　SWIFT資料をもとに筆者作成．

担するかを明示することになっている．手数料の負担方法には，①BEN，②OUR，③SHAの3つのオプションがある（図6-4参照）．

「BENオプション」では，すべての手数料を送金の受取人（Beneficiary Customer）が負担する．「OURオプション」では，すべての手数料を送金人（Ordering Customer）が負担する．「SHAオプション」では，送金人に対して発生する手数料はすべて送金人が負担するが，それ以外の手数料については受取人が負担する．

②MT103の書式仕様

上記のようなMT103の取引フローの「書式仕様」(format specification) が表6-9である[10].

このメッセージには、取引に関係するすべての当事者（送金人，送金銀行，仲介銀行，コルレス先，受取人が口座を有する銀行，受取人など）を記載するフィールドが設けられている．また，取引内容についても，実際に送金が行われる通貨と金額，払込み通貨と送金通貨が異なる場合（ドル建て送金の資金を円で支払った場合など）のオリジナル通貨での送金金額や換算した為替レート，送金の実行日，手数料とその内訳，取引番号などを記入するフィールドが設けられている．また，請求書番号などの送金関連情報（remittance information）も含めることができる．

それぞれのフィールドごとに，ステータス（記入が必須か任意か），タグ，フィールド名，フィールドの文字数や利用できる文字，ネットワーク検証ルールなどが定められていることは，上述のとおりである．こうした書式仕様は，MTごとにSWIFTの「ユーザー・ハンドブック」に記載されている．

(6) 証券メッセージの利用方法とメッセージ構成

資金メッセージに続いて，最近利用が増加している「証券メッセージ」の利用方法についてみることとしよう．

①証券メッセージの3分野

証券取引に関するメッセージタイプは，一般に「MT500番台」と呼ばれている．MT500番台には，前述のように60以上のメッセージが設定されている．

これらのMT500番台のメッセージは，大きく，①受発注メッセージ，②決済関連メッセージ，③コーポレートアクション・メッセージの3分野に分けることができる（表6-10参照）．

「受発注メッセージ」（TIC：Trade Initiation and Confirmation）は，機関投

---

[10] 実際のSWIFT利用にあたっては，最新の「ユーザー・ハンドブック」を参照のこと．

表6-9　MT103の書式仕様

ステータス	タグ	フィールド名	内容/オプション	No.
M	20	送信者の参照番号	16x	1
┈▶				
O	13C	時刻表示	/8c/4!n1!x4!n	2
┈┤				
M	23B	銀行業務コード	4!c	3
┈▶				
O	23E	指図コード	4!c [/30x]	4
┈┤				
O	26T	取引形態コード	3!c	5
M	32A	実行日/通貨/銀行間の決済額	6!n3!a15d	6
O	33B	通貨/指図金額	3!a15d	7
O	36	為替レート	12d	8
M	50a	送金人	A, F, or K	9
O	51A	送金銀行	[/1!a] [/34x] 4!a2!a2!c [3!c]	10
O	52a	指図機関	A or D	11
O	53a	送金銀行のコルレス先	A, B, or D	12
O	54a	受取銀行のコルレス先	A, B, or D	13
O	55a	コルレス銀行間の仲介機関	A, B, or D	14
O	56a	仲介銀行	A, C, or D	15
O	57a	受取人が口座を有する銀行	A, B, C, or D	16
M	59a	受取人	文字オプションなし or A	17
O	70	送金情報	4*35x	18
M	71A	手数料の詳細	3!a	19
┈▶				
O	71F	送金人の手数料	3!a15d	20
┈┤				
O	71G	受取人の手数料	3!a15d	21
O	72	送信者から受信者への情報	6*35x	22
O	77B	規制当局への報告	3*35x	23
O	77T	エンベロープの内容	9000z	24

（注）　M：記入は必須（mandatory），O：利用は任意（optional）．
（出所）　"SWIFTStandards MT: General Information," November 2006.

表6-10 証券メッセージの3分野

分野	主なメッセージ・タイプ（MT）
受発注メッセージ（TIC）	MT502（売買注文） MT509（取引状況の通知） MT513（出来通知） MT514（アロケーション指図） MT515（売買報告） MT517（売買報告に対する承認） MT518（市場サイドの取引コンファメーション）
決済関連メッセージ（S&R）	MT540・MT541（受取指図） MT542・MT543（引渡指図） MT544・MT545（受取のコンファメーション） MT546・MT547（引渡のコンファメーション） MT535～MT537（預り残高・取引等のステートメント） MT548（決済状況の通知） MT549（ステートメント・決済状況通知の依頼）
コーポレートアクション・メッセージ（CA）	MT564（コーポレートアクションの通知） MT565（コーポレートアクションの指図） MT566（コーポレートアクションのコンファメーション） MT567（コーポレートアクションの処理状況の通知） MT568（記述形式による指図または詳細の通知）

（出所）"Category 5—Securities Markets: Message Usage Guidelines," August 2007.

資家と証券会社の間，証券会社間などで，売買注文の発注，取引状況の通知，出来通知，アロケーションの指図，売買報告，などを行う際に利用するメッセージである．

「決済関連メッセージ」（S&R：Settlement and Reconciliation）は，上記の受発注のプロセスが終了した後に，機関投資家，グローバル・カストディアン，サブ・カストディアンなどの間で，受取指図，引渡指図，受取コンファメーション，引渡コンファメーション，決済状況の通知，などをやりとりする際に用いられるメッセージである．

「コーポレートアクション・メッセージ」（CA：Corporate Action）は，コーポレートアクション[11]（株式分割，株式併合，M&Aなど，保有株式の権利・配当の変更に関する情報）について，機関投資家，グローバル・カストディアン，サブ・カストディアンなどの間で通知，指図，コンファメーション，処理

---

11) SWIFTにおけるコーポレートアクションには，利払い，償還，ワラントの権利行使など，債券に関する情報を含む．

状況の通知,などを行う際に用いるメッセージである.

これらの3分野のうち,SWIFTの証券メッセージで最も利用頻度が高いのは,決済関連メッセージ(S&R)の分野であり,以下では,この分野を中心に述べる.

②決済関連メッセージのフロー
(a) 証券決済の当事者

機関投資家による証券取引においては,証券決済に関係する当事者は,「機関投資家」(investment manager),「証券会社」(broker),「カストディアン」(custodian)の3者になる.これは,機関投資家は,運用の指図に特化する一方で,取引の執行は証券会社に委託し,また,証券の保管・管理などはカストディアンに委託するという役割分担になっているためである.

さらに,機関投資家がカストディアンとして,全世界的な証券の保管・決済を一括して取り扱う「グローバル・カストディアン」(global custodian)を利用している場合には,このグローバル・カストディアンと,そのために各国において実際の証券保管・決済業務を行う「サブ・カストディアン[12]」(sub-custodian)との間でのメッセージのやりとりが必要となる.

こうした多くの当事者による証券決済指図のメッセージのフローを示したのが,図6-5である.ここで機関投資家は,証券会社に証券の買い注文を出したうえで,その受取を,グローバルな資産管理を依頼しているグローバル・カストディアンに指示している.その指示を受けたグローバル・カストディアンでは,その証券の発行国のサブ・カストディアンに対して,証券の実際の受取を指示する.一方で,取引を実行した証券会社(executing broker)では,買い注文に応じて市場で調達した証券を注文主である機関投資家に引き渡すため,ローカル・エージェントに対して,引渡指図を出す.こうした指図を受けたサブ・カストディアンとローカル・エージェントでは,証券発行国の証券決済機関(CSD)を通じて,証券決済(証券の引渡と受取)を行うことになる.

---

12) 「ローカル・カストディアン」ともいう.

図6-5　証券決済指図のメッセージ・フロー

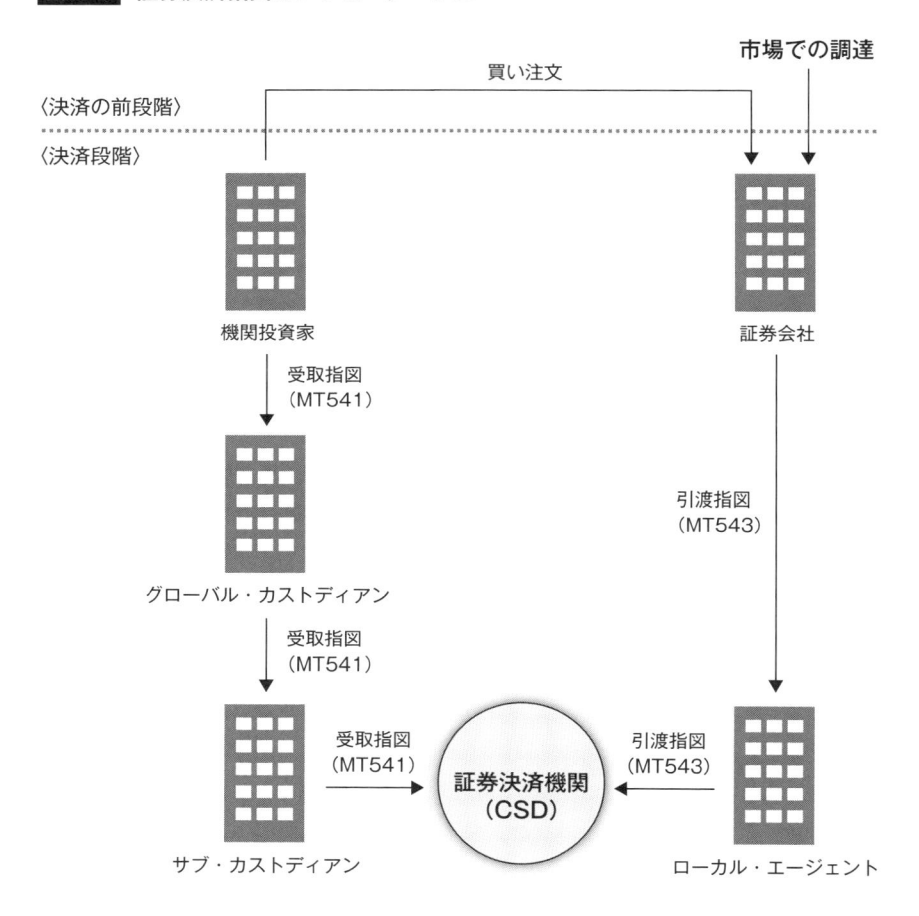

（出所）SWIFT資料をもとに筆者作成．

(b) 決済指図のフロー

このとき，まず機関投資家が，MT540～543を使って，グローバル・カストディアンに対して証券の受取（または引渡）を指示する．グローバル・カストディアンでは，主要な市場にサブ・カストディアンを有して各国における証券決済を可能としているが，そのうち，当該証券の発行国におけるサブ・カスト

ディアンに対して，やはりMT540～543を使って証券の受取（または引渡）を指示する．

当該国の証券決済機関（CSD）がSWIFTを使っている場合には，サブ・カストディアンは，MT540～543を使ってCSDに対して証券の受取（または引渡）を指示して，証券会社のローカル・エージェントとの間で証券決済を完了する．

「DVP[13]」（Delivery versus Payment）での決済を指図する場合には，MT541（受取指図）またはMT543（引渡指図）が用いられ，「非DVP[14]」（FOP〈free of payment〉delivery）での決済を指図する場合には，MT540（受取指図）またはMT542（引渡指図）が用いられる．

機関投資家が証券会社に買い注文を出し，それが実行されたあとに，グローバル・カストディアンに対して，DVPでの受取指図（MT541）を出し，一方，証券会社がローカル・エージェントに対してDVPでの引渡指図（MT543）を出す場合について図示すると，図6-5のとおりである．

(c) 口座保有者と口座サービス提供者

こうした関係において，他の機関に証券口座を保有している機関のことを「口座保有者」（Account Owner）という．機関投資家，証券会社，グローバル・カストディアン，サブ・カストディアン，ローカル・エージェントなどが口座保有者となる．

一方，証券口座の保有者に対して，口座管理のサービスを提供する主体のことを「口座サービス提供者」（Account Servicer）という．証券決済機関（CSD），ローカル・エージェント，サブ・カストディアン，グローバル・カストディアンなどが口座サービス提供者となる．

口座保有者と口座サービス提供者との関係は重層的であり，グローバル・カストディアンは，機関投資家との関係では，口座サービス提供者となっている

---

[13] 「DVP決済」とは，証券の引渡（delivery）と資金の支払（payment）を相互に条件づけて行うことである．これにより，資金（または証券）を渡したにもかかわらず，取引相手からその対価となる証券（または資金）を受け取れないという「取りはぐれ」のリスクを回避することができる．

[14] 「非DVP決済」とは，資金の支払とは関係なく，証券の引渡のみを行うことである．

図6-6 口座保有者と口座サービス提供者の関係

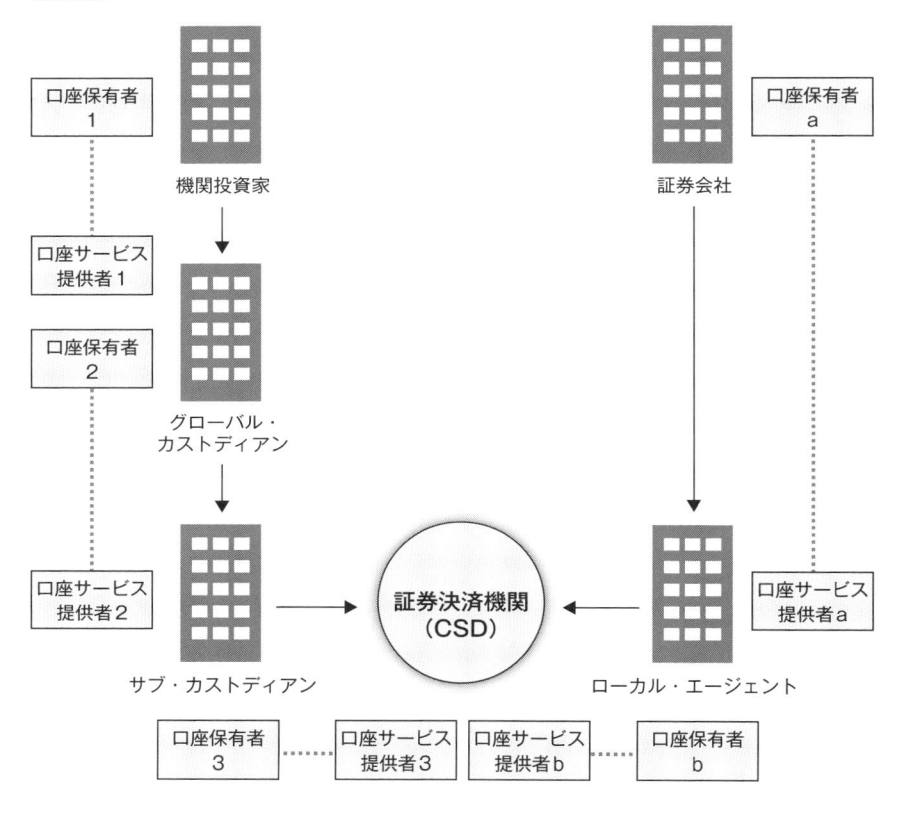

(出所) SWIFT資料をもとに筆者作成.

一方で,サブ・カストディアンとの関係では口座保有者となっている.また,サブ・カストディアンは,グローバル・カストディアンに対しては口座サービス提供者となっている一方,CSDに対しては口座保有者となっている(図6-6参照).

(d) コンファメーションのフロー

CSDにおける証券決済が完了すると,今度は「MT544〜547」により,証

第6章 SWIFTのメッセージ標準

図6-7 コンファメーションのフロー

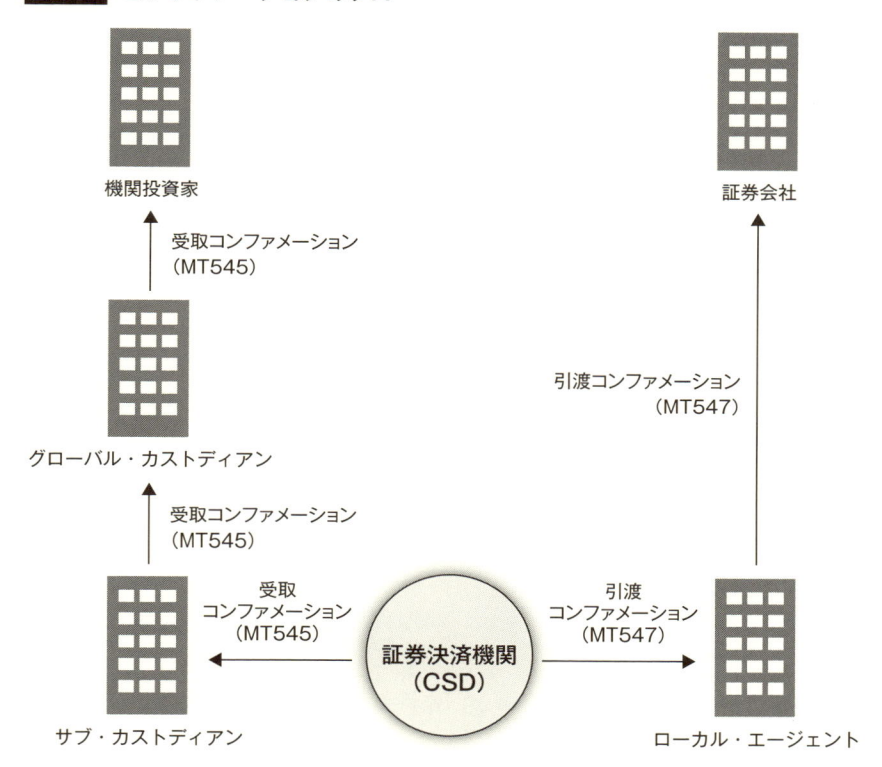

（出所） SWIFT資料をもとに筆者作成.

券の受取（または引渡）の「コンファメーション」（決済指図に対する確認）が送られる．コンファメーションは，口座サービス提供者から口座保有者に対して送られる．このため，決済指図のフローとは逆の方向に，CSD → サブ・カストディアン → グローバル・カストディアン → 機関投資家の順で，MT544～547のコンファメーションが送られることになる．

　DVP決済の指図（MT541, MT543）に対しては「DVP決済のコンファメーション」（MT545, MT547）が，また非DVP決済の指図（MT540, MT542）に対しては「非DVP決済のコンファメーション」（MT544, MT546）が用い

図6-8 通知のフロー

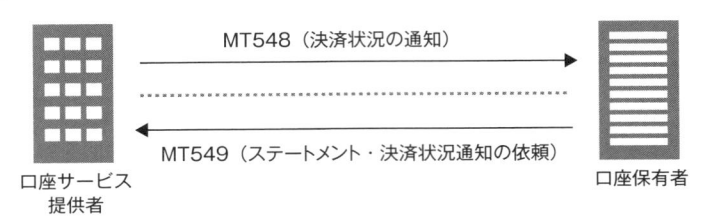

```
                MT548（決済状況の通知）
口座サービス  ───────────────────────→  口座保有者
  提供者    ←───────────────────────
              MT549（ステートメント・決済状況通知の依頼）
```

（出所） SWIFT資料をもとに筆者作成.

られ，いずれも証券の受渡の通知が行われる．

図6-5のDVPの決済指図に対して，DVP決済のコンファメーションが行われた場合のメッセージ・フローを図示したのが，図6-7である．

(e) 通知のフロー

決済状況の通知には，「MT548」（決済状況の通知）が用いられる．これは，決済指図の処理状況の通知のほか，口座保有者からのキャンセル依頼に対する回答を行う際にも利用される．

MT548は，口座サービス提供者が口座保有者に対して発出するメッセージであり，①サブ・カストディアンからグローバル・カストディアンへ，②カストディアンから機関投資家へ，③ローカル・エージェントから証券会社へ，などの通知として用いられる．MT548は，1つの取引について何度も（その時点での処理状況を通知するために）発出されるケースが多いことから，MT別の利用量としては，SWIFT全体で第2位（シェア11.1％），日本では第1位（同29.4％）を占める有力メッセージとなっている（2008年中）．

一方，口座保有者が口座サービス提供者に対して各種のステートメントや決済状況の通知を要求する場合には，「MT549」（ステートメント・決済状況通知の依頼）が用いられる．MT549は，上記のMT548のほか，口座保有者が各種のステータス，ステートメント，レポートなどのメッセージを要求するために利用される．

③証券メッセージの構成

MT500番台で使われている証券メッセージには，2つの特徴がある．

第1は，「ISO 15022」という証券メッセージに関する国際標準に基づいてメッセージが作成されていることである（詳細は第7章を参照）．

第2は，メッセージがいくつかのブロックに分けて構成されていることである[15]．すなわち，1つのメッセージには，1つまたは複数の「シーケンス」(sequence)と呼ばれるブロックが含まれる．以下では，このブロック構成についてみることとする（図6-9参照）．

(a) シーケンスの構成

各シーケンスは，「ブロック開始フィールド」(Start of Block field)で始まり，「ブロック終了フィールド」(End of Block field)で終わる．その間には，1つまたは複数の「サブ・シーケンス」(subsequence)または「フィールド」(field)が含まれる．ブロック開始フィールドのフィールド番号は「16R」，ブロック終了フィールドは「16S」となっており，これらを合わせて，「区切りフィールド」(discrete field)と呼んでいる．

各シーケンスには，アルファベットによる「識別子」(identifier)が付される．シーケンスの識別子は，1番目がA，2番目がB，3番目がCといった順序で付番される．

(b) サブ・シーケンスの構成

シーケンスのなかに含まれる「サブ・シーケンス」も，シーケンスと同じ構造をしており，ブロック開始とブロック終了のフィールドによって，開始・終了が明示される．

サブ・シーケンスについても，上位のシーケンスのアルファベットに数字を加えて，識別子が付けられる．たとえば，シーケンスAのなかのサブ・シーケンスは，A1，A2，A3といった順序で付番される．

---

15) これを「モジュール設計」(modular design)と呼んでいる．

図6-9 MT500番台のメッセージの構成

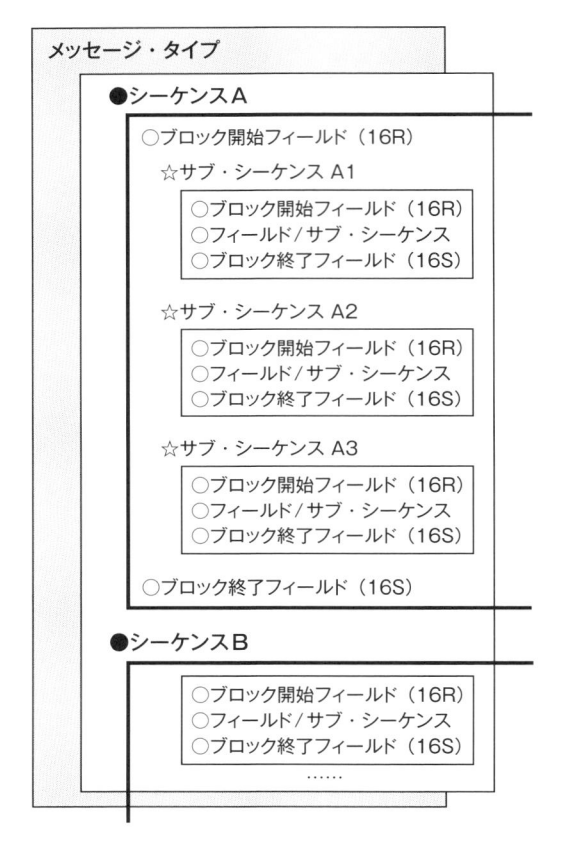

```
┌─────────────────────────────────────────┐
│ メッセージ・タイプ                       │
│  ┌────────────────────────────────────┐ │
│  │ ●シーケンスA                        │ │
│  │   ○ブロック開始フィールド（16R）     │ │
│  │     ☆サブ・シーケンス A1           │ │
│  │       ┌──────────────────────────┐ │ │
│  │       │○ブロック開始フィールド（16R）│ │ │
│  │       │○フィールド/サブ・シーケンス │ │ │
│  │       │○ブロック終了フィールド（16S）│ │ │
│  │       └──────────────────────────┘ │ │
│  │     ☆サブ・シーケンス A2           │ │
│  │       ┌──────────────────────────┐ │ │
│  │       │○ブロック開始フィールド（16R）│ │ │
│  │       │○フィールド/サブ・シーケンス │ │ │
│  │       │○ブロック終了フィールド（16S）│ │ │
│  │       └──────────────────────────┘ │ │
│  │     ☆サブ・シーケンス A3           │ │
│  │       ┌──────────────────────────┐ │ │
│  │       │○ブロック開始フィールド（16R）│ │ │
│  │       │○フィールド/サブ・シーケンス │ │ │
│  │       │○ブロック終了フィールド（16S）│ │ │
│  │       └──────────────────────────┘ │ │
│  │   ○ブロック終了フィールド（16S）     │ │
│  │ ●シーケンスB                        │ │
│  │       ┌──────────────────────────┐ │ │
│  │       │○ブロック開始フィールド（16R）│ │ │
│  │       │○フィールド/サブ・シーケンス │ │ │
│  │       │○ブロック終了フィールド（16S）│ │ │
│  │       │……                         │ │ │
│  │       └──────────────────────────┘ │ │
│  └────────────────────────────────────┘ │
└─────────────────────────────────────────┘
```

（出所）"Category 5−Securities Markets: Message Usage Guidelines," August 2007.

(c) フィールドの構成

シーケンスまたはサブ・シーケンスには,「フィールド」が含まれ, そこに数量, 価格, 取引相手, 口座などのデータが記入される点は, 資金メッセージと同様である. 各MTごとに, 書式仕様が定められており, ユーザーはそれに従って必要事項を各フィールドに記入することになる.

MTごとの書式仕様 (format specification) は, 各フィールドについて, ①

第6章 SWIFTのメッセージ標準

表6-11 MT500番台の包括的フィールドの例

フィールド名	フィールド番号	利用例
金融商品のタイプ (type of financial instrument)	:12a:	金融商品のクラス
識別番号（number identification）	:13a:	利払番号，バージョン番号
フラグ（flag）	:17a:	yesまたはnoのフラグ
金額（amount）	:19a:	決済金額，手数料
参照番号（reference）	:20a:	送金人の参照番号など
指標（indicator）	:22a:	取引のタイプ
理由（reason）	:24a:	拒否の理由
ステータス（status）	:25a:	処理のステータス
記述（narrative）	:70a:	取引，決済などに関する記述
金融商品の数量 (quantity of financial instrument)	:36a:	発注数量，確認数量，決済数量
価格（price）	:90a:	取引価格，割引価格
レート（rate）	:92a:	為替レート，金利
場所（location）	:94a:	取引場所，決済場所
当事者（party）	:95a:	取引相手，決済相手，規制当局
口座（account）	:97a:	保護預かり口座，資金口座
日付/時刻（date/time）	:98a:	取引日，決済日，処理時間

（出所）"Category 5―Securities Markets: Message Usage Guidelines," August 2007.

ステータス（記入が必須〈M〉か任意〈O〉か），②タグ（フィールドを表す番号），③限定子（qualifier），④一般フィールド名（generic field name），⑤詳細フィールド名（detailed field name），⑥内容/オプション（フィールドの文字数や利用できる文字），⑦ナンバー（フィールドの順番）などの要素が定められる．

④包括的フィールドと限定子

　証券メッセージでは，通常のフィールドのほかに，いくつかの「包括的フィールド」（generic field）が使用されているのが特徴であり，これに対応する「フィールド番号」が定められている（表6-11参照）．たとえば，フィールド番号「98a」は「日付/時刻」を意味する包括的フィールドであり，「90a」は「価格」のフィールドを意味している．フィールド番号は，ISO 15022に従って付番され，

MT500番台のなかでは常に同じ内容を意味する．

「限定子」（qualifier）は，包括的フィールドにおいて，データの意味を限定する役割を果たすものである．たとえば，タグ「98a」（日付／時刻）において，「TRAD」は「取引日／時刻」（trade date/time）を，「SETT」は「決済日／時刻」（settlement date/time）を，「COUP」は「次の利払日」（next coupon date）を，「MATU」は「満期日」（maturity date）を意味している．限定子も，MT500番台のなかでは，常に同じ内容を意味する．このように，包括的フィールドと限定子の組合せによって，フィールドの内容が特定される仕組みとなっている．

各メッセージについて，「ネットワーク検証ルール」や「メッセージの利用ルール」が定められている点は，資金メッセージと同様である．

（7）MTのメンテナンス

以上，資金メッセージと証券メッセージの利用方法とメッセージの構成・書式についてみたが，こうしたMTは，ビジネス環境の変化などに対応して適宜「維持管理」（maintenance）を行っていく必要がある．MTの変更が必要となった場合には，ユーザーは，各国の「ユーザーグループ・チェアパーソン」（UGC）や市場ごとの「マーケット・プラクティス・グループ」を通じて，「変更要望」（maintenance request）を出すことができる．

SWIFTでは，これらの変更要望を「メンテナンス・ワーキング・グループ」（MWG：Maintenance Working Group）に送って，見直しの作業と承認を行う．MWGは，そのビジネス分野の専門家などによって構成されている．MWGが承認した変更については，国ごとの投票（country vote）が行われる．その結果をSWIFT理事会の「標準化委員会」（Standards Committee）が承認して，初めてMTの変更が正式に決定される．

MTの毎年の変更（「standards release」と呼ばれる）は，通常10〜11月頃に行われる．この変更にあたっては，①15カ月前に変更の範囲と規模に関する「概要文書」（high-level-document）が出されたあと，②12カ月前には「暫定版の標準改訂ガイド」（pre-SRG：Standards Release Guide）が，③9カ月前には「最終版の標準改訂ガイド」（final-SRG）が公表され，④3カ月前にはユーザー・ハンドブックが改訂される．このようにMTの改訂は，決められた

図6-10 MTのメンテナンス・プロセス

(1) 変更の決定まで

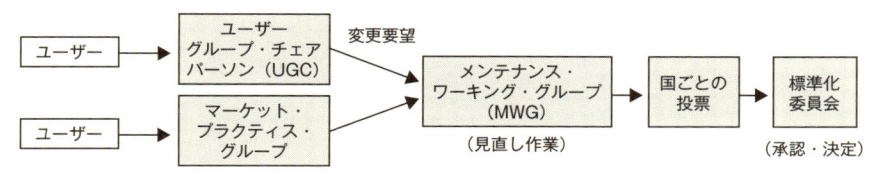

ユーザー → ユーザー・グループ・チェアパーソン（UGC）

ユーザー → マーケット・プラクティス・グループ

→ 変更要望 → メンテナンス・ワーキング・グループ（MWG）（見直し作業）→ 国ごとの投票 → 標準化委員会（承認・決定）

(2) 変更決定から実施まで

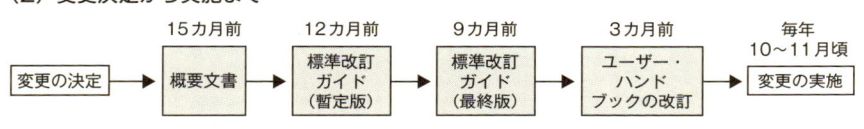

変更の決定 →〔15カ月前〕概要文書 →〔12カ月前〕標準改訂ガイド（暫定版）→〔9カ月前〕標準改訂ガイド（最終版）→〔3カ月前〕ユーザー・ハンドブックの改訂 →〔毎年10～11月頃〕変更の実施

（出所）　SWIFT資料をもとに筆者作成．

スケジュールに従って，システマティックに進められることになっている（図6-10参照）．

(8) MT202 COVの導入

　最近のMTのメンテナンスの例として，MT202の見直しについてみておくこととしよう．MT202は，金融機関間の資金移動に用いられるメッセージである．

　顧客から送金の依頼を受けた送金銀行（X行）が，受取銀行（Y行）との間で直接の取引関係がない場合には，X行は，Y行に対してMT103（単一の顧客送金）によって送金の指図を行うとともに，自行のコルレス先に対して，Y行のコルレス先に対して送金の対価を支払うように指図を行う（図6-11参照）．

　この「カバー送金」に用いられるのがMT202であるが，MT202には，これまで元となった送金の依頼人と送金の最終的な受取人についての情報が含まれていなかった．つまり，カバー資金の付替えを行うコルレス銀行間では，送金の依頼人や最終的な受取人を知らずに決済を行っている状況となっていた．これに対しては，マネーロンダリングやテロリスト資金への対策上，問題であるとの指摘がなされていた（詳細はBOX6-2参照）．

図6-11　カバー送金におけるMT202とMT103

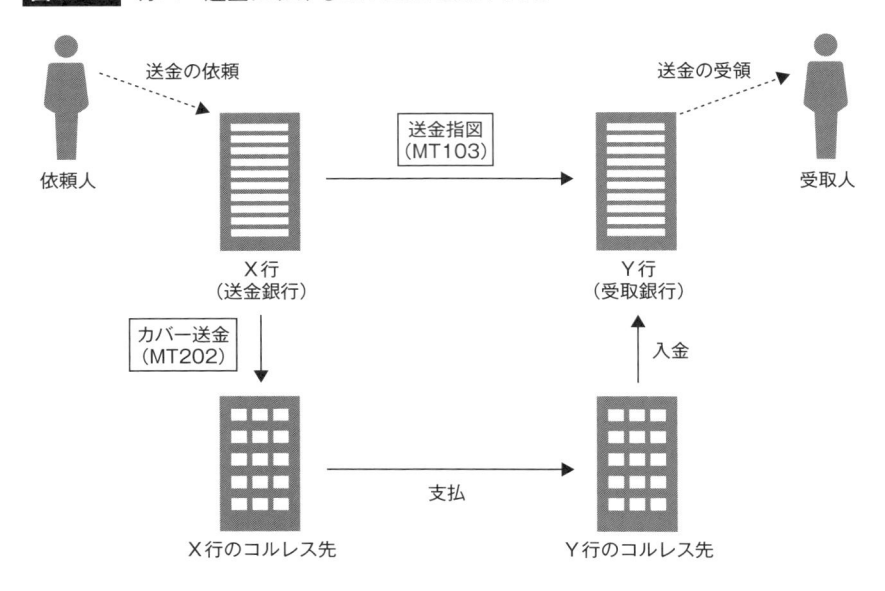

（出所）　SWIFT資料をもとに筆者作成.

　こうした指摘を受けて，SWIFTでは，MT202に送金の依頼人と最終的な受取人についての情報を含めることができるようにサブタイプを追加する予定である．この新しいバージョンは，「MT202 COV」と呼ばれ，2009年のスタンダーズリリース（2009年11月を予定）の際に導入される予定である．また，同時にMT205（国内の金融機関への資金移動依頼）についても，「MT205 COV」が導入される．こうしたSWIFTによるMTの変更を受けて，各国の資金決済システム（Fedwire, CHIPS, 全銀システムなど）でも，それに対応したフォーマットの変更が行われる予定である．

【BOX6-2】ウォルフスバーグ・グループによる提言

　金融業界の標準作りを行っている民間銀行の団体である「ウォルフスバーグ・グループ」と米国の民間ACHの運営主体である「TCH[16]」（ザ・

クリアリング・ハウス）では，2007年4月に，新しい決済メッセージ標準の開発と銀行業界におけるこうした標準の受入れに関する提言を行った．

　この提言では，国際的な送金において，マネーロンダリングやテロリストの資金調達，制裁逃れの金融取引などを防止するために，①SWIFTの顧客送金用のメッセージ・フォーマットを変更して，依頼人（originator）と受取人（beneficiary）が必ず含まれるようにすること，②銀行業界全体として，こうした送金メッセージ・フォーマットを受け入れること，を提言した．

　SWIFTでは，この提案を受けて，上記のようなメッセージ標準の変更を行うものである．

　「ウォルフスバーグ・グループ」は，民間の大手銀行12行[17]により構成される民間グループであり，アンチ・マネーロンダリング，テロ資金対策，顧客確認（KYC：Know Your Customer）などに関する金融業界の標準を作成することを目的としている．2000年に，スイス北東部のウォルフスバーグ城に集まって結成されたことから，「ウォルフスバーグ・グループ」と呼ばれている．同グループでは，これまでにも，「コルレス銀行業務におけるアンチ・マネロンの基本原則」，「マネロン・リスクの管理ガイドライン」，「投資ファンドに関するアンチ・マネロンの原則」などを公表してきている．

2　XMLベースのメッセージ（MX）

　上述したSWIFTのメッセージ・タイプ（MT）は，もともとTELEXのフォ

16）「TCH」（ザ・クリアリング・ハウス）は，米国における民間のACH運営主体である．従来，ニューヨーク手形交換所（NYCH）と呼ばれていたが，シカゴ手形交換所との合併（2003年）のあと，TCHに名称を変更している．TCHは，ACHのほか，外為決済を取り扱うCHIPSを傘下に有する．

17）ABNアムロ，バンコ・サンタンデール，三菱東京UFJ銀行，バークレイズ，シティ・グループ，クレディ・スイス，ドイチェ・バンク，ゴールドマン・サックス，HSBC，JPモルガン・チェース，ソシエテ・ジェネラル，UBSの12行である．

ーマットをもとにしたものであり，複雑化するビジネス・ニーズに対応するうえで，メッセージの拡張性や柔軟性には限界があった．このためSWIFTでは，ISO 20022を次期のメッセージ標準とすることを決め，XMLベースのメッセージ「MX」(XML message type) の作成を進めており，一部はすでに利用が始まっているほか，2010年頃からは徐々に導入の動きが加速していくものとみられる．MXは，「ISO 20022」という国際標準に準拠して開発され，「XML」という言語によって記述される．

以下では，MXの大きな構成要素であるXMLとISO 20022の概要についてみたうえで，MXの構成や特徴について述べる．

(1) XMLの概要

①XMLとは

(a) XMLの経緯

「XML」(eXtensible Markup Language) とは，一般に「拡張可能なマークアップ言語」と訳され，「WWW[18]」で用いられる技術の標準化団体である「W3C」(World Wide Web Consortium) が，1998年に公開したデータ記述言語である．

XMLは，従来から，米国防省などで電子的な文書管理のために使用されてきたマークアップ言語である「SGML[19]」を簡素化して，HTML (HyperText Markup Language) のようにインターネット上で使用できるようにすることを目的に開発された言語である．「マークアップ言語」とは，文書やデータの意味や構造を記述するための言語であり，「タグ」と呼ばれる特定の符号により，地の文に構造を埋め込んでいくのが特徴である．

(b) XMLの文法

XMLでは，数値や文字などのデータを「開始タグ」(〈 〉：start-tag) と「終了タグ」(〈/ 〉：end-tag) で挟み，そのタグの中に意味を表す名称（要素名）を書き込むことで，データの内容を表すことができる．

---

[18] World Wide Webの略．インターネットで標準的に用いられるドキュメント・システム．
[19] Standard Generalized Markup Languageの略．標準汎用マークアップ言語のこと．

タグは，挟み込んだデータに関する「意味」(meaning) とともに「構造」(structure) を定義することができる．このため，タグではさまれたデータ同士を重層的に並べることにより，複数のデータ間の「階層構造」(hierarchy) を表現することが可能となっている．

タグのなかに記入される「XML要素名」(XML element) は，通常，要素を説明する複数の単語を組み合わせて表現される．各単語の先頭には大文字が使われ，スペルは適宜省略することが可能であるが，スペースを含めることはできない．たとえば，通りの名前 (street name) を"StrtNm"，アプリケーション・ヘッダー (Application Header) を"AppHdr"と標記するといった方法がとられる．

こうしたXMLの文法のことを「XMLスキーマ」(XML Schema) と言い，XMLスキーマに基づいて作成されたXML文章 (XML document) のことを「XMLインスタンス」(XML instance) と呼ぶ．

(c) XMLの特徴

XMLは，①システムやアプリケーションを問わずに利用できるという相互運用性 (interoperability) があること，②ユーザーがデータ項目の体系を自由に設計できるという柔軟性があること，③コンピュータが処理できる[20] (computer-processable) とともに，人間が読むことができる (human-readable) こと，などの特徴がある．

②XMLのメッセージ機能

XMLによって記述されたメッセージは，以下のように，従来のメッセージにはなかった追加的なメッセージ機能を有している．
① ツリー構造 (tree structure) など，メッセージの階層構造を表現できること．
② 多くのフィールドのなかから，特定のフィールドだけを使うことができること[21]．

---

20) コンピュータが処理できる言語のことを「形式言語」(formal language) というが，XMLは形式言語の1つである．

図6-12 XMLによる表記の例

```
<xsd:element name="Book">
  <xsd:complexType>
    <xsd:sequence>
      <xsd:element name="Title" type="xsd:string"/>
      <xsd:element name="Author" type="xsd:string"/>
    </xsd:sequence>
  </xsd:complexType>
</element>
```

(出所)"Simple XML," SWIFT.

③あるフィールドが,必須(mandatory)か任意(optional)か,あるいは繰り返しが可能か(repetitive)といった点を示すことができること[22].

④すべてのレベルにおいて,タグによって,データの始まりと終わりを明示的に示すことができること[23].

⑤「データ定義」(data typing)により,特定のフィールドに許容される情報の種類(日付,金額など)や表示形式(3文字のアルファベットなど)を指示できること[24].

⑥「メタデータ[25]」(meta data)により,コード体系の管理団体を示すなどデータに関する詳細情報を表記できること.

このように,全体として,MTにおいては,「ユーザー・ハンドブック」のなかで文書によって表現されていたメッセージの構造,利用の制限,コード体系の記述などが,MXにおいては,メッセージのなかで表現できるようになる.

---

21) MTでは,こうしたフィールドの選択的な利用は,「論理規則」(semantic rule)がある場合にのみ可能である.論理規則とは,「フィールドAが存在する場合には,フィールドBとフィールドCは存在してはならない.フィールドAが存在しない場合には,フィールドBまたはCのどちらかが存在しなければならない」といった利用ルールのことである.
22) これらの情報は,MTでは,「ユーザー・ハンドブック」において定義される.
23) MTには,開始タグ(32Aなど)しか存在せず,サブ・フィールドのレベルではタグが存在しない.このため,データの範囲を判定するうえで困難を生じる場合があった.
24) MTでは,フィールドのフォーマット定義や利用ルールでこれらを表す.
25) データそのものではなく,そのデータに関連する情報のこと.データの作成者,データ形式,タイトルなどがこれにあたる.

③XMLの普及とSWIFTの採用

XMLのデメリットとしては，メッセージのなかにデータの定義などを書き込んでいくことから，一般にMT等よりもメッセージが長くなり，このため，メッセージ交換のコスト，パフォーマンス，システムへの負荷などに影響を及ぼす可能性があることが指摘されている[26]．

しかし，XMLには上述のような数多くのメリットがあったことから，1990年代後半に登場して以降，多くの企業の社内システムにおいて利用されるようになった．また，様々な業界（金融，自動車，旅行，保険，通信など）において，XMLをベースとする多くの標準が策定され，普及が進んできている．金融業界においても，「FIXML[27]」（証券の売買注文・約定用のメッセージ），「FpML[28]」（デリバティブ取引用のメッセージ）などのXMLベースの標準がみられている．また，ソフトウェア業界でも，XMLをサポートする多くのソフトウェアやアプリケーションが開発されている．

こうした状況を眺めてSWIFTでは，1999年に理事会でXMLを次期のメッセージ標準とすることを決定した[29]．そして，順次メッセージの作成等を進めてきている．SWIFTが用いるXMLは，メッセージ長が長くならないようにする[30]など，独自の工夫を施しており，「SWIFT XML」とも呼ばれる．

(2) ISO 20022の概要

XMLと並んで，MXの大きな構成要素となっているのが「ISO 20022」である．「ISO 20022」は，金融業務で利用される通信メッセージを標準化するた

---

[26] SWIFTでは，MXのフィールドの表記に略号を使ってメッセージ長の短縮を図るほか，課金政策によって，MXが割高にならないように配慮していく意向である．
[27] Financial Information eXchange Markup Languageの略．証券の売買取引用の通信メッセージであるFIXをXML化した標準．
[28] Financial products Markup Languageの略．
[29] 当時，SWIFTでは，①MTの構文規則（syntax rule）を高度化する，②新しい他の構文規則を採用する，という2つの選択肢を検討した．MTの規則を変更することについては，混乱を招くとしてユーザーからの反対が強かった．一方，新しい標準としてXMLを推す声が強かったことから，XMLを採用することになったものである．
[30] SWIFTでは，XMLのタグに英文の省略形（abbreviated XML tag）を使っている．

めの統合的な枠組みである．ISO/TC68[31]が2004年に制定した国際規格であり，通称「UNIFI[32]」（UNIversal Financial Industry message scheme）と呼ばれることもある[33]．SWIFTは，ISO 20022（UNIFI）の登録機関となっている．

① ISO 15022とISO 20022

従来，証券メッセージに関するフォーマット標準としては「ISO 15022」（Data Field Dictionary）があり，現在，SWIFTのMT500番台の証券メッセージは，ISO 15022に準拠したメッセージとなっている．

ISO 20022は，当初，ISO 15022の後継となる証券メッセージの次期標準として開発が始められたが，①対象が証券メッセージのみにとどまらず，金融取引の全般（銀行送金，外為取引，貿易金融，デリバティブ取引など）を幅広く対象としていること[34]（図6-13参照），②ISO 15022が，証券メッセージの構成要素（データ・フィールド，定義情報，フォーマット）を定めた標準である

図6-13 ISO 20022の対象分野

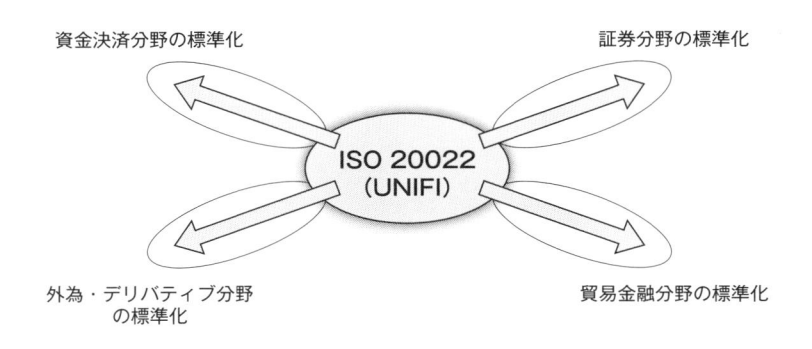

資金決済分野の標準化　　　　　　　証券分野の標準化

ISO 20022
(UNIFI)

外為・デリバティブ分野　　　　　　貿易金融分野の標準化
の標準化

（出所）ISO.

---

31) 「TC68」（Technical Committee 68）は，ISO（国際標準化機構）のなかで，金融業務の標準化を行う金融サービス専門委員会である．TC68については，日本銀行がわが国における国内審議団体となっている．
32) 「UNIFI」（ユニファイ）とは，金融業務用の通信メッセージとして「統合された（unified）標準」を目指すという意味合いを込めて名づけられたものである．
33) ただし，2つの名称が並存すると混乱を招くおそれがあることから，ISOでは，今後ISO 20022に呼称を統一していく方針である．

第6章 | SWIFTのメッセージ標準

表6-12 レポジトリへの登録対象

種　類	概　要	記述様式
①業務モデル	対象とする業務をモデル化したもの．具体的には，関与する主体，各主体の役割，業務上のルール，その他業務に関連する要素等に関する情報が記述される．	UML*1
②通信メッセージ・モデル	業務モデル（上記①）に基づいて，通信メッセージをモデル化したもの．具体的には，個々の取引や事務処理において必要となる通信メッセージの要素や具備すべき条件（通信メッセージ上のルール，データの種類，取りうる数値等）が記述される．	UML
③XMLメッセージ・フォーマット	システムに実装可能な通信メッセージのフォーマット．通信メッセージ・モデル（上記②）に基づいて生成される．	XML Schema*2

（注）＊1：Unified Modeling Language（統合モデリング言語）．オブジェクト指向のソフトウェア開発におけるプログラム設計図の統一的な表記法．
　　　＊2：XMLの構造を定義するスキーマ言語．XMLメッセージのツリー構造についての定義のことを「スキーマ」といい，そのスキーマを記述する言語が「スキーマ言語」（schema language）である．
（出所）森毅「金融業務で利用される通信メッセージの国際標準化動向」日本銀行金融研究所ディスカッション・ペーパー・シリーズ2007-J-5.

のに対し，ISO 20022は，具体的な通信メッセージのフォーマットを直接規定しているわけではなく，むしろその「登録手続き」を規定していること，③データの記述言語としてXMLを採用していること，などが特徴となっている．

②レポジトリへの登録

上述のように，ISO 20022は，具体的なメッセージ・フォーマットの内容を直接規定しているわけではなく，むしろその「標準の作成方法とその登録手続き」を規定したものである．そして，作成された通信メッセージやその元となる業務モデルは，「レポジトリ[35]」（repository）と呼ばれるデータベースに登録される．ユーザーは，そこにアクセスして必要な業務フローやメッセージを入手することができる．

レポジトリへの登録対象となるのは，①業務モデル，②通信メッセージ・モ

---

[34] 開発作業を開始した時点では，ISO 15022の後継規格として，証券分野に特化した標準を目指していたが，途中から，銀行分野も含めた幅広い金融業務に適用できる通信メッセージの標準化を目指す枠組みに変更された．このため，これまで金融の各分野において進められていた種々の標準化活動を包含する位置づけとなっている．

[35] 貯蔵庫，収納庫の意味．

デル，③XLMで記述されるメッセージ・フォーマットの3種類である（表6-12参照）．つまり，まず，どのような業務モデル（①）により取引を行うかを決め，それに必要な通信メッセージ・モデル（②）を作成する．それに基づいて，必要なメッセージ・フォーマット（③）がXMLの規則に基づいて記述されることになる．

ISO 20022がこうした構造をとっているのは，ユーザーが業務モデルやデータ項目などを共有することによって，新しい標準を作成する際の開発負担を軽減するとともに，ビジネスの変化に対応して，標準の改訂を機動的に行えるようにするためである．

③ISO 20022の管理組織

ISO 20022を管理するための枠組みとしては，①登録管理グループ（RMG），②標準評価グループ（SEG），③登録機関（RA），の3つの組織が設けられている．

(a) 登録管理グループ（RMG）

「登録管理グループ」（RMG：Registration Management Group）は，ISO 20022に基づく通信メッセージの全般的な登録手続きを管理する組織である．具体的には，新しいメッセージ標準の登録申請に対する適否の判断，標準評価グループ（SEG）の設立・廃止や担当分野の調整などを行う．RMGには，18カ国（含む日本）と9つの国際標準化団体が参加している．

(b) 標準評価グループ（SEG）

「標準評価グループ」（SEG：Standards Evaluation Group）は，具体的な個々の通信メッセージ標準案の妥当性を検証する役割を有する．資金決済，証券取引，外為取引，貿易金融など，分野別にSEGが設けられており，それぞれの分野の専門家が具体的な検証にあたっている．SEGの審査をパスした標準案が，登録のために上記の登録管理グループ（RMG）に送られることになる．

(c) 登録機関 (RA)

「登録機関」(RA：Registration Authority) は，業務モデルやXMLメッセージ・フォーマットを登録する「レポジトリ」を管理する役割を担う機関である．またRAは，レポジトリに登録された業務モデルと通信メッセージ・モデルから，実際の取引に用いられるXMLメッセージを作成する役割も担っており，ISO 20022における標準化作業においては中心的な立場にある．上述のように，SWIFTがこのRAとなっており，レポジトリの管理とXMLメッセージ作りを担当し，ISO 20022管理の中核を占めている．

④ISO 20022の採用に向けた動き

ISO 20022の採用に向けて動いているのはSWIFTだけではない．様々なグループや決済システムがISO 20022の採用に向けて動いており，ISO 20022への対応が世界的な潮流となりつつある．

まず，欧州においては，「ジョバンニーニ・レポート」というレポートによって，EU内におけるクロスボーダー証券取引の清算・決済に関する障壁を除去していく方針であるが，そのなかで，ISO 20022を共通プロトコルとして利用していく方針が打ち出されている．

また欧州では，資金決済の分野でも「単一ユーロ決済圏」(SEPA：Single Euro Payments Area) の構築を目指す取組みのなかで，送金メッセージの標準にISO 20022が採用されている．さらに，ECB（欧州中央銀行）が運営する資金決済システムである「TARGET2」でも，ISO 20022を導入済みである．また，欧州各国のCSD（証券決済機関）の証券口座をTARGET2のプラットフォーム上に集約しようとする「T2Sプロジェクト」(TARGET2-Securities) においても，メッセージをISO 20022にすることが決まっている．

米国においても，資金決済システムを運営するFed（連邦準備制度）やNACHA（全米ACH協会），また株式等の証券決済機関であるDTCC（Depository Trust & Clearing Corporation）などが，ISO 20022の導入に向けた検討を行っている．

わが国においても，証券保管振替機構（JASDEC）が運営する「決済照合

システム」において，ISO 20022を導入するための準備作業が行われているほか，2011年稼働予定の「第6次全銀システム」において，ISO 20022によるXML電文を採用することが決まっている（詳細は第15章を参照）．

(3) MXの特徴

SWIFTの「MX」（XML message type）は，ISO 20022の手続きに従って作成されている．すなわち，MXは，ISO 20022という国際標準に準拠して，業務モデルや通信メッセージ・モデルを作成したうえで，XMLによって記述される．

MXは，MTに比べて，以下のような特徴があるものとされる．

①メッセージの柔軟性

MXのメッセージは，高い柔軟性（flexibility）を有するものとされる．具体的には，メッセージの変形への対応やメッセージの拡張性などの点において優れているものとされる．

(a) メッセージの変形への対応

「メッセージの変形」（message variant）は，標準メッセージ（global message）に何らかの制約を追加するなどして，特別な使い方をした場合に発生する．これは，(a) ローカル市場での特別なニーズに対応する場合や，(b) STP化のためにメッセージに制約を加える場合，などに用いられる．

たとえば，①「国際銀行口座番号（IBAN）または国内口座番号を使う」と定義されているフィールドにおいて，利用をIBANのみに制限する場合や，②利用がオプションであるフィールドを必須（mandatory）にする場合，などがメッセージの変形にあたる．

メッセージの変形は，(a) メッセージの定義はそのままにして当事者間のみの同意により特別な使い方をする場合（黙示的変形〈implicit variant〉）と，(b) その使い方に新たな変形番号を割り振って，変形であることを明示して使う場合（明示的変形〈explicit variant〉），とがある．

MXでは，メッセージIDの中にメッセージの変形番号を明示的に含めること

ができるため，こうしたメッセージの変形への対応を柔軟に行うことが可能となっている．

(b) メッセージの拡張性

一方，「メッセージの拡張性」(message extensibility) についても，MXは，タグで定義を行うことにより，新しいコード体系（タグでコード体系を特定）や新たなフィールド（〈Extension〉のタグにより新しいフィールドを追加）をメッセージに追加することができるため，ビジネスの変化にも柔軟な対応が可能であるものとされる．

②メッセージの業務特定性
(a) 業務特定メッセージ

あるメッセージが1つの「メッセージ機能」(message function：指図，照会，報告，確認，通知）のみを有し，その機能が特定の「業務機能」(business function) のみをサポートする場合には，「業務特定メッセージ」(granular message) と呼ばれる．MXは，基本的にこうした業務特定メッセージとなる．

たとえば，同一の銀行口座に対する指図であっても，①口座情報の変更と，②自動振替指図（standing order）の停止は，2つの異なる業務機能であるため，2つのメッセージ・タイプが必要となる．一方，多くの件数の送金（bulk payment）は，件数は多くとも業務機能は1つであるため，1つのメッセージ・タイプにより行うことができる．

(b) オプション・フィールド

特定業務メッセージにおいては，「オプション・フィールド」(optional field) の設定は，最低限に抑えられる．また，オプション・フィールドが設定された場合にも，利用ルールによって，その利用が制限される．

たとえば，送金依頼（payment initiation）のメッセージでは，手数料の課金口座（charges account）がオプション・フィールドとなっているが，このフィールドは「送金人の口座以外の口座に対して手数料が課金される場合にのみ記入される」という利用ルールが定められている．

(c) 業務特定メッセージのメリット

対象業務を特定し，オプション・フィールドを制限した「業務特定メッセージ」とすることにより，①メッセージを少ないフィールドで構成し，単純化することができる，②機能の記述が容易となる，③メッセージ処理のSTP化を進めることができる，④メッセージの取扱方法について，個別に相対での合意を取り付ける必要がなくなる，などのメリットがあるものとされる．

一方，従来のMTが，多くの業務機能を果たす「多目的メッセージ」（multi-purpose message type）であった場合には，多くのMXに分割されることになるため，MXの数はMTに比べてかなり増加することになる．そうした分野としては，「MTn95」（照会）や「MTn96」（回答）などがある．

(d) メッセージ・フレームワーク

多くの業務特定メッセージの間の統一性を保つために，「メッセージ・フレームワーク」（message framework）と呼ばれる共通の枠組みが導入される．

たとえば，照会メッセージは，必ず2つのパートから構成される．このうち第1パートには「照会案件を特定するための情報」（search parameter）として口座番号，メッセージ番号などの情報が含まれ，第2パートには「回答用フィールド」（requested return field）として，口座の通貨，口座残高，メッセージのステータスとその理由などの情報が含まれる．

このメッセージ・フレームワークにより，同じ「メッセージ機能」（指図，照会，報告，確認，通知）を有するメッセージ群は，同じ「メッセージ構造」（message structure）を持つことになり（適用される業務分野が異なるのみ），メッセージ体系の統一性（consistency）が維持される．

③利用できる文字

前述のように，MTではX，Y，Zのいずれかの文字セット（character set）を使用可能である（本章1を参照）が，MXでは「基礎ラテン文字セット」（Basic Latin character set）を用いることとしている[36]．基礎ラテン文字セットには，アルファベットの大文字（A～Z）・小文字（a～z）と数字（0～9）のほか，

特殊文字（@，#，$，&など）が含まれる．X, Y, Zの文字セットにも特殊文字は含まれるが，基礎ラテン文字セットでは，使える特殊文字の数がこれらよりも多い．

ISO 20022では，本来「UNICODE/UTF-8」という国際標準を公式文字セットとしている．しかしUNICODE/UTF-8は，中国語，日本語，キリル文字，アラビア文字，数学記号などを含んでおり，文字数がかなり膨大なものとなる．このため，SWIFTでは，MXで利用できる文字を基礎ラテン文字セットに制限しているものである．

④リポジトリ内のデータの再利用性

MXは，ISO 20022に準拠して開発され，「ビジネス項目」，「メッセージ項目」，「データ・タイプ」の3項目が，SWIFTが管理する「レポジトリ」（repository）に登録される．このレポジトリは，「金融辞書」（Financial Dictionary）とも呼ばれる．

このうち，「ビジネス項目」（business component）とは，ビジネス・モデルにおける銀行，企業などの取引の当事者（party）や銀行口座などを示し，ビジネス要素によって構成される．「ビジネス要素」（business element）は，ビジネス項目の各要素を特定する情報であり，たとえば口座番号などがこれに該当する．

「メッセージ項目」（message component）には，ビジネス項目から導き出されたメッセージ項目およびそれを構成する「メッセージ要素」（message element）やルールが登録される．メッセージ要素は，ビジネス要素に対応したものとなっている．

「データ・タイプ」は，ビジネス要素やメッセージ要素を特定するために用いられるコード，データ・タイプなどを登録するエリアである．

これらのビジネス項目やメッセージ項目などは，いったん登録されると，他のメッセージやアプリケーションのために再利用（re-use）することができる

---

36) ただし，クローズド・ユーザー・グループ（CUG）において，メンバーが他の文字（日本語など）を使うことに合意し，CUGのサービス内容として明記された場合には，この限りではない（他の文字を使うことができる）．

図6-14 リポジトリ内のデータの再利用

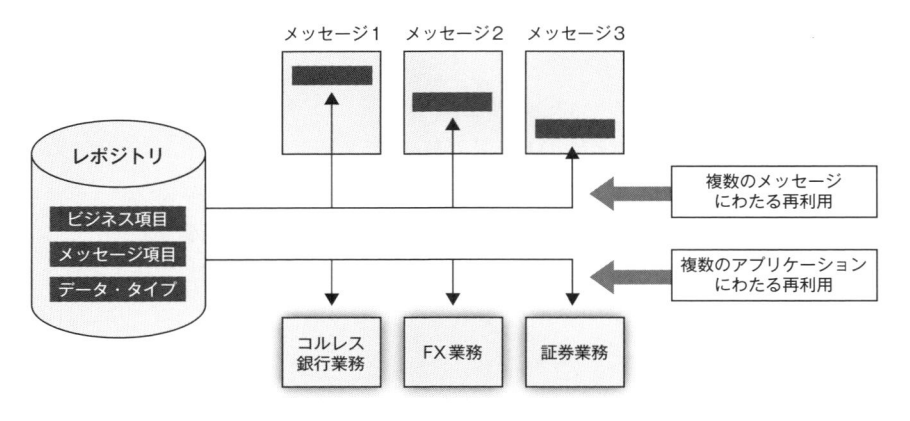

（出所）"SWIFTStandards," Gottfried Leibbrandt, July 2007.

（図6-14参照）．

（4）MXの分類と構成

①メッセージ名とメッセージID

各MXには，「メッセージ名」（message name）と「メッセージID」（message identifier）の2つが付される．メッセージ名とメッセージIDは，1対1の対応関係にある．

このように各メッセージに2つの識別方法が設けられているのは，①メッセージ名は，人間が読むことができ（human-readable），人間がメッセージの名称を認識するためのものである一方で，②メッセージIDは，コンピュータが読むことができ（computer-readable），システムやアプリケーションでの処理を目的としているためである．

(a) メッセージ名（message name）

メッセージ名は，①メッセージの定義（message definition），②メッセージの変形（variant），③メッセージのバージョン（version）の3つによって構成される．

このうち,「メッセージの定義」については,「PaymentStatusReport」,「AccountOpeningInstruction」など,メッセージ内容を示す英語の単語を繋ぎ合わせた形で定義される.これは,上述したXML要素名の表記方法と同様であり,各単語の先頭には大文字が使われ,スペースは含まれない.

また,「メッセージの変形」は,前述のように,標準メッセージを特別なやり方で使う場合に発生するものであり,あるMXについて,変形が存在する場合には(その場合のみ),「変形名」(variant name)が使われる.

一方,「バージョン」は,メンテナンスなどでメッセージに変更が行われた場合に,両者を区別するために付番される.2つのバージョンが同時に並存することは可能であるが,古いバージョンについては,一定期間が経過した後に廃止される.

メッセージ名は,メッセージ定義+[変形名]+バージョンとして表記される.たとえば,「BulkCreditTransfer[STP]v01」は,大量の送金用のメッセージであり,STP用の変形であり,バージョンが01であることを示す.

(b) メッセージID (message identifier)

一方の「メッセージID」は,まずMXで始まり,そのあとに4つの要素(element)から構成される.

1つ目は,業務分野を表す「ビジネス・エリア・コード」(business area code)であり,4桁のアルファベットで表記される.2つ目は,メッセージの機能を表す「メッセージ番号」(message number)であり,3桁のアルファベットまたは数字で表記される[37].3つ目は,メッセージの変形を示す「変形番号」(variant)であり,3桁の数字で表記され,必ず001からスタートする.4つ目は,メッセージのバージョンを表す「バージョン番号」(version number)であり,数字2桁で表記され,必ず01からスタートする.これらの4つの要素は,dot(.)で区切って表記される.

たとえば,「MX pacs.001.001.01」というメッセージIDは,「資金の清算と決済」のビジネス・エリアにおけるメッセージ番号の1番であり,変形番号1番,

---

37) メッセージ番号は,ビジネス・エリアごとに,順番に付番されるため,数字自体にはとくに意味はない.また,同じ機能のMTの番号とも,とくに対応関係はない.

表6-13 メッセージIDの構成要素

構成要素	概要	表示形式
MX	XMLベースのメッセージであることを示す.	MX
ビジネス・エリア・コード	ビジネス・エリアを示す.	4桁のアルファベット（4!a）
メッセージ番号	ビジネス・エリア内でのメッセージの番号.	3桁のアルファベットまたは数字（3!c）
変形番号	メッセージの変形を示す.	3桁の数字（3!n）
バージョン番号	メッセージのバージョンを示す.	2桁の数字（2!n）

（出所）"SWIFTStandards MX: General Information," October 2007.

バージョン番号01のメッセージであることを示す．これら4つの要素は，いずれも必須（mandatory）である（表6-13参照）．

このうち，「ビジネス・エリア・コード」は，送金，証券取引，外為取引，デリバティブ取引などの業務分野を示すものであり，MTにおける「カテゴリー」に相当するものである．現在までに，27のビジネス・エリアとそれを表すコードが設定されている（表6-14参照）．

コードは，取引開始（initiation）の分野は「in」で終わり，管理（management）の分野は「mt」で終わる．また，証券分野は「se」で始まり，デリバティブ分野は「de」で始まるなど，ある程度の統一性がとられている．

②メッセージの構成

MXの「メッセージ構成」（message structure）をみると，各メッセージは，①メッセージ項目，②メッセージ要素，③選択項目，などによって構成される（図6-15参照）．

このうち「メッセージ項目」（message component）は，メッセージを構成する主要な項目のことである．たとえば，送金用のメッセージでは，口座の特定，ステートメントの特定などの項目がある．

次に「メッセージ要素」（message element）とは，メッセージ項目を構成する要素である．たとえば，「口座の特定」というメッセージ項目においては，銀行識別コードや口座番号がメッセージ要素にあたる．また，「ステートメントの特定」というメッセージ項目には，ステートメント番号，日付などのメッ

第6章 SWIFTのメッセージ標準

表6-14 ビジネス・エリア・コードの一覧

ビジネス・エリア・コード	ビジネス・エリア	
		英文名
pain	送金の開始	Payment Initiation
pacs	資金の清算と決済	Payments Clearing and Settlement
camt	キャッシュ・マネジメント	Cash Management
dein	デリバティブ取引の開始	Drivatives Initiation
deri	デリバティブ取引	Derivatives
demt	デリバティブ管理	Deribatives Management
trin	外為取引の開始	Treasury Initiation
trea	外為取引	Treasury
trmt	外為取引の管理	Treasury Management
seti	証券取引の開始	Securities Trade Initiation
setr	証券取引	Securities Trade
sese	証券決済	Securities Settlement
semt	証券の管理	Securities Management
seev	証券のイベント	Securities Event
reda	リファレンス・データ	Reference Data
acmt	口座管理	Account Management
colr	担保管理	Collateral
trsi	貿易サービスの開始	Trade Services Initiation
trse	貿易サービス	Trade Services
tsmt	貿易サービスの管理	Trade Services Management
coin	商品取引の開始	Commodities Initiation
comm	商品取引	Commodities
comt	商品取引の管理	Commodities Management
synd	シンジケート業務	Syndication
syin	シンジケート業務の開始	Syndication Initiation
symt	シンジケート業務の管理	Syndication Management
admi	管理	Administration

（出所） "SWIFTStandards MX: General Information," October 2007.

セージ要素が含まれる．

　また「選択項目」（choice component）とは，いくつかの選択肢がある場合に選択肢を示すメッセージ項目である．たとえば，支払手段について，小切手，現金，クレジットカードなどの選択肢がある場合などがこれにあたる．

図6-15 MXのメッセージ構成（口座情報報告のメッセージの例）

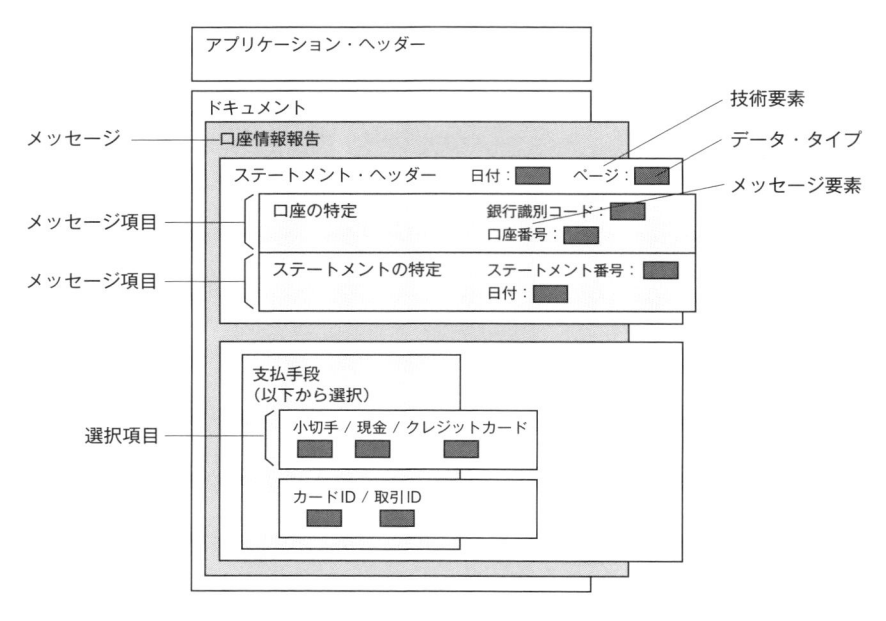

```
                    ┌─────────────────────────────────────┐
                    │ アプリケーション・ヘッダー              │
                    ├─────────────────────────────────────┤
                    │ ドキュメント                            │         技術要素
       メッセージ ──┤ 口座情報報告                            │         データ・タイプ
                    │  ┌──────────────────────────────┐   │         メッセージ要素
                    │  │ ステートメント・ヘッダー 日付:■ ページ:■ │
    メッセージ項目 ──┤  ├──────────────────────────────┤   │
                    │  │ 口座の特定         銀行識別コード:■  │   │
                    │  │                   口座番号:■       │   │
    メッセージ項目 ──┤  ├──────────────────────────────┤   │
                    │  │ ステートメントの特定 ステートメント番号:■│
                    │  │                   日付:■          │   │
                    │  └──────────────────────────────┘   │
                    │  ┌──────────────────────────────┐   │
                    │  │ 支払手段                         │   │
                    │  │ （以下から選択）                   │   │
        選択項目 ───┤  │  ┌────────────────────────┐  │   │
                    │  │  │ 小切手 / 現金 / クレジットカード │   │
                    │  │  └────────────────────────┘  │   │
                    │  │  ┌────────────────────────┐  │   │
                    │  │  │ カードID / 取引ID          │   │
                    │  │  └────────────────────────┘  │   │
                    │  └──────────────────────────────┘   │
                    └─────────────────────────────────────┘
```

（注）メッセージ，メッセージ項目，選択項目などを適宜和訳したもの．
（出所）"SWIFTStandards MX: General Information," October 2007.

このほか「技術要素」（technical element）は，メッセージ要素のうち，技術的なものを指し，メッセージ自体の日付，ページ数などがこれにあたる．

(5) MXの開発手法

MXは，ISO 20022に準拠したかたちで，①業務モデル（business model）の作成，②通信メッセージ・モデル（business message）の作成，③実際のメッセージ（physical message）の作成の3つの手順を踏んで行われる．SWIFTでは，これを「3段階アプローチ」（three layered approach）と呼んでいる（図6-16参照）．

図6-16 MX開発の3段階アプローチ

3段階アプローチ	作業工程
①業務モデルの作成	業務分析（業務フローの分析） 要件分析（コミュニケーションの分析）
②通信メッセージ・モデルの作成	論理分析（メッセージ・フローの分析） 論理設計（メッセージの定義）
③メッセージの作成	技術設計（XMLによるメッセージの記述）

（出所）　SWIFT資料をもとに筆者作成.

①業務モデルの作成

第1段階は，「業務モデルの作成」である．この工程には，業務フローを分析する「業務分析」（business analysis）と，そのために必要となる相互のコミュニケーションを分析する「要件分析」（requirements analysis）の2つの作業が含まれる．

②通信メッセージ・モデルの作成

第2段階は，「通信メッセージ・モデルの作成」である．この工程には，要件分析で必要となった機能を満たすためのメッセージ・フローを特定する「論理分析」（logical analysis）と，メッセージの定義を決める「論理設計」（logical design）の2つの作業が含まれる．

③メッセージの作成

第3段階が「メッセージの作成」である．上記②で作成された通信メッセージ・モデルに従って，実際のメッセージ（physical message）をXMLの規則に基づいて記述することとなる．この工程は，「技術設計」（technical design）と呼ばれる．

(6) MXのメンテナンス

SWIFTでは，前述のようにMTについてシステマティックなメンテナンスのプロセスを確立しているが（本章1参照），MXについても，同様に定型的なメンテナンスを定期的に行っていくこととしている．MXのメンテナンスには，①定期メンテナンス，②緊急メンテナンス，③パッチ修復の3種類がある（表6-15参照）．

「定期メンテナンス」（normal maintenance）は，MTと同様に，年に1回の頻度で定期的に行われるものであり，「MX Standards Release」として毎年10～11月ごろに実施される．ほとんどのメンテナンスは，この定期メンテナンスにおいて行われる予定である．MXに対する変更要望は，変更時期の18カ月前までに提出されることが必要であり，15カ月前には変更の概要が，9～12カ月前までには変更の詳細情報がユーザーに通知される（MTの変更スケジュールと同様）．

「緊急メンテナンス」（urgent maintenance）は，例外的に行われる変更であり，規制の変更がショート・ノーティスで行われた場合（regulatory reason）のみに限定される．通常，6～9カ月後に実施され，対象のMXは新しいバージョンのMXに代替される．

「パッチ修復」（patch）は，メッセージの不備からMXの利用に支障が生じるといった状況が発生した場合のきわめて例外的な応急措置であり，数日または数週間以内に実施される．

メンテナンスの必要性については，その分野の専門家によって構成される「メ

表6-15 MXのメンテナンスの種類

メンテナンスの種類	概要	実施の時期，期間
定期メンテナンス	定期的なメンテナンス	毎年1回実施 15カ月前には概要を通知
緊急メンテナンス	例外的な変更（規制の変更に基づくものに限定）	不定期 6～9カ月後に実施
パッチ修復	メッセージの不備に対する応急措置	不定期 数日～数週間以内に実施

（出所）　SWIFT資料をもとに筆者作成．

ンテナンス検証グループ」(MBVG：Maintenance Business Validation Group) によって検証が行われる．MBVGの承認に基づいて，SWIFT理事会の標準化委員会 (Standards Committee) が最終的なメンテナンスの承認を行う．

③ MTからMXへの移行

以下では，MTからMXへの移行の方法や移行スケジュールについて述べる．

(1) 移行の基本方針
①MTとMXとの並存

SWIFTでは，MTからMXへの移行を段階的に行っていく計画である．つまり，一時点を定めて一気にMTからMXへの切替えを図る「ビッグ・バン方式」(big bang migration) ではなく，いくつかのフェーズに分けて，徐々に移行を図っていく計画である．これは，ユーザーの混乱 (ひいては国際金融界の混乱) を避けるためである．全世界の8000以上のユーザーが関係しているだけに，スムーズな移行 (smooth migration) が何よりも重視されている．SWIFTの通信サービスの根幹をなすメッセージ体系の変更であるだけに，ユーザーへの影響は大きく，SWIFTNetへのネットワークの移行に匹敵するような大きなインパクトをもつプロジェクトになるものとみられている．

こうした漸進的な移行を進めるために，当面はMTとMXとの並存 (coexistence) の期間が設けられることになる．ただし，2つのメッセージ体系を同時に運用・保守していくことには，それなりのコストがかかる．これは，SWIFTサイドのみならず，ユーザー・サイドにおいても同様であり，2種類のメッセージに対応できるソフトウェアを維持し，両メッセージ間の変換 (translation) を行わなければならない．こうしたコストは，「二重保守コスト」(double maintenance cost) と呼ばれる．

このため，スムーズな移行と二重保守コストのバランスをとりつつ，MTからMXへの移行計画を進めていくことが必要となっている．

②ビジネス・エリアごとの基本方針

SWIFTの業務分野のうち、「新しいビジネス・エリア」については、当初からMXを利用していく方針である．これは、そうした分野にはそもそも既存のMTが存在しないためである．こうした新しいエリアとしては、貿易書類のマッチングに関する「TSUサービス」（詳細は第8章を参照）などがある．

また、「MTの機能が不十分なエリア」についても、早期にMXの導入を進めていく方針である．こうした分野としては、「E&Iサービス」、「ファンドサービス」、「議決権の代理行使サービス」（proxy voting）などがあげられている．

こうしたMXを優先的に利用していく分野を「除いたエリア」（これが大部分を占める）では、上述のように当面は、MTとMXが並存していくことになる．

(2) MXへの移行フェーズ

SWIFTでは、MTからMXへの移行を、①MXの準備段階、②MXの導入段階、③MXへの移行段階、④MTの廃止とMXへの全面移行、の4つのフェーズで進めていく方針である（図6-17参照）．

①MXの準備段階（Prepare MX）

第1フェーズは、「MXの準備段階」であり、ビジネスケース（MXの必要性）についての検証が行われたうえで、MX開発の決定が行われる．そして、MXの開発・設計とXMLベースでのメッセージの作成、そのメッセージを使った実証実験などが行われる．また、MXとMTとの並存をサポートするツールの開発も行われる．

②MXの導入段階（Introduce MX）

第2フェーズは、「MXの導入段階」であり、MXがSWIFTのネットワーク上で本番稼働する．このフェーズにおいては、MXのユーザーは未だ限定的であり、依然としてMTのユーザーが多いものと想定されている．

図6-17 MXへの移行の4つのフェーズ

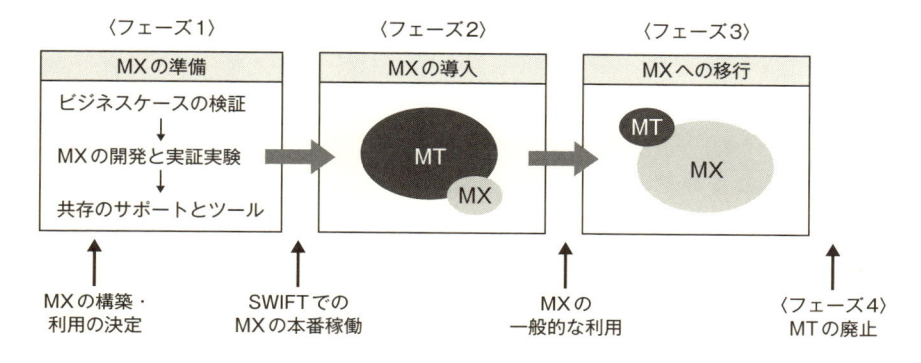

〈フェーズ1〉 MXの準備
- ビジネスケースの検証
- ↓
- MXの開発と実証実験
- ↓
- 共存のサポートとツール

↑ MXの構築・利用の決定

〈フェーズ2〉 MXの導入（MT中心、MX小）

↑ SWIFTでのMXの本番稼働

〈フェーズ3〉 MXへの移行（MT小、MX中心）

↑ MXの一般的な利用

↑ 〈フェーズ4〉MTの廃止

（出所）"SWIFTStandards," Gottfried Leibbrandt, July 2007.

③MXへの移行段階（Implement MX）

第3フェーズは，「MXへの移行段階」であり，この段階ではMXが幅広いユーザーによって利用されるようになる．MXへの移行のデッドライン（最終期限）が設定され，これまでにすべてのユーザーは，MXに移行することが求められる．

④MTの廃止とMXへの全面移行（Remove MT）

移行のデッドラインになると，MTは廃止され，その利用は禁止される．そして，SWIFTのネットワーク上では，全面的にMXによってメッセージ交換が行われることになる．

以上のような4つのフェーズによる移行は，各メッセージ（業務範囲）ごとに行われ，各メッセージ（業務範囲）ごとに，移行スケジュールが定められる．

(3) MTとMXとの変換

①SWIFTの提供ツール

MTとMXの2つの標準が並存する期間（coexistence period）においては，

MTを使うユーザーとMXを使うユーザーが混在することになるため，両方のメッセージの間で「変換」(translation)を行うことが必要となる．SWIFTでは，こうしたMTとMXの並存環境をサポートするため，①メッセージ変換ルール，②テスト・メッセージ，③変換チェック機能，④開発・実装者用レポジトリー，などを提供する．

「メッセージ変換ルール」(translation rules)は，特定のメッセージごとの変換のルールである．文書化された変換ルールは，「ユーザー・ハンドブック」に記載され，ユーザーに提供される．

「テスト・メッセージ」(smart test messages)は，MT・MX間の変換のテストを行うために，実際のビジネス・データに近いかたちで必要なデータ項目があらかじめ記入された(pre-filled)メッセージである．そのままテストに使うこともできるし，ユーザーが適宜変更を加えて，カスタマイズして利用することもできる．

「変換チェック機能」(translation reference)は，MT・MX間の変換が正しくできるかどうかをチェックするためのソフトウェアである．また，「開発・実装者用レポジトリー」(standards repository for implementers)は，変換ソフトの開発・実装者向けにXMLメッセージを保管しておくものである．

②MT・MX間の変換方法

MTとMX間の変換は，各ユーザーが行うこととされている．具体的には，ユーザー環境のインターフェースにおいて行われる．すなわち，SWIFTではネットワーク上で「中央変換サービス」(central translation service)を提供する予定はなく，メッセージを受け取った各ユーザーが，必要に応じて変換を行わなければならない．

このため各ユーザーでは，SWIFTの提供する変換ソフト，またはSWIFTのパートナーであるベンダーの提供する変換ソフトを導入することが必要となる．

(4) MTからMXへの移行スケジュール
①ユーザー主導による移行プランの決定

当初，SWIFTでは，フェーズ2（MXの導入期）を1年以上，フェーズ3（MXへの移行期）を1～2年として，ビジネス分野ごとにSWIFTが移行プランを策定する予定であった．しかし，2008年に入ってユーザーの意向を調査したところ，MXへの早期移行を望むユーザーと，現行のMTをできるだけ長く使いたいユーザーとの間で，ニーズが大きく二極化していることが判明し，しかも短期間で両者の調整を図ることが困難であるとの結論が得られた．

このため，2008年秋の段階で，「ユーザー主導による移行プランの決定」に方針を変更した．すなわち，次のフェーズに移る「マイルストーン」（milestone）を，SWIFTではなく，ビジネスごとのコミュニティが決めることとした．この「マイルストーン」とは，MXを利用するユーザー数，MXによるトラフィックのシェアなど，MXの利用度合いに関する指標である．それを決めるコミュニティとは，SWIFTにおける既存のユーザー・グループや，MTごとに組織されるグループなどであり，そうしたグループがマイルストーンを決めて，業務分野ごとに時間をかけてコンセンサスを形成しつつ，移行を進めていく方針としたものである．

②ユーザーとしての留意点

SWIFTでは，資金メッセージ（送金関連）のMXをすでに2007年ごろより提供しているほか，証券業務におけるコア・メッセージ（決済・照合およびコーポレートアクション）についても2010年から本番ネットワークでの提供を開始する予定である．したがって，2010年には，資金と証券というSWIFTの主要業務において，（ユーザーの準備が整えば）MXの利用が可能となる．

このため，当初，本格的なMXへの移行期間は，2010～2013年ごろになるものとみられていた．しかし，上記の方針変更により，移行期間がさらに長期化する可能性が高まっている（とくに，コミュニティが早期移行を望まない場合[38]）．

これに伴って留意すべき点は，第1に，業務分野によってMXへの移行のペ

ースが異なることになるため，情報収集を適切に行っていく必要がある点である．業務分野ごとの移行に伴って，その都度システム的な対応が必要となるものとみられるため，早め早めの情報収集がスムーズな移行の鍵となろう．また，ユーザーとして，コミュニティに対して移行時期に関する意見を主張していくことが必要な場面もあるものとみられる．

第2に，各業務分野のマイルストーンに遅れないように，的確なタイミングで移行対応を行っていく必要がある点である．これまでもSWIFTでは，新機能への移行局面において，早期の移行者（early adopter）に対しては料金ディスカウントなどのベネフィットを与える一方で，移行が遅いユーザー（late comer）に対しては，割高なサーチャージやペナルティーを課すことによって，移行を働きかけるケースが多かった．今回のMXへの移行に対しても同様なアプローチが用いられる可能性があり，全体の移行ペースに乗り遅れると，思わぬ不利益を受ける可能性もある．

いずれにしても，ここ数年は，MTとMXの並存が続くことになるため，ユーザーとしては，きちんと情報収集を行い，適切なタイミングで必要な対応をとっていくことが必要である．

---

38) この点を考えるうえでは，サブプライムローン問題をきっかけとする国際的な金融危機により，欧米の金融機関の投資余力が大幅に低下していることを勘案しておくことが必要である．ただし一方では，特定業務（証券など）については，比較的早期のMX移行を予測する向きもある．

第7章
SWIFTメッセージに使われるコード

　SWIFTのメッセージには，処理の自動化を進めるため，多くのコード体系が使われている．これらの多くは，ISO（国際標準化機構）に登録され，国際標準となっている．SWIFTでは，これらの国際標準の作成に関与するとともに，いくつかの標準については，自ら維持管理機関や登録機関となって，国際標準の維持・管理に中心的な役割を果たしている．

　SWIFTのメッセージに使われているコード体系のうち，ISOに登録されているものは，以下のとおりである．以下では，これらのうち，主なものについて解説することとする．

①銀行識別コード（BIC：ISO 9362）
②国名コード（ISO 3166）
③通貨コード（ISO 4217）
④国際証券識別コード（ISIN：ISO 6166）
⑤国際銀行口座番号（IBAN：ISO 13616）
⑥証券メッセージのフォーマット（ISO 15022）
⑦日付フォーマット（ISO 2014）
⑧時刻表示のフォーマット（ISO 8601）
⑨証券コードの伝送のためのフォーマット（ISO 8532）

1 銀行識別コード（BIC）

（1）銀行識別コードとは

「銀行識別コード」（BIC：Bank Identifier Code）は，金融機関ごとに固有の識別コード（unique identifier）を付すことにより，世界の金融機関を一意的に識別するためのコード体系である．一般には，英語の頭文字をとって「BIC」（ビック）と呼ばれている．BICは，ISO 9362として国際標準になっており，国際的に広く用いられている．

SWIFTは，BICの登録機関（Registration Authority）となっており，コードの割当てと，「BIC名鑑[1]」（BIC Directory）の公表を行っている．

（2）BICのコード体系

①BIC 8とBIC 11

BICは，11桁のコード体系であり，「銀行コード」（アルファベット4文字），「国名コード」（アルファベット2文字），「地域コード」（2桁のアルファベットまたは数字），「支店コード」（3桁のアルファベットまたは数字）によって構成されている．なお，BICのアルファベットには，常に大文字が用いられる．

このうち，地域コードまでの8桁を用いる場合を「BIC 8」，支店コードまで入れた11桁を用いる場合を「BIC 11」と呼ぶ．

②SWIFT BICとnon-SWIFT BIC

SWIFTのユーザーとなっている金融機関のBICのことを「SWIFT BIC」，SWIFTに接続していない金融機関のBICのことを「non-SWIFT BIC」と呼んでいる．non-SWIFT BICは，8桁目（地域コードの2桁目）を必ず"1"とすることによってSWIFT BICとは区別されている．

当然のことながら，non-SWIFT BICは，送信者や受信者として，SWIFT

---

[1] BIC名鑑は，PDF版が毎月更新されており，SWIFTのウェブサイトからオンラインで購入・入手可能である．このほか，紙ベースの名鑑を希望する場合には，四半期ごとに更新されたものを購入できる．

図7-1 銀行識別コード（BIC）のコード体系

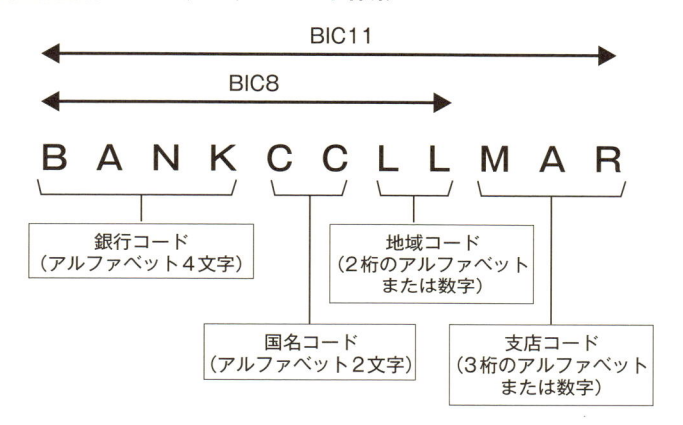

```
        ←――――――――― BIC11 ―――――――――→
        ←――――― BIC8 ―――――→
         B A N K  C C  L L  M A R
         └──┬──┘  └─┬─┘ └─┬─┘ └─┬─┘
         銀行コード  国名  地域   支店
         (アルファ  コード コード コード
          ベット   (アル  (2桁の (3桁の
          4文字)   ファ   アル   アル
                  ベット  ファ   ファ
                  2文字)  ベット  ベット
                         または  または
                         数字)   数字)
```

（注）BNPパリバ銀行（フランス），マルセイユ支店の例．

メッセージのヘッダーに含めることはできない．一方，メッセージのなかの金融機関（送金銀行，仲介銀行，受取人が口座を有する銀行など）を記載するフィールド（party fieldと呼ばれる）には，SWIFT BICとnon-SWIFT BICの両方を用いることができる．

（3）BICの構成要素

BICの構成要素には，①銀行コード，②国名コード，③地域コード，④支店コードがある．

①銀行コード（4文字のアルファベット）

「銀行コード」（bank code）は，金融機関ごとの固有な（unique）コードとして，SWIFTによって割り当てられる[2]．ちなみに，みずほ銀行は「MHBK」，三菱東京UFJ銀行は「BOTK」，三井住友銀行は「SMBC」などとなっている．

---

[2] SWIFTが機械的にコードを割り振るのではなく，各金融機関が希望するコード（自行の名称等に基づく）を申請し，SWIFTでは，その妥当性（誤解を招かないことなど）を確認したうえで，それを承認するという手続きとなっている．

②国名コード（2文字のアルファベット）

「国名コード」（country code）には，アルファベット2文字のコードが用いられる．これは，ISO 3166として国際標準となっている（後述）．ちなみに，日本はJP，米国はUS，英国はGB，中国はCNなどとなっている．

③地域コード（2桁のアルファベットまたは数字）

「地域コード」（location code）は，各国における地域や都市を示すものである．1桁目は「地方コード」（region code）であり，アルファベットまたは数字により（ただし0と1の使用は禁止），その国における地域，都市，時間帯などを示す．また2桁目は「付加コード」（suffix code）であり，アルファベットまたは数字により（ただし0〈ゼロ〉とO〈オー〉は禁止），地域や都市内の区分（subdivision）を示す．前述のように，SWIFTユーザーでない場合には，付加コードには必ず"1"を用いることとされている．

④支店コード（3桁のアルファベットまたは数字）

「支店コード」（branch code）は，金融機関の支店や部署（department）を示すコードであり，利用は任意である．ただし，SWIFTに登録され，公表された支店コードについては，利用が推奨されている．

金融機関は，支店コードを非公表とすることができ，その場合には，送信者と受信者との合意によってのみ用いることができる．

(4) 企業識別コード（BEI）

BICが金融機関を識別するコード体系であるのに対し，「企業識別コード」（BEI：Business Entity Identifier）は，非金融機関（non-financial institution）を識別するためのコード体系である．SWIFTのメッセージには，金融機関以外の事業体の名称が，送金人や受取人としてしばしば登場する．また，最近では，事業法人がユーザーとしてSWIFTのネットワークを利用することも可能となっている．このため，メッセージ処理のSTP化比率を高めるうえで，事業体名をコード化することが必要となっているものである．

第7章 SWIFTメッセージに使われるコード

表7-1 企業識別コード（BEI）のサブタイプ

サブタイプ	内　容
BEID	事業体一般
TRCO	外為取引企業（Treasury Counterparty）
TESP	ETCプロバイダー[*1]
MCCO	MA-CUG[*2]に参加している非金融機関
SMDP	市場データの提供者
CORP	事業法人

（注）　*1：「ETC（Electronic Trade Confirmation：電子取引照合）プロバイダー」とは、証券取引事務の効率化・簡素化のために情報仲介や取引照合を行うサービス提供企業である。
　　　*2：Member Administered Closed User Groupの略。SWIFTのメンバー（金融機関）がSWIFTNetを通じて、顧客（事業法人など）にサービスを提供する場合に組織する顧客のグループである。

　BEIは、BICのサブ・グループとして位置づけられており、BICと同じコード体系を利用している。すなわち、11桁のコードからなっており、事業体コード（4桁）、国名コード（2桁）、地域コード（2桁）などによって構成される。BEIは、最初の8桁までが必須であり、支店コード（最後の3桁）の利用は任意である。なお、BEIは、上述したBIC（ISO 9362）の付番ルールに準拠しているが、BEI自体は国際標準ではない[3]。

　BEIは、SWIFTのユーザーと非ユーザーの両方について付番が可能である。非ユーザーのBEIは、BICと同様に、8桁目（地域コード）の一部が必ず"1"となる。BEIには、業種に応じて、表7-1のようなサブタイプがある。

(5) ファンド識別コード（CIVIC）

　SWIFTでは、証券メッセージや資金メッセージにおける当事者（発注者、受取人など）として、各種の「ファンド」が頻繁に登場することから、こうしたファンドを識別するためのコードである「CIVIC」（Collective Investment Vehicle Identification Code）を制定し、管理している。

　CIVICの対象には、各種の投資信託（mutual fund, unit trust, investment trust）のほか、年金基金（pension fund）、ヘッジファンド、慈善団体などを

---

[3] 企業識別コードの必要性から、SWIFTでは、ISOに対して新たな国際標準の策定を提案したが、十分な賛同を得ることができなかった。このため、SWIFT内部において、BICを援用したかたちで事業体コードを付番することにより対応を行っているものである。

幅広く含んでいる.

　コード体系は，上述したBIC（ISO 9362）と同様であるが，CIVIC自体は国際標準ではなく，あくまでもSWIFTにおける利用のための内部的なコード体系である．CIVICは，BIC11と同様の11桁のコード体系となっているが，一般のBICとは区別するため，①7桁目に"X"を，②8桁目に"1"を，③9桁目には"V"を入れることとなっている.

　CIVICは，「BIC名鑑」（BIC Directory）の一部として掲載されるほか，CIVICのみを掲載した「CIVIC名鑑」（CIVIC Directory）によって公開される[4].

(6) BICとBEIの登録

　SWIFTのユーザーは，少なくとも1つの8桁のBIC（企業の場合にはBEI）をSWIFTに登録することが必要とされている．金融機関であれば（SWIFTのユーザーでなくても），BICの登録をSWIFTに請求できる．また，SWIFTのユーザーである事業法人も，BEIの登録を請求できる．SWIFTユーザーでない事業法人については，SWIFTユーザーである金融機関からの請求があった場合に限り，BEIの登録がなされる.

　登録されたBIC，BEIについては，原則として「BIC名鑑」（BIC Directory）において公表される[5].

2　国名コード

　SWIFTのメッセージにおける「国名コード」（country code）には，アルファベット2文字のコードが用いられる．これは，ISO 3166として国際標準になっている[6]．ISO 3166は，ISO自身が維持管理機関（maintenance agency）となっており，国連の認定に基づき，コードの追加や削除を行っている.

---

4) CIVICは，非公開とすることはできない.
5) ただし，ユーザーが非公開とすることを希望する場合を除く.
6) ISO 3166では，このほかに3桁のアルファベットのコード（alpha-3 code）と3桁の数字のコード（numeric-3 code）が定められているが，2桁のアルファベット・コード（alpha-2）が最も広く用いられている.

表7-2 国名コード（ISO 3166）の例

コード	国名	コード	国名	コード	国名
AR	アルゼンチン	CA	カナダ	DE	ドイツ
AU	オーストラリア	CH	スイス	ES	スペイン
AT	オーストリア	CL	チリ	JP	日本
BE	ベルギー	CN	中国	GB	英国
BR	ブラジル	FR	フランス	US	米国

（出所）ISO.

このアルファベット2文字のコードは，インターネットのドメイン名（.jpなど）として使われるほか，後述する通貨コード，国際証券識別コードなど，他のコード体系における構成要素としても用いられている．

主要国の国名コードは，表7-2のとおりである．

3 通貨コード

SWIFTのメッセージにおける「通貨コード」（currency code）には，アルファベット3文字のコードが使われる．これは，ISO 4217として国際標準になっている[7]．ISO 4217は，英国規格協会（BSI：British Standards Institution）が維持管理機関となっている．

アルファベット3文字のうち，最初の2文字は，上述した国名コード（ISO 3166）であり，残り1文字には通貨のイニシャルなどが用いられる．日本円の場合には，国名コードのJPに，円（Yen）のイニシャルのYを加えて，「JPY」となる．また，米ドルは，国名コードのUSに，ドルのイニシャルのDを加えて「USD」となっている．ただし，ユーロについては，こうした原則とは異なり，ユーロの略称である「EUR」として表記されている．

主要国の通貨コードは，表7-3のとおりである．

---

[7] ISO 4217では，このほかに数字3桁からなる通貨コード体系（たとえば日本円は392）を定めているが，アルファベット3文字によるコードの方が一般的であり，SWIFTでもこちらを利用している．

表7-3 通貨コード（ISO 4217）の例

コード	通貨名	コード	通貨名	コード	通貨名
ARS	アルゼンチン・ペソ	CLP	チリ・ペソ	JPY	日本円
AUD	オーストラリア・ドル	CNY	中国・人民元	KRW	韓国ウォン
BRL	ブラジル・レアル	EUR	ユーロ	MXN	メキシコ・ペソ
CAD	カナダ・ドル	GBP	英ポンド	THB	タイ・バーツ
CHF	スイス・フラン	HKD	香港ドル	USD	米ドル

（出所） ISO.

❹ 国際証券識別コード（ISIN）

（1）ISINとは

SWIFTのメッセージにおける証券識別コードとしては，「ISIN」（International Securities Identification Number：国際証券識別コード）が用いられる．これは，ISO 6166として国際標準になっている．

ISINは，アルファベット2文字の「国名コード」（たとえば，日本はJP），9桁の「国内コード」（アルファベットまたは数字），1桁の「チェック・ディジット[8]」からなる合計12桁のコード体系である（図7-2参照）．

（2）付番機関

ISINについては，各国ごとに「付番機関」（NNA：National Numbering Agency）が設置されており，その国で発行された証券の国内コードを付番することになっている．これによって，全世界の証券を同一のコード体系の下で識別することが可能となっている．

また，NNAの国際協会である「ANNA」（Association of National Numbering Agencies）が設立されており（本部はブリュッセル），ISINの維持管理機関（maintenance agency）となっている．ANNAには，73カ国のNNAと19のパ

---

[8] コード全体が正しいものかどうかを検証（チェック）するために付加される数字であり，入力ミスなどを防ぐために用いられる．アルファベットは，数字に換算されて計算が行われる．

第7章 | SWIFTメッセージに使われるコード

図7-2 国際証券識別コード（ISIN）のコード体系

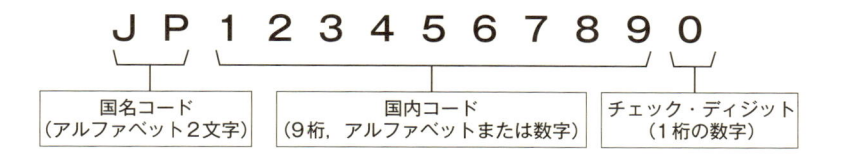

```
J P 1 2 3 4 5 6 7 8 9 0
```

- 国名コード（アルファベット2文字）
- 国内コード（9桁，アルファベットまたは数字）
- チェック・ディジット（1桁の数字）

ートナー[9]が参加しており，100カ国以上をカバーしている．わが国の付番機関としては，「証券コード協議会[10]」がANNAに加盟しており，国内で発行された証券について，国内コードの付番を行っている．

(3) ANNAサービス・ビューロー

ISINについての正確でタイムリーな情報を発信するために「ANNAサービス・ビューロー」（ASB：ANNA Service Bureau）が設立されている[11]．ASBでは，各国の付番機関（NNA）からISINデータを収集し，これを取りまとめた中央データベース（ASB Database）を作成して，ISIN情報を市場参加者にインターネットなどにより広く配信している．2008年末で，430万銘柄の証券コードが登録されている．

5 国際銀行口座番号（IBAN）

(1) IBANとは

銀行口座番号のコード体系としては，「国際銀行口座番号」（IBAN：International Bank Account Number）が用いられる．IBANは，銀行口座を国際的に特定するための標準であり，クロスボーダー送金処理の自動化を促進す

---

[9] 小規模な付番機関（NNA）であり，権限などが制限されている．
[10] 全国の6つの証券取引所（東証，大証，名証，福証，札証，ジャスダック）および証券保管振替機構によって組織されており，東証が事務局を務める．英文名称は「SICC」（Securities Identification Code Committee）である．
[11] 業務は，CUSIP Service Bureau（米国）とTelekurs Financial社（スイス）に委託されている．

図7-3 IBANのコード体系

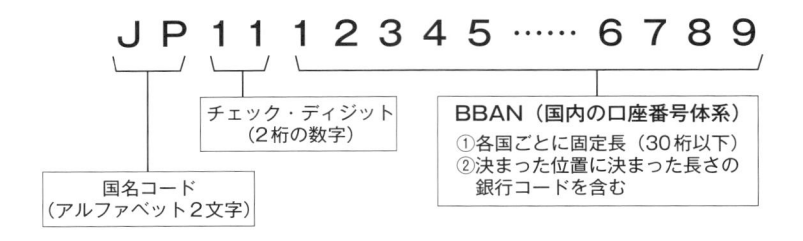

```
J P 1 1 1 2 3 4 5 …… 6 7 8 9
```

- 国名コード（アルファベット2文字）
- チェック・ディジット（2桁の数字）
- BBAN（国内の口座番号体系）
  ① 各国ごとに固定長（30桁以下）
  ② 決まった位置に決まった長さの銀行コードを含む

るために開発された規格である．IBANは，ISO 13616として国際標準となっており，SWIFTが登録機関（Registration Authority）となっている．

（2）IBANの構成

IBANは，①国名コード（ISO 3166：アルファベット2文字），②チェック・ディジット（2桁），③銀行コード（銀行名・支店名を示す），④国内口座番号からなる．このうち，③＋④の部分は，「BBAN」（Basic Bank Account Number：銀行口座基礎番号）と呼ばれ，各国において，個別の金融機関における個々の銀行口座をユニークに特定する番号体系である（図7-3参照）．

BBANは，国によって異なった長さとすることが可能である（ただし，国ごとに一定の長さとする必要がある）．BBANのなかには，決まった位置に固定長の銀行名や支店名を特定する「銀行コード」（bank identifier）を含めることとされている（この銀行コードはBICである必要はなく，国内コードを使うことも可能である）．BBANは，国ごとに桁数を決めることができるが，最大で30桁までとされている（このため，IBAN全体では最大34桁までとなる）．

このように，IBANは，各国の口座番号体系のフォーマット（桁数や使える文字）についての規格である．このため，IBANの桁数は国ごとに異なっている（ベルギーは16桁，ドイツや英国は22桁，イタリアやフランスは27桁など）．

（3）IBANの具体例

IBANの具体例をベルギーについてみることとしよう．ベルギーでは，国内

図7-4　IBANのコード体系の具体例（ベルギーの例：計16桁）

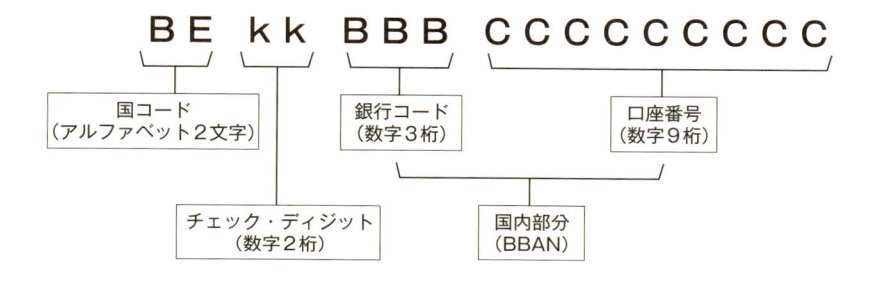

```
BE  kk   BBB   CCCCCCCCC
```

- BE：国コード（アルファベット2文字）
- kk：チェック・ディジット（数字2桁）
- BBB：銀行コード（数字3桁）
- CCCCCCCCC：口座番号（数字9桁）
- BBB + CCCCCCCCC：国内部分（BBAN）

コード（BBAN）が，数字3桁の「銀行コード」と数字9桁の「口座番号」によって構成されている（したがって，国内コード部分は計12桁）．

ベルギーのIBANは，この12桁のBBANの前に，国名コードの「BE」とチェック・ディジット（2桁の数字）を加えた合計16桁となる．

(4) IBANの登録と公表

各国の標準化団体または中央銀行が，この標準に準拠した各国の口座番号体系をSWIFTに登録することになっている．登録するのは，IBANの構成（構成要素と各要素の文字数，使える文字）である．すなわち，膨大な数となる個々の口座番号を登録するのではなく，各国ごとの「口座番号体系のフォーマット」を登録する仕組みとなっている．

SWIFTでは，「IBAN登録簿」（IBAN Registry）を作成して，各国のIBANを公表している．2009年3月時点で，45カ国のIBANが登録されている[12]．

なお，EUでは，2004年7月以降，EU指令により，ユーロ域内のクロスボーダー送金については，IBANとBICの両方を利用することが事実上義務づけられている[13]．

---

[12] 日本の口座番号体系は，IBANの利用ニーズがさほど高くないことなどから，未登録となっている．

[13] 送金人が，受取人のIBANと受取銀行のBICを呈示することができない場合には，送金銀行は，送金人に割高な料金を課すことができるものとされている．

⑥ 証券メッセージのフォーマット（ISO 15022）

SWIFTでは，証券取引（MT500番台）のメッセージ・フォーマットに「ISO 15022」を使っている．ISO 15022は，ISO/TC68/SC4[14]が作成した証券取引用のメッセージ・フォーマットであり，1999年に国際標準となっている．

SWIFTでは，従来は，それ以前の国際標準であった「ISO 7775」を用いていたが，2002年11月に，ISO 7775からISO 15022への移行（migration）を行った．ISO 15022は，SWIFTのほか，欧米の証券決済機関（CSD）やユーロクリアなどの国際的なCSD（ICSD）などにおいて，幅広く利用されている．わが国でも，証券保管振替機構の「決済照合システム」が事実上ISO 15022を採用している．

(1) ISO 15022の概要

「ISO 15022」（DFD：Data Field Dictionary）は，証券メッセージについて，データ・フィールド，その定義などの作成ルールを定めている国際標準である．各国では，ISO 15022をもとにして，各国マーケットの事情にあわせた証券メッセージを作成することができるようになっている．

ISO 15022は，1984年に制定された証券メッセージの標準であった「ISO 7775」（Scheme for message types）を大幅に改訂したもので，SWIFTが維持管理機関となっている．

ISO 15022は，①シンタックス・ルール（メッセージの文法に相当），②メッセージの作成ルール（message design rule），③データ・フィールドの辞書（DFD：Data Field Dictionary）などからなっており，これに基づいて作成されたデータ・フィールドの辞書やメッセージのカタログなどが，SWIFTにより登録・公表されている．

---

[14] SC4（Sub-committee4）は，ISO（国際標準化機構）のTC68（金融サービス専門委員会）のもとで，証券業務に関する標準化を行う証券分科会である．わが国では，日本銀行から委嘱を受けた日本証券業協会が，国内の事務局を務めている．

(2) ISO 15022による証券メッセージ

ISO 15022によって作成される証券メッセージは、①データ・フィールド、②限定子、③フォーマット、の3つの要素により構成される．

「データ・フィールド」とは、フィールドが何に関するものかを示す番号である（たとえば、69は、期間に関するものであることを示す）．また、「限定子」（qualifier）は、フィールドに記載する情報をさらに詳細に定義するものである（たとえば、「金利」の期間とか、「取引の有効」期間など）．「フォーマット」は、利用できる文字や桁数を定義するものである（たとえば、アルファベット4文字と8桁の数字など）．

ISO 15022は、ビジネス・ニーズに応じて、データ・フィールドを細かく規定しているため、STP化に適しているものとされている．

ISO 15022は、後継規格となるISO 20022（第6章を参照）がすでに策定されており、今後は、ISO 20022への移行が徐々に進んでいくものとみられる．

第8章 SWIFTソリューション

　SWIFTでは，従来からのメッセージ通信サービス（messaging service）をさらに発展させたサービスを提供するようになっている．SWIFTでは，こうしたサービスをコア業務であるメッセージング・サービスとは区別して，「SWIFTソリューション」（SWIFT Solutions）と呼んでいる．

　SWIFTソリューションは，大別して2つのグループに分けることができる．

　第1は，SWIFTのネットワーク上のメッセージやデータをSWIFTが加工・処理して，ユーザーに提供するサービスである．これは，メッセージング・サービスの機能を発展させた「付加価値サービス」（value-added service）である．メッセージング・サービスでは，送信者が送ったメッセージを「そのまま」の形で受信者に送り届けるのに対して，付加価値サービスでは，送信者の送ったメッセージなどをもとにSWIFTがマッチング（照合）などのデータ処理を行う，より高次元のサービスとなっている．いわば通信サービス会社が，自らのネットワーク上の情報をもとに情報処理サービスまでを行うようになったものといえよう．こうした付加価値型のサービスの典型としては，AccordサービスやTSUサービスなどがある．

　第2に，SWIFTが特定の目的のために，特定の業務フローを策定し，それに必要な業務メッセージを作成して，当該業務の関係者に提供しているものである．従来のメッセージング・サービスでは，金融機関が幅広く行っている普遍的な業務（送金，決済，外為など）を対象としていたのに対して，こうした新しいサービスでは，SWIFTがこれまで扱っていなかった特定分野の特定業

務を対象としているのが特徴である．対象とするユーザーも，伝統的なユーザー層（銀行，証券会社等）とは異なっていることが多い．また，従来型のメッセージング・サービスがMT（メッセージ・タイプ）により作成されていたのに対し，新しい業務メッセージは，当初からISO 20022に基づいたMX（XMLベースのメッセージ）として作成されているケースが多い．また，FIXプロトコル，FpMLなど，SWIFT以外のメッセージ標準を使っている場合もある．これらのサービスについては，サービスごとに「クローズド・ユーザー・グループ」（CUG）を組織して，メンバー間でのみメッセージの交換が行われ，またサービスごとの利用規則を定めた「ルールブック」が作成されている．こうした特定分野向けの新しいメッセージによるサービスの典型としては，E&Iサービス，キャッシュ・レポーティング，データ配信サービス，デリバティブ・サービス，コーポレートアクション・サービス，ファンドサービス，などがある．

以下，本章では，こうしたSWIFTソリューションのうち，主なものについて述べる．

❶ Accordサービス

「Accordサービス」は，金融取引のコンファメーション（取引確認）の照合を行う「マッチング・サービス」（照合サービス）であり，①外為市場，②マネー・マーケット（短期金融市場），③デリバティブ市場，などでの取引に用いられる．

（1）Accordサービスの概要

Accordサービスの仕組みを外為取引についてみると，以下のとおりである．まず，A行のディーラーとB行のディーラーが外為取引を行ったものとする．A行とB行の間では，コンファメーション（取引確認）を取り交わして取引内容の確認を行う[1]．こうしたコンファメーションは，通常，SWIFTのMT300

---

1) 外為取引を行うディーラーは「フロント・オフィス」に所属するのに対し，コンファメーションの確認は，取引確認から決済までを担当する「バック・オフィス」において行われる．

第8章 SWIFTソリューション

図8-1 Accordサービスの仕組み

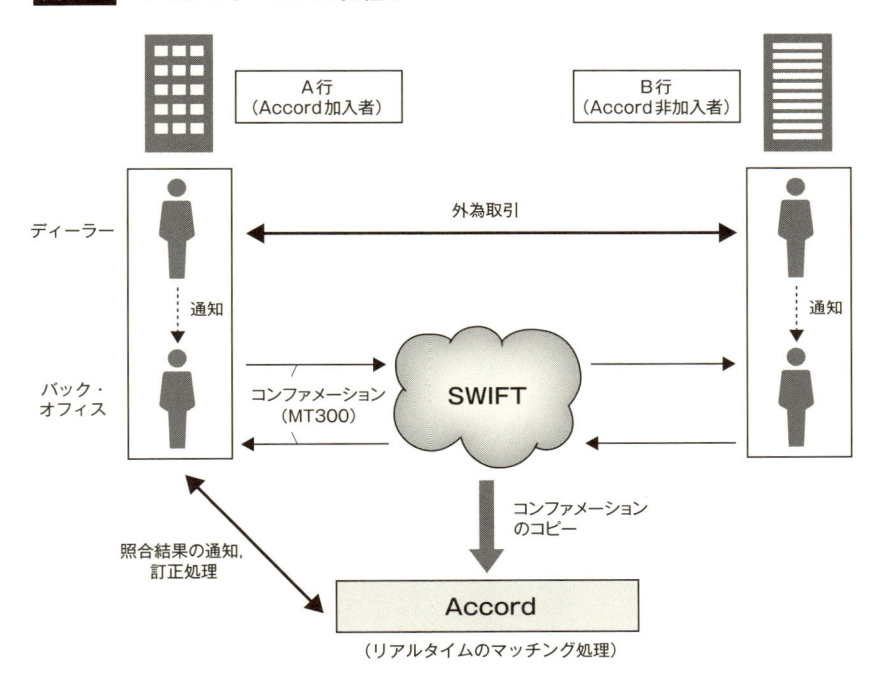

(外為コンファメーション用のメッセージ・タイプ) によって行われる．

　A行とB行の間でコンファメーション[2] (MT300) が交換されると，Accordのシステムには，このMT300のコピーが送られ，両方のコンファメーションがリアルタイムでマッチング (照合) される．そしてAccordサービスの加入者 (subscriber) に対しては，マッチング結果が直ちに通知される．

　このサービスを受けるためには，自行がAccordに加入していればよく，取引の相手方がAccordサービスの加入者であることは必要条件ではない．A行が加入者，B行が非加入者の例についてみると，図8-1のとおりである．

---

[2] Accordサービスの対象となるコンファメーションとしては，MT300のほか，以下のようなものがある．MT305, MT306, MT320, MT330, MT340, MT341, MT360, MT361, MT362, FpML, MT515.

(2) Accordサービスの仕組み

①リアルタイムのマッチング

Accordサービスでは，コンファメーションの照合がリアルタイムに行われ，照合結果（matching result）は，即時に加入者に通知される．また加入者は，マッチングが不一致の場合には，訂正処理を行うことができ，訂正がなされると，照合ステータス（matching status）が即時に更新される．

なお，Accordサービスでは，グローバルに展開している金融機関が，全世界のすべての取引を1つの拠点（グローバル・バック・オフィス）で照合するようにすることも可能である．

②照合ステータス

こうした照合は，基本的にはAccordの「共通ルール」（common rule book）に基づいて行われるが，加入者は，自行取引専用の「特別ルール」（user-defined rule）を追加することもできる．

Accordサービスにおける「照合ステータス」（matching status）には，「照合一致」，「照合不一致」，「不突合」の3つがある．各フィールドの内容が完全に一致した場合には，「照合一致」（matched）となる．また，一部のフィールドの内容が一致しない場合には，「照合不一致」（mismatched）となる．さらに，照合相手となるコンファメーションが見当たらない場合には，「不突合」（unmatched）とされる．照合不一致や不突合の場合には，不一致のフィールドが訂正処理などのために強調表示（highlight）されて，加入者に通知される．

照合不一致の場合には，加入者は，①エラー原因を特定して，取引相手に修正を求める「追跡メッセージ」（chaser message）を送る，②特定のケースについて強制的に照合一致の扱いに変更する「強制一致」（force-match）とする，③特別な照合ルール（customized matching rule）を追加する，などの対応をとることができる．

③訂正処理

Accordサービスでは，バック・オフィスにおける複数のスタッフ間で，情

報共有や責任分担を行うことができる仕組みが盛り込まれている．たとえば，単純な訂正ではなく，上述のような強制一致や照合ルールの追加が必要な場合には，「フラグ」（flag）を付すことができる．フラグは，さらに検討が必要であること，または修正コンファメーションの発出が必要であることを他のスタッフに対して示すものである．

訂正の権限についても，オペレーターごとに設定することができる．これにより，各オペレーターが訂正する範囲や重要度を制限することができる．また，一定以上の重要度の訂正については，監督者の許可を必要とするといった設定にすることもできる．

④照合結果の長期保存

Accordサービスでは，オプショナル・サービスとして，コンファメーションや照合結果を決済日から10年間にわたって保存する「長期保存サービス」（Long Term Archival Facility）を提供している．これにより，加入金融機関では，データの保存に関する作業負担とコストの削減を行うことができる[3]（また，自行でデータ保存を行う一方，このサービスをバックアップとして利用することも可能である）．

保存されるのは，すべてのコンファメーションや，照合履歴（matching history），それに対するオペレーターの処理などである．ユーザーは，これらの保存結果を使って，事後的な照合履歴の監査（audit trail）を行うことができる．保存結果については，SWIFT端末（SWIFTAlliance Webstation）からアクセスすることが可能であるが，これを閲覧することができるのは，管理権限者（authorized individual）のみである．

(3) Accordサービスのメリット

Accordサービスには，以下のようなメリットがあるものとされており，2008年末で460行が加入者（subscriber）となっている．

---

[3] たとえば，紙ベースでのデータの保存が不要となる．

①オペレーショナル・リスクの削減

Accordサービスは，中央照合サービス（central matching service）であり，中立的な第三者が信頼性の高い照合を行う．こうした照合サービスを利用しない場合には，各金融機関では，取引相手から受領したコンファメーションを，人手または自行のシステムによって照合する必要がある．とくに人手による照合の場合には，多大な時間を要し，また間違い（human error）が発生しやすいというデメリットがある．システム化された中央照合システムの利用により，こうしたオペレーショナル・リスクを削減することができる．

②コストの削減

Accordサービスを利用すれば，自行の照合システム（local matching system）を運営・維持・保守する必要がなくなるため，システム関連の費用（人件費を含む）を削減できる．また，Accordサービスは，外為取引以外の資金取引やデリバティブ取引にも利用可能な「マルチ市場向け照合システム」（cross-product matching system）であるため，それぞれの取引ごとに別々の照合システムを使うよりもはるかに効率的である．

③マルチ・アクセス

Accordサービスでは，すべてのデータが中央で管理されるため，このデータに複数の拠点からアクセスできること（multi-access）が特徴となっている[4]．このため，(a) 複数の拠点がチームを組んで業務を進めること，(b) 例外処理（exception-handling）をベテラン・スタッフに集中させること，(c) 本店が海外支店のデータにアクセスしてモニタリングや監査を行うこと，などが可能となっている．

(4) Accordサービスの利用方法

Accordサービスは，上記のようなマッチング・サービスとしての利用が基

---

[4] 当然のことながら，アクセスを行うためには，権限を有するユーザー（authorized user）であることが必要である．

本であるが，そのほかにも，以下のような利用方法がある．

①スワップクリアへの清算指図

欧州の清算機関である「LCH.Clearnet」が提供している金利スワップの清算サービスである「スワップクリア」（SwapClear）においても，Accordサービスが用いられている．

すなわち，スワップクリアのメンバーであるA社とB社との間で金利スワップ取引が行われ，コンファメーションの交換がSWIFTを通じて行われる．このとき，コンファメーションにスワップクリアでの清算を指図する「タグ」が付されていると，このコンファメーションのコピー情報がマッチングされてLCH.Clearnetに送られ，クリアリングの対象となる仕組みになっている．

この際のマッチングにはAccordサービスが用いられており，スワップクリ

図8-2 **Accordによるスワップクリア用のマッチング**

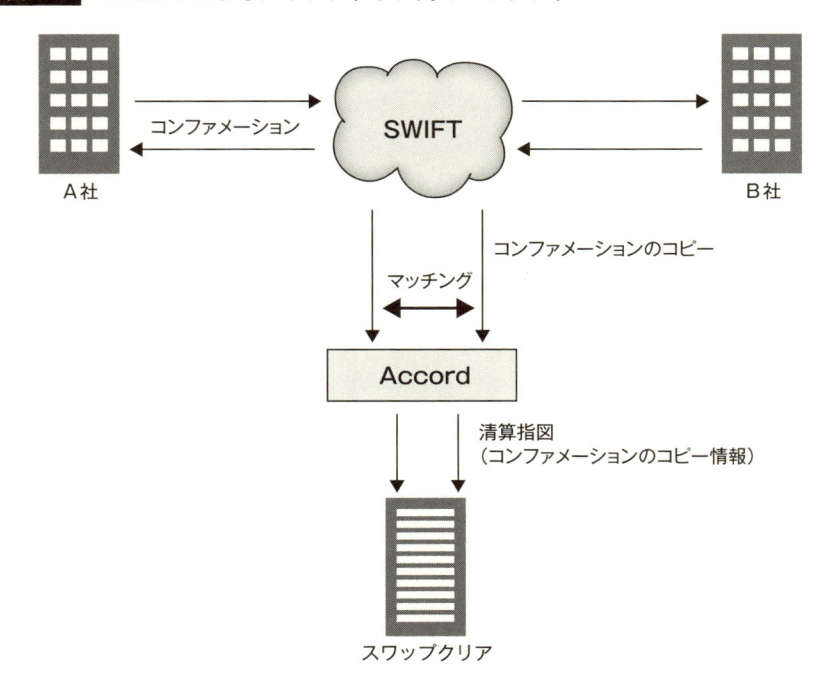

アのための検証（validation）をリアルタイムで実施し，内容の一致が確認されたコンファメーションが清算指図としてLCH.Clearnetに送られる．

②ネッティングでの利用

Accordサービスは，マッチングのみならず，その結果を使った「ネッティング」に利用することもできる．このネッティングは，二者間の「バイラテラル・ネッティング」(bilateral netting) であり，当事者間の契約により「オブリゲーション・ネッティング」(obligation netting) とすることができる．

オブリゲーション・ネッティングは，「更改によるネッティング」(netting by novation) とも呼ばれ，同一日に決済する同一通貨の債権・債務をネットアウトして，差額分を新たな債権・債務に置き換える手法である．たとえば，A行とB行との間で，同一日に円・ドルの通貨取引につき複数の売買があった場合には，その売買の差額のみが両行が受渡しを行うべき債権・債務額となる．このネッティングは，差額のみを決済する「ペイメント・ネッティング[5]」(payment netting) とは異なり，債権・債務自体がネット・ベースの額に削減されるため，外為決済リスクの削減につながるものである．

Accordサービスを用いたこうしたオブリゲーション・ネッティングにより，取引銀行は，取引後まもなく，債権・債務額をネット金額に圧縮することができ，またネットアウト後の債権・債務額（novated balance）をリアルタイムで把握することができる．

③Accordサービスの利用分野の拡大

SWIFTでは，Accordの業務範囲のさらなる拡大に向けて，以下のような展開を行っている．

（a）デリバティブ分野での利用範囲拡大

Accordサービスは，従来，外為取引やマネー・マーケットを中心に利用さ

---

[5] ペイメント・ネッティングは，グロス・ベースで存在する当事者間の多数の債権・債務を，ネットアウトした差額の受渡しによって履行する方法である．ネットアウトされるのは，支払指図のみであり，契約上の債権・債務は，元のままグロス・ベースで残存する．

れてきたが，最近では，オプション取引，スワップ取引などのデリバティブ分野での利用も拡大している．

また2008年からは，金利スワップ（IRS：Interest Rate Swap）のコンファメーションもAccordサービスの対象となっている．IRSの照合では，「SWIFTのMT」と「FpMLベースのメッセージ」との間でのマッチングが可能となっているのが特徴である．

(b) PB/EBマッチング

ヘッジファンドが株式の取引を行う際に，発注を行う「執行ブローカー」（EB：Executing Broker）と，ヘッジファンドの取引について決済サービスを提供する「プライム・ブローカー[6]」（PB：Prime Broker）との間のMT515（売買報告）の照合をAccordサービスによって行う「PB/EBマッチング」を2009年4月から開始している．

(c) Accordと行内システムとの連携

Accordサービスを利用している金融機関においては，Accordからの照合一致のマッチング結果を受けると，行内システムが自動的に決済指図を発出するといったかたちで，Accordと行内システムとの「連動処理」を行う動きが広がっている．

2 E&Iサービス

「E&Iサービス」（Exceptions and Investigations）は，送金に関する顧客（法人顧客，コルレス先銀行）からの問合せに対する銀行の対応を自動化するためのサービスである．2007年9月にスタートした比較的新しいサービスである．

---

[6] プライム・ブローカー（PB）は，ヘッジファンドに対して，資金や証券の貸付や決済などのサービスを提供する金融機関のことである．ヘッジファンドでは，通常，市場取引を複数の執行ブローカー（EB）に分けて発注するが，決済は1社のプライム・ブローカー（PB）に集中して行う．このため，執行ブローカーは，実行した取引を決済のためにプライム・ブローカーに通知する必要があり，そのためにPB/EB間の照合が必要となる．

(1) 顧客からの問合せ対応

クロスボーダーの送金については，送金件数全体の2～5％に対して「該当口座なし」，「未着照会」，「キャンセル依頼」，「変更依頼」などの「異例処理」（exceptions）が発生しているものとみられている[7]．こうした顧客からの異例処理には，回答や追加的な情報提供が必要な「照会案件」（query）や，何らかの訂正や処理が必要な「再処理案件」（investigation）などが含まれる．

これらの異例処理は，SWIFTのメッセージ（フリーフォーマットが多い）のほか，電話，FAX，eメールなどで行われてきたため，対応には人手を要し，また時間を要する作業となっている．このため，各銀行にとっては，かなりコストのかかる労働集約的な業務となっている[8]．ちなみに，MT100番台（顧客送金）とMT200番台（銀行間の資金移動）のみについてみても，異例処理対応に要するコストは，業界全体で年間4800万ユーロに達するものと推計されている．

こうした異例処理への対応業務のうち，約60％は定型的なものであり，自動対応が可能とみられているが，このうち実際に自動化されているのは5％程度にすぎない．E&Iサービスは，こうした異例処理対応を自動化することを目的とするサービスである．

(2) E&Iサービスの仕組み

①標準メッセージ

E&Iサービスは，一定のルールに基づいた自動処理を行う仕組みであり，以下の4つの異例処理について，XMLベースの標準的なメッセージを用意している．この4つのタイプは，異例処理業務のなかで，約8割もの高いウェイトを占めている．

---

[7] SWIFTの調査による．
[8] たとえば，米銀大手であるJPモルガン・チェースでは，月間の取扱件数の1.17％にあたる月間13万件の問合せがあり，1件の処理に平均約40ドルを要している．同行では，こうした問合せ業務のために，数百人もの専任スタッフを抱えている（Case study：JP Morgan Chaseより）．

第8章 SWIFTソリューション

図8-3 E&Iサービスにおけるメッセージ交換の例

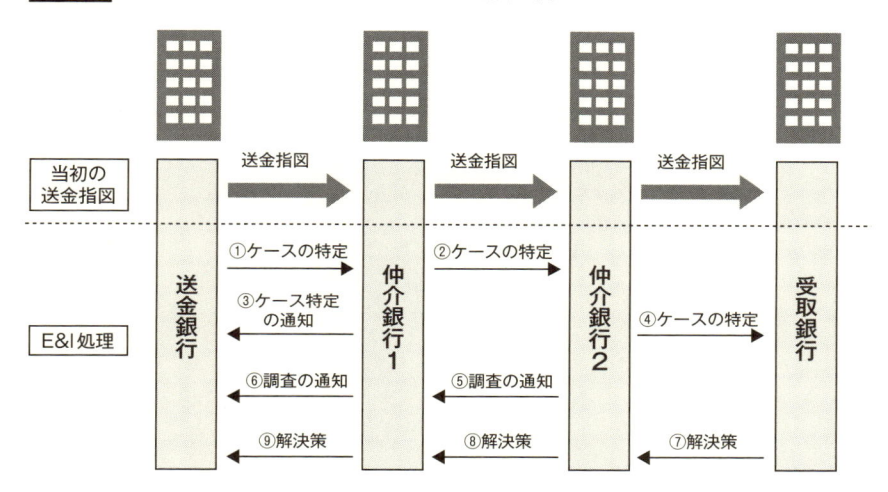

(図：当初の送金指図として、送金銀行→仲介銀行1→仲介銀行2→受取銀行への「送金指図」の流れ。E&I処理として、①ケースの特定（送金銀行→仲介銀行1）、②ケースの特定（仲介銀行1→仲介銀行2）、③ケース特定の通知（仲介銀行1→送金銀行）、④ケースの特定（仲介銀行2→受取銀行）、⑤調査の通知（仲介銀行2→仲介銀行1）、⑥調査の通知（仲介銀行1→送金銀行）、⑦解決策（受取銀行→仲介銀行2）、⑧解決策（仲介銀行2→仲介銀行1）、⑨解決策（仲介銀行1→送金銀行）)

（出所）"Exceptions and Investigations factsheet."

> a) 取消依頼（request for cancellation）
> b) 変更依頼（request for modification）
> c) 入金処理不能（unable to apply）
> d) 未着照会（beneficiary claims non-receipt）

E&Iサービスにおける標準は，幅広い業務手順を含んでおり，関係者，役割，メッセージのフローなどを明確に規定している．それぞれの異例処理のタイプごとに，特有のワークフローが定められており，関係者間でどのようなメッセージが交換されるかが規定されている（図8-3参照）．

こうした標準化により，顧客からのオンラインによる異例処理に対して自動的な対応が可能となり，「顧客のセルフ・サービス」（customer self-service）が実現する．

②メッセージとインフラ

E&Iサービスで用いられるメッセージは，現在使われているMTベースの照会メッセージが，2009～2011年にかけてMX（XMLベースのメッセージ）に

移行される予定である．2011年末には，MTの利用が打ち切られて，MXに一本化される．

E&Iのためのメッセージングには，InterActの「ストア＆フォワード・メッセージング機能」が用いられる．すでにSWIFTNetを利用している場合には，既存のインフラをそのまま利用でき，とくに追加的な投資は必要とされない．

③ユーザー・グループとルールブック

E&Iサービスは，サービスの提供者と利用者を対象とした「クローズド・ユーザー・グループ」(CUG)を組成して利用され，この特定のメンバー間でのみ，メッセージのやりとりが行われる．

また，同サービス用の「ルールブック」が作成されており，利用するうえでのルールやガイドラインなどが定められている．

(3) E&Iサービスのメリット

2008年末時点で，70行がユーザーとしてE&Iサービスを利用している．また，事業法人向けのアクセス手法であるSCORE（詳細は第9章を参照）により，一般企業がE&Iサービスを利用することも可能となっている．

E&Iサービスには，以下のようなメリットがあるものとされる．

①問合せ対応コストの削減

銀行では，E&Iサービスによる顧客からの異例処理対応の自動化により，人手による対応のコストを削減することができる．

②顧客サービスの改善

銀行では，E&Iサービスによる「オンライン問合せサービス」(online enquiry service)により，問合せへの回答時間（turnaround time）を短縮することができ，法人顧客やコルレス先銀行に対するサービス水準を向上させることができる（これは，顧客にとってのメリットでもある）．また担当スタッフは，単純案件への対応が自動化されることにより，重要性の高い案件や複雑な異例処理に集中できるようになる．

③新たな収入源の確保

E&Iサービスでは，定型化されたレポートを提供することができるため，銀行では，それをもとに顧客に対して，異例処理対応の料金請求を行うことが容易になる．

③ キャッシュ・レポーティング

「キャッシュ・レポーティング」（Cash Reporting）は，資金口座の残高や入出金に関する情報をリアルタイムに顧客に提供することを可能とするサービスである．このサービスを利用する金融機関等は，顧客（金融機関，企業等）に対して，日中の入出金報告（intraday cash reporting）をリアルタイムに，かつ自動化された方法で行うことができる．

(1) キャッシュ・レポーティングの概要

近年，銀行・企業では，(a) 流動性管理の集中化と高度化ニーズの高まり，(b) クロスボーダー送金の増加，(c) 時限性のある支払指図（time-payment）の増加，などの環境変化に直面している．

こうした環境変化により，金融機関・企業では，①複数の取引銀行の口座の状況（残高，入出金状況）を一括して把握したい（consolidated view of accounts），②海外の取引銀行についても残高を的確に把握したい（international capability），③残高確認作業のSTP化を進めたい，④残高把握のリアルタイム化を進めたい，といったニーズが高まっている．

流動性を正確に知ること（identifying liquidity）は，流動性管理を適切に行う前提となり，遊休残高（idle balance）をなくし，無駄な借入を節減することにつながる．キャッシュ・レポーティングは，こうした目的のために，①シングル・インターフェースで複数の取引先銀行における口座にアクセスし，②リアルタイムで自動的な口座データの収集（automated data gathering in real-time）を行うためのサービスである．

こうしたサービスを独自に開発・提供している金融機関もあるが，顧客サイ

ドからみると，①標準化が行われていないため，各行ごとのネットワークやフォーマットが異なっており，シングル・チャンネルで複数の先にアクセスできない，②残高報告を受けるタイミングやオプション（イベント発生時，リクエスト時など）が各行ごとに異なっており，統一的な事務処理ができない，③エクセルのスプレッドシートなどに基づくマニュアル処理が必要であり，STP化が進まない，といった限界があった．キャッシュ・レポーティングは，こうした点を改善して，複数の銀行口座についてのリアルタイムな情報（real-time consolidated data）を把握できるようにしたものであり，(a) 口座残高の常時把握（full liquidity view），(b) タイムリーな資金の集約化（timely concentration of funds），などを可能にしている．

このサービスでは，口座情報などを提供する側の金融機関等を「サービス提供者」（service provider），口座残高等についての報告を受ける側の金融機関・企業などを「サービス利用者」（service user）と呼んでいる．

①3つの利用分野

キャッシュ・レポーティングは，3つの分野において利用が可能である（図8-4参照）．

第1は，市場インフラにおける利用であり，この場合，市場インフラ（資金決済システム，証券決済システム等）がサービス提供者となり，インフラに参加する金融機関がサービス利用者となる．参加金融機関は，キャッシュ・レポーティングを通じて，決済機関における口座残高（real-time balance）や，決済指図の処理状況（処理済み，キューに保留など：transaction information），資金残高予想（cash forecast），などの情報をリアルタイムに入手することができる．

第2は，銀行間における利用であり，他行に口座を開設している銀行（account owner）は，このサービスにより，口座開設先（account-servicing institution）から，口座残高や入出金に関する情報をリアルタイムで入手できる．これにより，サービス利用者である銀行は，日中に残高照合（intraday reconciliation）を行うことができ，それによって，グローバルな流動性管理[9]を改善したり[10]，異例処理（exception）への対応を迅速化したりすることができる．

第8章 SWIFTソリューション

図8-4 キャッシュ・レポーティングの3つの利用分野

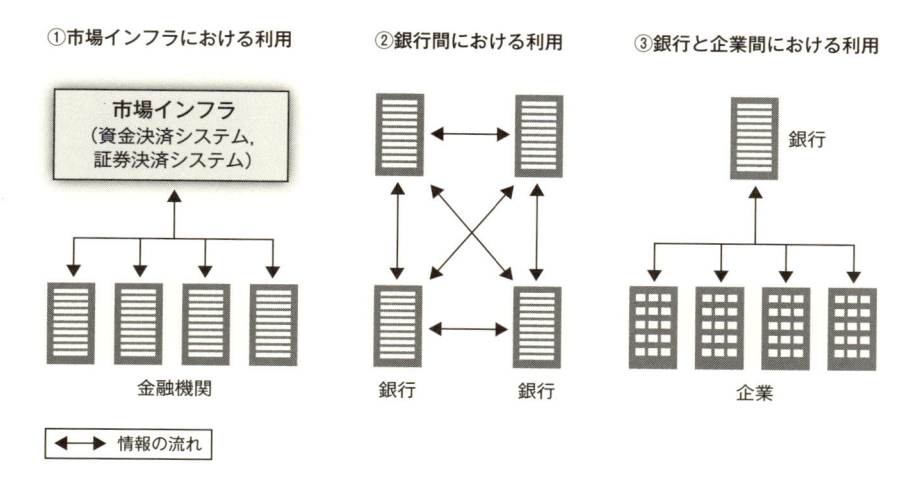

①市場インフラにおける利用　②銀行間における利用　③銀行と企業間における利用

市場インフラ
（資金決済システム，証券決済システム）

金融機関　銀行　銀行　企業

←→ 情報の流れ

　第3に，銀行と企業の間における利用がある．企業は，このサービスによって，取引銀行における口座の残高や入出金のデータをリアルタイムに入手することができ，それによって資金管理（treasury management）を効率化することが可能となる．

　これら3つの分野を合わせて，2008年末時点で331のユーザーがキャッシュ・レポーティングを利用している．

②3つの構成要素

　キャッシュ・レポーティングは，3つの構成要素（component）によって成り立っている．

　第1は，XMLメッセージである．キャッシュ・レポーティングに用いられるXMLメッセージは，ISO 20022に基づいて作成されている．

　第2は，SWIFTNetのメッセージング・サービスである．キャッシュ・レポ

9）複数の通貨や複数の時差にまたがった管理が可能となる．
10）たとえば，海外のコルレス先において無駄な当座貸越を回避したり，余剰資金を一晩寝かせずにマーケットで運用したりするといったことが可能となる．

ーティングには，SWIFTのメッセージング・サービスであるInterActの「リアルタイム照会回答」のモードが用いられる（詳細は第5章を参照）．

　第3は，アプリケーションである．SWIFTは，サービス提供者とサービス利用者間のエンド・ツー・エンドの処理を可能とするアプリケーションを提供している．

　③ユーザー・グループとルールブック
　キャッシュ・レポーティングは，サービス提供者とサービス利用者を対象とした「クローズド・ユーザー・グループ」（CUG）を組成して，この特定のグループ・メンバーに対してサービスが提供される．つまり，このグループに登録したメンバーの間でのみ，口座情報等の交換を行うことができる．
　このユーザー・グループのメンバー間の関係は，「ルールブック」により規定される．ルールブックには，サービス提供者，サービス利用者，SWIFTとの間の責任分担や，サービス提供者の行うべきサービスの水準，市場慣行などが記載されている．

（2）市場インフラにおける利用

　それでは，まず，市場インフラにおける利用についてみることとしよう．市場インフラは，資金決済システムと証券決済システムとに大別できる．

　①資金決済システムにおける利用
　キャッシュ・レポーティングは，リアルタイムの資金決済を行う「RTGS（Real-Time Gross Settlement）システム[11]」において用いられる．
　図8-5は，FINサービスとFINコピーを利用したRTGSシステムにおける典型的なキャッシュ・レポーティングの利用の例を示したものである．ここでは，中央銀行がRTGSシステムを提供しており，A行とB行がその利用者として資金決済を行っている．このRTGSシステムにおいて，A行がB行に対する支払指図をSWIFTにより送信すると，その支払指図のコピーが，FINコピーによ

---

11) 支払指図を1本ごとに，グロス金額によって，リアルタイムに決済する仕組みの決済システムのこと．

図8-5 資金決済システムにおけるキャッシュ・レポーティングの利用

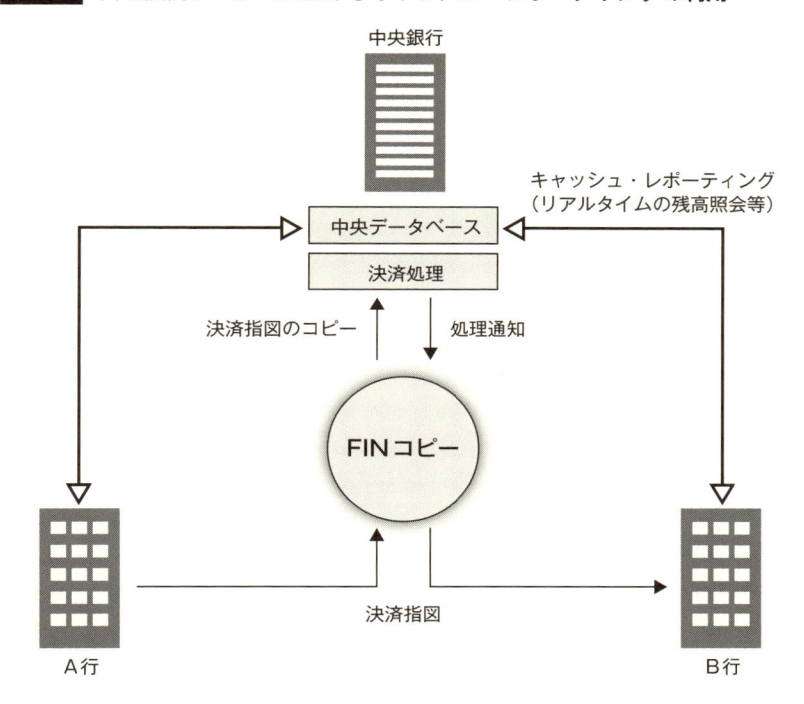

[図：中央銀行の下に中央データベースと決済処理があり、キャッシュ・レポーティング（リアルタイムの残高照会等）を通じて接続。A行とB行がFINコピーを介して決済指図・決済指図のコピー・処理通知をやりとりする構成図]

って中央銀行に送信され，中央銀行では支払指図に従って決済処理が行われる．この決済システムにおいて，参加行であるA行やB行では，キャッシュ・レポーティングを使って，①自行の口座残高や入出金の状況のリアルタイムでの把握，②キュー（待ち行列）内の支払指図の処理状況の確認，③処理待ちの支払指図に対する優先度（priority）の変更や支払指図の取消し，などを行うことができる．

②証券決済システムにおける利用

証券決済機関（CSD：Central Securities Depository）や国際的な証券決済機関（ICSD：International CSD）では，キャッシュ・レポーティングを使って，顧客であるカストディアンや清算銀行に対して，資金残高や決済のステータス

図8-6 証券決済システムにおけるキャッシュ・レポーティングの利用

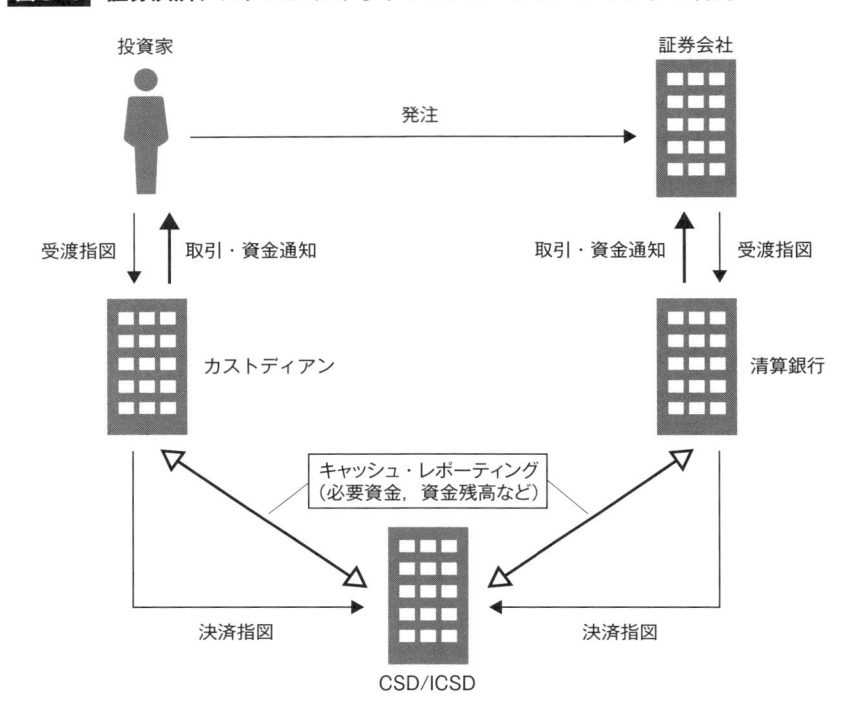

について、リアルタイムの報告を行うことができる.

図8-6は，証券決済における典型的な利用の例を図示したものである．投資家が証券会社に発注を行って，株式の売買を行ったものとする．こうした場合，最終的には，証券会社の清算銀行と投資家のカストディアンとの間で，株式の引渡決済を行うことが必要となる．この決済は，CSD（またはICSD）において行われるが，このとき，CSDは，顧客である清算銀行やカストディアンに対して，キャッシュ・レポーティングを使って，決済に必要な資金額や資金残高についての情報をリアルタイムに提供することができる．

(3) 銀行間における利用

次に，銀行間におけるキャッシュ・レポーティングの利用についてみること

としよう.

①コルレス関係とキャッシュ・レポーティング

A行とB行がコルレス関係にあり，A行がB行に口座を開設して決済用の資金を置いているものとする．こうした関係においてB行では，キャッシュ・レポーティングを利用して，A行の口座情報をリアルタイムに提供することができる．この場合，B行がサービス提供者，A行がサービス利用者となる（図8-7参照）．

なお，銀行と企業間における利用では，同様にして，銀行がサービス提供者，企業がサービス利用者となることはいうまでもない．

②キャッシュ・レポーティングのメリット

こうした銀行間における利用において，双方の銀行にとってのメリットは，以下のとおりである．

(a) サービス利用者にとってのメリット

サービス利用者であるA行は，①グローバルな自行の口座残高をリアルタイムに把握することによって，流動性管理を効率的に行うことができ，資金繰りに必要な調達額を圧縮することができる．また，②決済リスクのエクスポージャー[12]を正確に把握し，リスク管理を改善することができる．さらに，③照

図8-7 銀行間におけるキャッシュ・レポーティングの利用

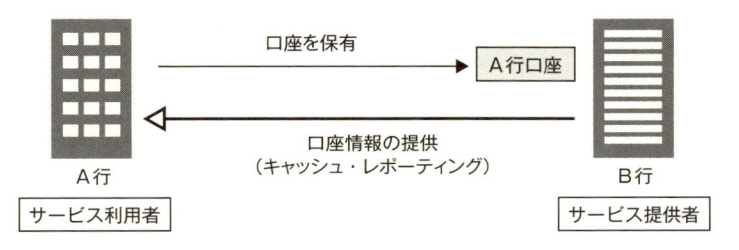

---

12) リスクがある状態にある金額のこと．

合までの期間を短縮することができ，それによって，エラーの発見・訂正の早期化を図ることができる．

(b) サービス提供者にとってのメリット
　一方，サービス提供者であるB行にとっても，①顧客の銀行に対するサービスを高度化することによって，他行に対する競争力を強化することができる，②自行のサービスに対する顧客銀行の満足度を高めることができる，といったメリットがある．

③キャッシュ・レポーティングの利用先
　キャッシュ・レポーティングは，比較的新しいサービスであるため，まだ利用先は限定的である．サービス提供者としては，欧米の大手銀行が採用しており，自行の顧客向けに残高情報等をリアルタイムで提供している．また，サービス利用者としては，米国の大手投資銀行などが利用しており，取引先銀行から，資金残高のレポーティングをリアルタイムで受けている．このほか，2009年1月からは，銀行9行と企業9社によるパイロット・プロジェクトが開始されている．

(4) キャッシュ・レポーティングの利用モード
　キャッシュ・レポーティングには，利用に関し，いくつかのモードが用意されている．

①自動レポート・モードと問合せモード
　まず，キャッシュ・レポーティングには，「自動レポート・モード」と「問合せモード」という2つのモードがある（図8-8参照）．

(a) 自動レポート・モード
　「自動レポート・モード」（auto-report mode）は，サービス提供者がサービス利用者（口座の保有者）に対して，事前の取決めに基づいて自動的に口座情報を提供するという形態である．情報提供の頻度は，一定時間ごととするこ

図8-8 自動レポート・モードと問合せモード

A. 自動レポート・モード

①口座情報の通知

A行（サービス利用者） ← B行（サービス提供者）　A行口座

B. 問合せモード

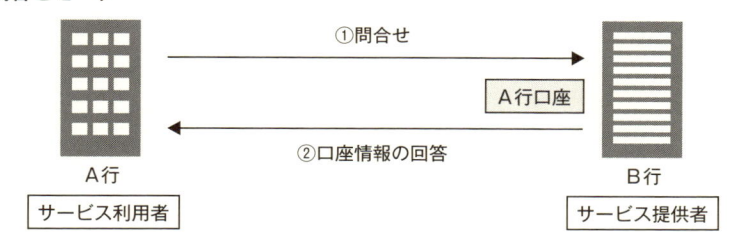

①問合せ
②口座情報の回答

A行（サービス利用者） ⇔ B行（サービス提供者）　A行口座

ともできるし，また口座に変動がある都度に通知を行うといった設定にすることもできる．なお，この形態は従来，「プッシュ・モード」（push mode）と呼ばれていた．

(b) 問合せモード

「問合せモード」（query mode）は，サービス利用者（口座の保有者）が，まず問合せのメッセージ（query）を発信し，それに対してサービス提供者が残高情報などを回答（response）するという形態である．なお，このモードは従来，「プル・モード」（pull mode）と呼ばれていた．

②アプリケーション・モデル

キャッシュ・レポーティングは，アプリケーションに関しても，「分散モデル」と「ホスト・モデル」という2つのモデルを設定している（図8-9参照）．

図8-9 分散モデルとホスト・モデル

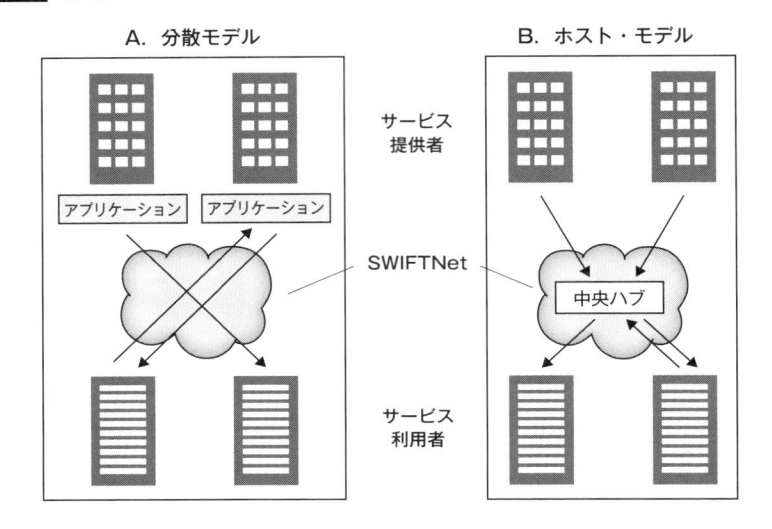

A. 分散モデル　　　　　　　B. ホスト・モデル

（サービス提供者／アプリケーション／SWIFTNet／中央ハブ／サービス利用者）

(a) 分散モデル

「分散モデル」（distributed model）は，サービス提供者が，自らのシステム環境のなかに，キャッシュ・レポーティング用のアプリケーションを構築する形態である．このタイプでは，サービス提供者がサービス利用者に対して，口座データへの直接アクセスを認めることになる．

(b) ホスト・モデル

一方,「ホスト・モデル」（hosted model）は，SWIFTNet上に構築された「中央ハブ」（central utility）に，サービス提供者がデータを送信する形態である．自動レポート・モードをとっている場合には，データは中央ハブによってリアルタイムにサービス利用者に配信される．一方，問合せモードの場合には，サービス利用者が中央ハブに問合せを送り，それに対して中央ハブが回答を行うことになる．

④ TSUサービス

「TSUサービス」（Trade Services Utility）は，銀行間において貿易関連書類を電子化してマッチングする仕組みである．

(1) TSUの背景

貿易取引の決済には，従来，「信用状」（L/C：Letter of Credit）が幅広く用いられてきたが，①紙ベースの書類を送付するのに時間がかかること，②銀行サイドでも，信用状のエビデンスとなる貿易書類のチェックに人手を要し，また高度なスキルが求められるためコストが嵩むこと，などが問題となっていた．

とくに，近年のコンテナ船の高速化により，近距離間の貿易では，銀行間の書類受渡しが貨物の流れに追いつかないケースが増えてきている．すなわち，輸入者が貨物を受け取るためには，「船荷証券」（B/L：Bill of Lading）と呼ばれる船積み書類が必要であるが，貨物が港に到着しているにもかかわらず，銀行経由で船荷証券が到着していないため，貨物が受け取れないといった事態が発生している（こうした事態は，「船荷証券の危機」と呼ばれる）．

こうした状況を打開するために，船荷証券を含む貿易関係の書類の電子化を推進することにより，貿易実務の効率化を進めようとする動きが，世界的にみられている．こうした動きは，「貿易金融EDI[13]」とも呼ばれ，代表的なものとしては，欧州を中心とする「Bolero[14]」や日本における「TEDI[15]」（Trade Electronic Data Interchange）などがある．ただし，両者とも，幅広く利用されるには至っていない．

こうした状況下，SWIFTでは，2002年に「貿易サービス諮問グループ」

---

13) EDIは，Electronic Data Interchange（電子データ交換）の略．
14) 「Bolero」は，貿易関連書類を電子的に安全な方法で伝送するためのグローバルで中立的なプラットフォームを提供することを目的として，1998年にSWIFTとTTクラブ（Through Transport Club：船会社や港湾当局が参加）の折半出資によって設立され，1999年9月より商用サービスを開始している．ちなみに，Boleroは，Bill of Lading Electronic Register Organizationの略である．

(TSAG：Trade Services Advisory Group）を組織して，貿易関連書類の電子化について議論を行った．このTSAGでの議論を経て，TSUのコンセプトが固められ，開発や実用化テストのフェーズを経て，2007年4月にTSUが稼働を開始した．

【BOX8-1】L/C取引から送金取引へ

　貿易取引の決済は，長年にわたって「信用状」によって行われてきており，「貿易金融」と「信用状取引」（L/C取引）とはほぼ同義語となっていた．しかし近年，信用状を用いずに，単純な送金により貿易取引の決済を行う動きが広汎化してきている．こうした決済方法は，「オープン・アカウント」（送金ベース）と呼ばれ，全世界的には貿易取引のうち，80％以上がオープン・アカウントによって行われるようになっている（ただし，アジアでは依然としてL/C取引のウェイトが高い）．

　こうした送金ベースへのシフトにより，これまで貿易金融を担ってきた銀行では，①貿易に関するファイナンスの機会を喪失する，②物流と決済との連動関係がなくなり，貿易の商流情報が得られない，などのデメリットが生じている．

　一方，依然20％を占める信用状取引は，今後も残存するものとみられており[16]，手間のかかる信用状のチェックや書類の不一致（ディスクレ）の確認・訂正などの業務について，合理化を進めることが急務となっている．TSUの導入には，こうした背景もある．

15）「TEDI」は，経済産業省のバックアップを受けて進められた貿易取引電子化推進プロジェクトである．1998〜2000年にかけて開発と実証実験が行われ，2000年11月にはTEDIの普及を進めるための団体である「TEDI Club」が設立された．また，2001年8月には事業会社である「テディ・アドバンスト・ネットワーク㈱」（TEDIANET）が設立され，2001年11月には実用化サービスを開始した．しかし，結局，十分なユーザー数を獲得することができず，同社は2005年3月にサービスを終了している．

16）SWIFTの調査によると，世界の貿易は年率8％で拡大しているのに対し，L/C取引は年率2〜3％のペースで増加している．このため，貿易取引の決済におけるL/C取引のウェイトは低下を続けているものの，L/C取引は件数ベースでは依然として増加傾向にある．

(2) TSUのコンセプト

TSUは，①マッチング・システムである点，②インターバンクのシステムである点，③インフラとしての位置づけ，などが特徴となっている．

①マッチング・システム

TSUは，一般に「中央マッチング・システムであり，ワークフロー・エンジンである」と説明される．すなわち，銀行間でやりとりされる貿易関連書類を定型化して電子化し，その内容を自動マッチング（照合）する仕組みであり，マッチング結果に基づいて，当事者間の業務の流れ（ワークフロー）をコントロールすることができる．

従来の信用状取引では，輸出側銀行（通知銀行）から輸入側銀行（発行銀行）へと紙ベースの貿易関連書類が送り届けられ，発行銀行において書類の審査が行われていたが，TSUでは，SWIFTのネットワーク上で貿易関連データが電子的にマッチングされ，両サイドの銀行に通知される．これにより，業務の効率化と迅速化が達成される仕組みとなっている．

なお，TSUの機能はマッチングに限定されており，これを受けた資金決済自体は，TSUの対象には含まれていない．

②インターバンク・システム

TSUでは，業務の範囲を「インターバンク」（銀行間）に限定している．銀行と企業間のデータのやりとりは，ファームバンキング，インターネット，FAX，紙ベースなど，各銀行のやり方に一任することとしており，SWIFTはこの部分には一切関与しない．また，輸出企業と輸入企業との間の売買契約，船積み・搬送，通関などについても，TSUの対象外となっている．

これは，先行したプロジェクトであるBoleroが，物流や税関なども含む貿易実務全般を電子化することを目的として，すべての貿易当事者（輸出入業者，銀行，船会社，保険会社，通関当局など）の幅広い加盟を目指して苦戦したのとは，対照的なアプローチとなっている．

③インフラとしての位置づけ

　TSUは，参加銀行が取引先企業に対してサービスを提供するための「インフラ」（common shared platform）として位置づけられている．このため，各銀行では，TSUを利用して企業に提供するサービスの内容，料金体系などを，各行の判断によって，独自に決めることができる．

(3) TSUのスキーム

　TSUは，銀行間の貿易書類（commercial data）を定型フォームで電子化し，そのマッチングを行って，結果を銀行に通知する仕組みである．作業フロー（work flow）は，「ステータス」（status）として規定されており，それぞれのステータスにおいて銀行が送ることのできる指図が定められている．

　TSUにおいては，まず取引に関する基本データである「ベースライン・データ」（baseline data）が一方の銀行から送信されることにより，処理過程（transaction life）がスタートする．その後，納品・請求データ（invoicing data）や輸送データ（transport data）などが追加されて照合されることになる．

①ステータス

　TSUにおいては，処理過程の段階を示す「ステータス」が定められている．ステータスは，銀行側の指示や照合の結果によって変更される．

　定められているステータスとしては，①ベースラインの提案（proposed），②ベースラインの一部合致，③ベースラインの照合完了（established），④ベースラインの利用可能（active），⑤ベースラインの修正要求，⑥ステータスの変更要求，⑦すべての照合完了（complete），⑧取引の再開，⑨ベースラインの閉鎖（closed），などがある．

②データ・セット

　TSUで用いられるデータ・セットとしては，①コマーシャル・データ（取引・納品・請求に関するデータ），②トランスポート・データ（船積みに関するデータ），③保険データ（貨物の保険に関するデータ），④証明書データ（原産地

証明などのデータ）の4種類がある．

　これらのデータは，銀行が取引先の企業から，ファームバンキングなどの手段によって入手し，XMLメッセージに変換して，TSUに送信することになる．

③ベースラインの確立

　ベースライン・データについて，両方の銀行による照合が完了することを「ベースラインの確立」(establishing a baseline) という．ベースラインが確立されると，その後，インボイス，船積みなど他のデータがベースライン・データとの間で照合されることになる．

　ベースラインを確立する方法には，以下の2つがある．

(a) 3コーナー・モデル

　「3コーナー・モデル」は，1つの銀行が，取引に関するベースライン・データをTSUに送信するモデルである（図8-10参照）．これは，その銀行が，輸出企業と輸入企業の両方に対してサービスを提供している場合に該当するモデルである（こうしたケースは，比較的限定的とみられる）．

　3コーナー・モデルは，TSUでは「ロッジ・モデル」(lodge model) とも呼ばれる．TSUとの間で直接データをやりとりする銀行のことを「当事者銀行」(primary bank) と呼ぶが，ロッジ・モデルの場合には，当事者銀行は，1行のみとなる．

　ロッジ・モデルでは，ベースライン・データがTSUに送信されると，照合を必要とせずに，直ちにベースラインが確立される．

(b) 4コーナー・モデル

　「4コーナー・モデル」は，輸入側と輸出側の2つの銀行が関与するケースであり（こちらの方が一般的とみられる），両方の銀行からそれぞれ送信されたデータをTSUが照合することにより，ベースラインの確立が行われる．この場合，最初にどちらかの銀行がベースライン・データをTSUに送信すると，TSUではベースライン・データを受領したことを，相手先の銀行に自動的に通知する．その通知を受け取った銀行では，それに対応する自行分のベースラ

図8-10 3コーナー・モデルによるベースラインの確立

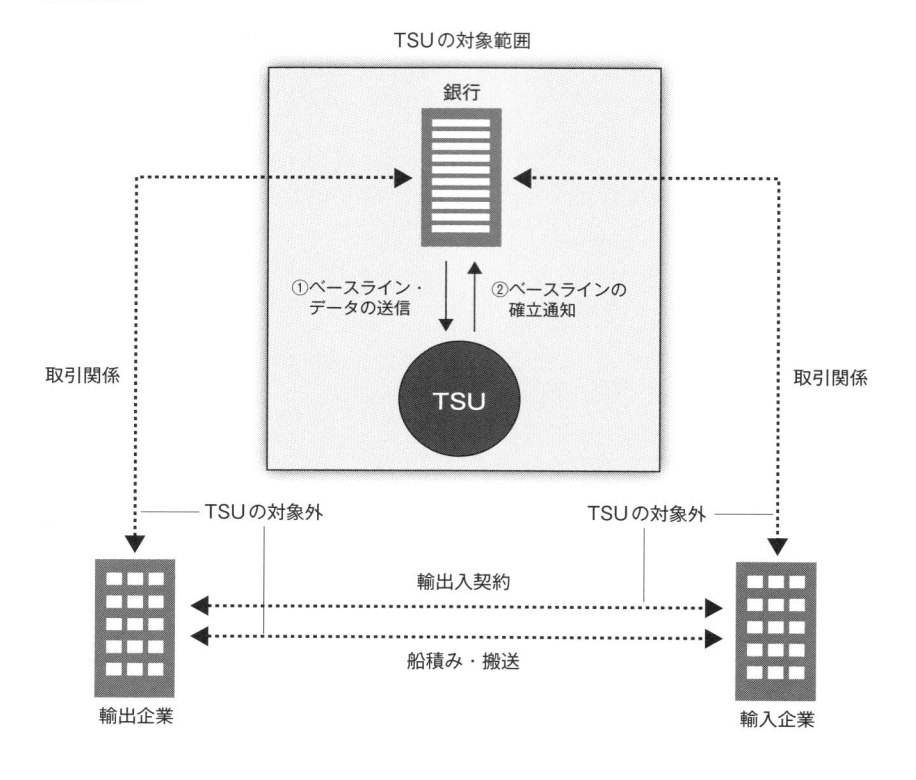

イン・データを送り返し,TSUにおいて,両方のデータのマッチングが行われる（図8-11参照）.

4コーナー・モデルでは,TSUを通じて2行間でデータがやりとりされることになるため,「プッシュ・スルー・モデル」（push through model）とも呼ばれる.同モデルでは,TSUとの間で直接データをやりとりする当事者銀行は,輸入側銀行（buyer's bank）と輸出側銀行（seller's bank）の2行となる.

このほかに,第3の銀行が当事者銀行を通じてTSUにデータを送る場合には,その銀行は「データ提出銀行」（submitting bank）と呼ばれる.つまり,銀行は,他行経由でTSUに間接参加することが可能である.逆にいうと,TSUに直接接続している当事者銀行（primary bank）は,他の銀行に対して,

第8章 | SWIFTソリューション

図8-11 4コーナー・モデルによるベースラインの確立

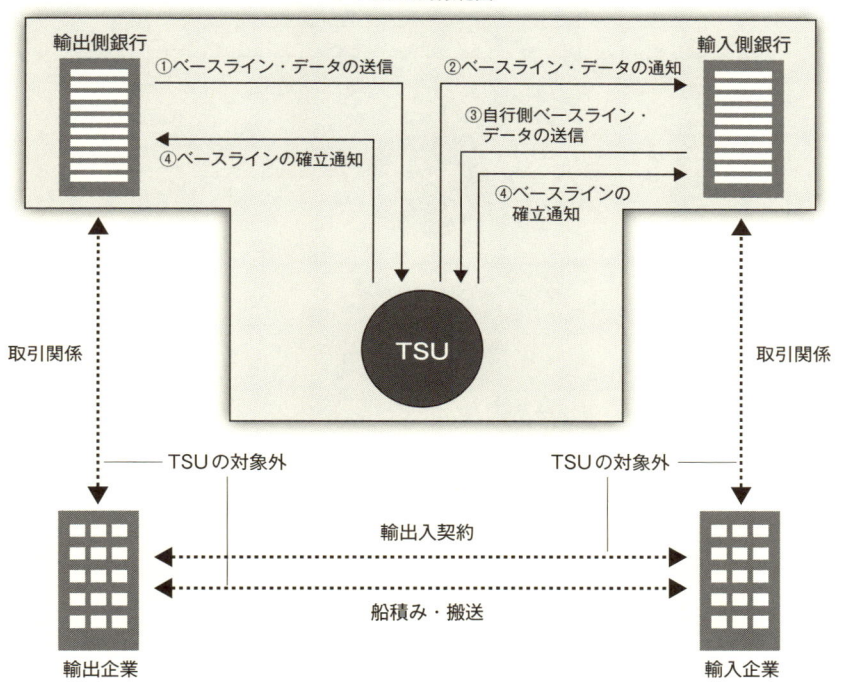

TSUを通じたサービスを提供することができる（図8-12参照）.

　プッシュ・スルー・モデルにおいて，両方の当事者銀行からのデータが合致すれば，ベースラインが確立され，ステータスは「ベースラインの確立」（established）となる．また，データのどこかに不整合があった場合には，TSUが両行に「不一致」（mismatch）を通知し，両行では，もう一度ベースライン・データを送信することが必要となる．

　なお，参加銀行とTSUとの間の通信は，SWIFTNetを通じて行われることはいうまでもない．

図8-12 当事者銀行とデータ提出銀行

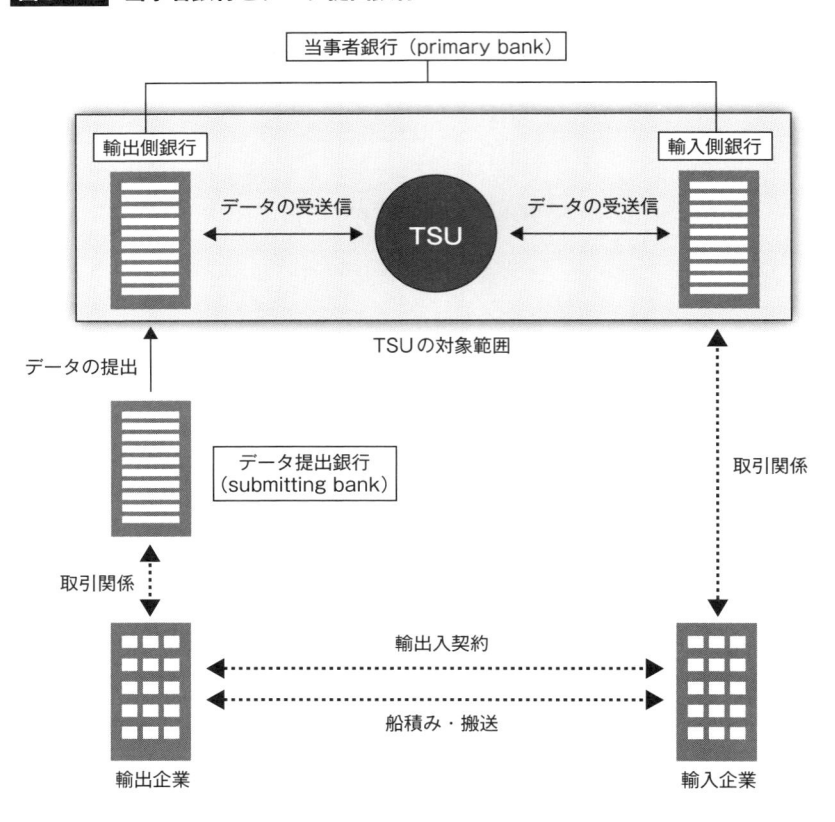

(注) 輸出側にデータ提出銀行があるケース.

④マッチング

TSUでは,マッチング・ルールに従って,データ・セットのマッチング(照合:data comparison)が行われる.マッチングは,①一方の銀行のベースライン・データと他方の銀行のベースライン・データとの間,および②確立されたベースラインと他のデータ・セットとの間,について行われる.

(a) 2種類の照合

データの照合方法には，「厳格な照合」と「緩やかな照合」の2種類がある．データ・セットを構成する各データ要素については，原則として1文字ごとの「厳格な照合」（strict comparison）が行われる．すなわち，データが完全に一致することが必要である．一方，いくつかのデータ要素（企業名など）については，「緩やかな照合」（loose comparison）が行われ，大文字と小文字，スペースの有無，句読点の違いなどは許容される．

(b) コア・データ

データ要素のうち，①輸出者，②輸入者，③輸出側銀行，④輸入側銀行，⑤取引番号は，取引において中核となる「コア・データ」（core data）とされる．これらのデータ要素に不一致があった場合には，TSUは，このメッセージを拒絶（reject）して，送信者に対してエラー通知を発出する．

⑤取引番号

新たな取引に関するベースライン・データがTSUに到着すると，TSUでは，その取引に固有の「取引番号」（TID：transaction identifier）を割り振る．その後の処理過程では，その取引に関するすべてのメッセージに，このTIDが含まれる．

⑥指図メッセージと通知メッセージ

銀行は，TSUに「指図メッセージ」（instruction message）を送ることによって，TSUに対して必要な指示を行う．指図メッセージとしては，「ベースライン・データの提出」，「修正の受諾」などがある．

一方，TSUでは，銀行に対する処理要請が発生した場合や，TSUでの処理が進展した場合には，銀行に対して各種の「通知」（report）を行う．なお，TSUでは，取引が終了（close）した後180日の間，すべてのメッセージが保存される．

TSUで用いられるメッセージは，XMLベースのメッセージ（MX）であり，

図8-13 TSUメッセージの構成

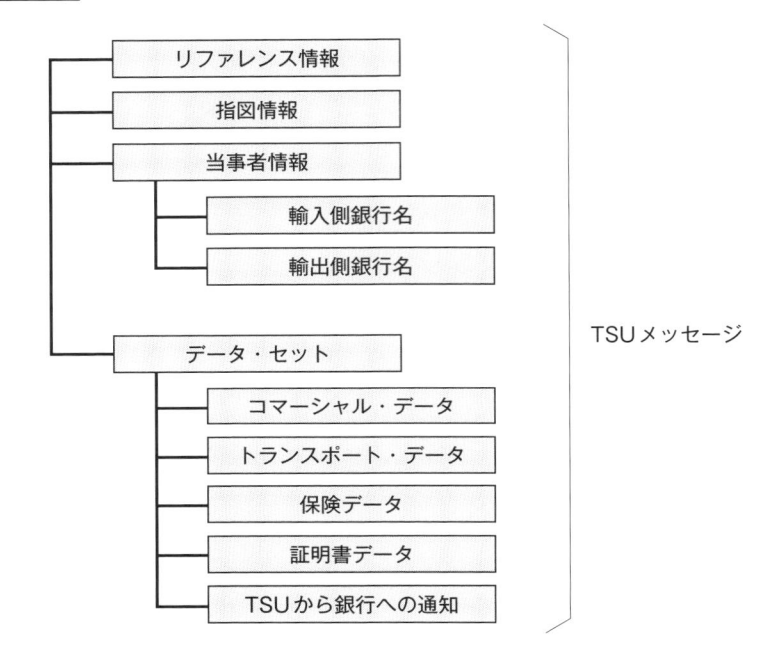

```
┌─ リファレンス情報
├─ 指図情報
├─ 当事者情報
│    ├─ 輸入側銀行名
│    └─ 輸出側銀行名                    } TSUメッセージ
└─ データ・セット
     ├─ コマーシャル・データ
     ├─ トランスポート・データ
     ├─ 保険データ
     ├─ 証明書データ
     └─ TSUから銀行への通知
```

①リファレンス情報, ②指図情報, ③当事者情報, ④データ・セット, などから成っている（図8-13参照）.

⑦TSUのワークフロー

TSUのワークフローの概略を示したのが, 図8-14である.

（a）ベースラインの確立

まず, 輸出側銀行と輸入側銀行がそれぞれ自行側のベースライン・データを送信する「ベースラインの提案」を行う. そのあと, 両方のデータ間のマッチングが行われる. 両方のベースライン・データの内容が合致することが確認されると「ベースラインの確立」が行われ, 両方の銀行に対して確立通知が行われる.

図8-14 TSUのワークフロー（4コーナーモデル）

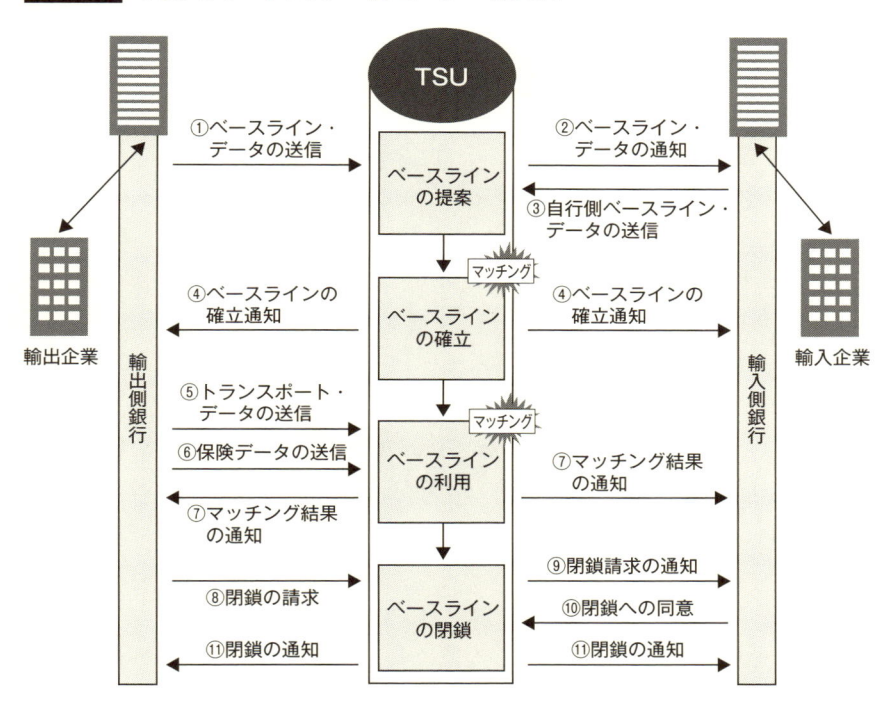

（フロー図：輸出企業 — 輸出側銀行 — TSU — 輸入側銀行 — 輸入企業）

- ①ベースライン・データの送信
- ②ベースライン・データの通知
- ③自行側ベースライン・データの送信
- ベースラインの提案 → マッチング → ベースラインの確立
- ④ベースラインの確立通知
- ⑤トランスポート・データの送信
- ⑥保険データの送信
- ベースラインの利用 → マッチング
- ⑦マッチング結果の通知
- ⑧閉鎖の請求
- ⑨閉鎖請求の通知
- ⑩閉鎖への同意
- ベースラインの閉鎖
- ⑪閉鎖の通知

(b) 他のデータ・セットとの照合

その後，トランスポート・データや保険データなどがTSUに送信され，ベースライン・データとの間で，マッチングが行われて，その結果が両方の銀行に通知される．

(c) ベースラインの閉鎖

取引が終了して，ベースラインを閉鎖する場合には，まず，一方の銀行から閉鎖の要求が行われる．他方がそれに同意すると，ベースラインが閉鎖され，両行に対して，閉鎖の通知が行われる．

⑧BPO

TSUには，リリース2（2008年11月に導入）から「BPO」（Bank Payment Obligation）と呼ばれる機能が追加された．これは，ベースラインの確立を条件として，輸入側銀行（buyer's bank）が，輸出側銀行（seller's bank）に対して支払の意思を通知する仕組みである．

輸入側銀行では，「支払意向通知」（Intent to Pay Notification）をTSU経由で輸出側銀行に送ることによって，貿易代金の支払を行う意思があることを通知する．支払意向通知は，輸入側銀行が輸出側銀行に対して，一定期間内に支払を行う意向であることを通知するメッセージである（たとえば，90日以内に支払を行う意向を通知する）．

しかし，これはあくまでも情報（only information）であって，輸入側銀行は，このメッセージを発出したからといって何ら法的な義務を負うものではない（no obligation）とされる．その意味では，法的には拘束力のない，やや中途半端な性格のものとなっている．ただし，SWIFTでは，輸出側銀行は，支払意向通知を受け取ることによって，ある程度の安心感をもちつつ，輸出企業との取引（輸出のファイナンスなど）を進めることができるメリットがあるものとしている．すなわち，BPOは，信用状ほどは拘束力が強くないが，輸出側銀行と輸入側銀行との間の信頼感を高め，ビジネスを円滑化する役割を果たすものとして期待されている．

この仕組みにおいて，BPOを引き受ける（支払の意向を表明する）銀行のことを「債務銀行」（Obligor bank）と呼ぶ．債務銀行は，輸入側銀行または輸入サイドのデータ提出銀行などが該当する．一方，支払を受ける銀行のことを「受取銀行」（Recipient bank）と呼び，通常，輸出側銀行が受取銀行となる．

(4) TSUのメリットと展望

①TSUのメリット

TSUの利用によって，銀行サイドでは，銀行の貿易取引への関与度合い（visibility）が高まり，貿易ファイナンスの機会が増えるというメリットがあるものとされる．また，TSUは，単純な送金による決済に比べれば，銀行に

とっては高い収益性をもたらすため,今後L/C取引から(銀行にとって収益性の低い)送金取引へのシフトが予定されている場合には,TSUベースに誘導することにより,収益確保が図れるものとされている.さらに,銀行内において,貿易ドキュメントのチェック作業の必要がなくなることによる合理化効果も大きい.

また,輸出入企業においても,①輸出企業は,輸出代金をタイムリーに(早期に)受け取れるようになる[17],②輸入企業は,早い決済条件をもとに輸出企業との交渉(価格,納期など)を有利に進めることができる,③輸出企業・輸入企業ともに,紙ベースの書類の作成・処理などが不要となり,事務処理にかかるコストを削減できる,などのメリットがあるものとされる.

②TSUの展望

TSUの位置づけは,ペーパーベースの「L/C取引」と船積み書類を用いない「送金ベース取引」との中間にあるものとみられる.L/C取引は,銀行にとって高収益(利用企業にとっては高コスト)である一方,事務負担が重い.一方,送金取引では,銀行に事務負担は生じないものの,収益性は低い(利用企業にとっては低コスト).TSUは,銀行の収益性(企業にとってのコスト),銀行の関与などの面で,両者の中間にあたる.

すでに送金ベースでの取引を行っている場合には,輸出企業と輸入企業の間ですでに信頼関係が構築されているため,銀行による信用補完は必要とされない.また,貿易のためのファイナンス(資金調達)についても,輸出企業が自力で手当てできている場合が多い.このため,貿易書類を必要としないクリーン送金から,貿易書類を前提とするTSUベースの取引へと逆方向にシフトすることはなかなか考えにくいものとみられる.したがって,実質的には,TSUが取り込むべき対象は,現状L/Cによって行われている取引ということになろう.L/C取引は,全世界ベースで2割,日本の場合には3割を占めてい

---

[17] すでにTSUを利用して中国からの輸入を行っているイトーヨーカ堂では,「TSUの導入によって,輸出者が書類を提示してから資金を受け取るまでの期間が,それまでの12日間から4日間に短縮された(これに伴って納期の短縮が実現された)」としている(Sibos 2007での発表による).

るが，とくに中国をはじめアジア諸国ではL/C取引のウェイトがかなり高いものとされており，こうした国との貿易取引が，邦銀にとってはTSUの主たるターゲットとなろう．

上述の4コーナー・モデルを前提とすると，TSUを実用化するためには，輸出側，輸入側の双方の銀行がTSUに対応していることが必要条件となる．TSUサービスの提供銀行は，先進国の銀行を中心に29カ国の95行となっている[18]（2008年末）が，この数をさらに増やしていくことがTSUを普及させていくための喫緊の課題であろう．

5 FIXサービス

SWIFTでは，証券取引にかかるFIXプロトコルによるメッセージ交換を可能にする「FIXサービス」（FIX over SWIFT）を提供している．

(1) FIXプロトコル

「FIX（Financial Information eXchange）プロトコル」とは，証券取引（トレーディング）に関連するメッセージを電子的に交換するための標準プロトコルであり，通信標準とメッセージ標準を定めている．FIXプロトコルは，主として，取引のオファー（約定前段階）からオーダー（約定段階）までのメッセージをカバーしている[19]．FIXプロトコルは，株式をはじめ，債券，外為，デリバティブなどの市場におけるフロント・オフィスで幅広く用いられており，証券取引における「事実上の業界標準」（de facto standard）となっている．

証券の取引が行われてから決済が終了するまでの「証券取引のライフサイクル」（trade life cycle）において，FIXプロトコルは，取引のオファーから約定までの前半プロセスを対象としている．これに対して，SWIFTのメッセージ標準は，主として約定後から決済までの後半のプロセスをカバーしており，両方の標準が証券取引の前半・後半で役割を分担するかたちとなっている．

---

18) わが国のメガバンク3行を含む．
19) このほか，アロケーション（配分指図），約定確認（コンファメーション）など，約定後のメッセージも一部含まれている．

FIXサービスは，前半の約定段階のメッセージについても，SWIFTのネットワークで交換したいとのユーザーのニーズに応えて提供されているものである．

（2）FIXサービスの仕組み

FIXサービスは，SWIFTのネットワーク上のサービスというよりは，SWIFTのネットワークを通じて，FIXプロトコル用のネットワークである「UL NET」への接続を可能とするサービスである[20]．

UL NETには，多くの証券会社がリンクしている一方，SWIFTには，多くのカストディアンがユーザーとなっている．FIXサービスは，両方のネットワークを接続することにより，証券会社とカストディアンの間のメッセージ交換（FIXプロトコルによる約定データ等の連絡）を可能にしている．

FIXサービスは，「コンペティターからパートナーへ」というSWIFTの戦略によって実現した仕組みであり，UL NETを運営するULLINK社との提携に

図8-15 FIXサービスの構成（概念図）

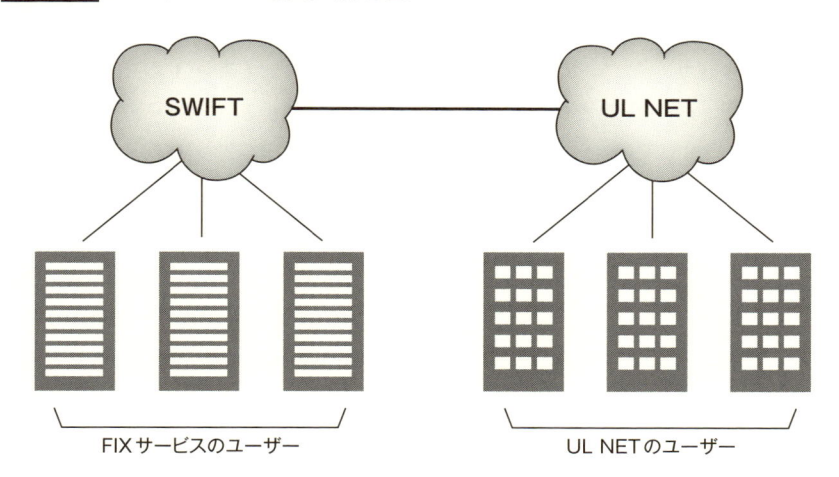

FIXサービスのユーザー　　UL NETのユーザー

---

20) UL NETへの接続方法は，従来，専用線とVPN（Virtual Private Network）の2種類であったが，これに加えて，SWIFT経由での接続が可能となったかたちである．

よって，2007年3月から旧サービス（FIX）に代わって導入された．

⑥ データ配信サービス

「データ配信サービス」（Data Distribution）は，市場データのプロバイダーや証券取引所などが，価格，出来高，コーポレートアクションなどのデータを，SWIFTのネットワークを通じてSWIFTユーザーである金融機関に配信することを可能にするサービスである．

（1）データ配信サービスの概要

金融機関では，データ・プロバイダーや市場インフラなど，様々な配信元から種々のデータを入手する必要がある．これまで，こうしたデータは，異なった通信手段により，別々のフォーマットで送られており，金融機関では，複数の先から受け取ったデータを変換するためのシステムやソフトウェアのメンテナンスを行ったり，手作業によりデータを修正したりすることが必要となっている．SWIFTの「データ配信サービス」は，こうした部分の共通化を進め，データ処理のSTP化を進めるためのものである．

すなわち同サービスでは，配信元からのデータが，SWIFTのネットワークを通じて[21]，統一されたフォーマットにより電子ベースで届けられる．統一フォーマットは，国際標準であるISO 15022や市場慣行に準拠したものとなっている．このため，各金融機関（データの受け手）では，データのキー入力やファイル形式の変換などが必要なく，オンラインで受領したデータをそのまま自行のシステムと連動させて利用することができる．また，すべてのデータがSWIFTのネットワークを通じて配信されるため，配信元ごとに異なるネットワークに接続したり，そのメンテナンスを行ったりする必要がないというメリットもある．

データ配信サービスを利用するデータ・プロバイダーや市場インフラでは，クローズド・ユーザー・グループ（CUG）を組織して，対象のユーザーに送

---

21) メッセージング・サービスとしては，FINサービスとFileActサービスが用いられる．

表8-1 データ配信サービスの利用先

> オーストラリア証券取引所（ASX）
> シンガポール証券取引所（SGX）
> ロンドン証券取引所（LSE）
> DTCC（米国のCSD）
> Interactive Data
> Telekurs
> WM Datenservice

信を行う．

同サービスにより配信できるデータとしては，以下のようなものがある．

①コーポレートアクション情報
②リファレンス・データ[22]（参照情報）
③価格情報
④新規発行情報やその目論見書
⑤株主総会に関する情報
⑥取引量のデータ
⑦インデックスのデータ（価格，指数など）

(2) データ配信サービスの利用状況

2008年12月現在で，表8-1のような先（証券取引所，証券決済機関，市場データ・プロバイダー）がデータ配信サービスを利用しており，SWIFTNetを通じて市場データやコーポレートアクション情報の配信を行っている．

7 コーポレートアクション・サービス

「コーポレートアクション・サービス」（Corporate Actions）は，コーポレートアクション（株式分割，株式併合，M&Aなど，保有株式の権利・配当の変更に関する情報）について，企業サイド，市場インフラ，カストディアン，機

---

[22] ISIN（国際証券識別コード）などの証券コード情報，証券の属性（クーポン，償還日，発行国など）に関する情報など．

関投資家などの間で，標準化されたかたちで通知や指図の伝達を行うサービスである．

（1）コーポレートアクション・サービスの概要

コーポレートアクションには，数多くの種類があり，また内容が複雑なケースも多く，さらに情報の発信元となる企業サイドでの情報提供フォーマットの標準化が進んでいない．コーポレートアクション・データは，一般に，株式の発行企業 → データ・プロバイダー → カストディアン → 機関投資家の順に伝達され，機関投資家の指図が必要な場合には，この逆の順序で指図が発行企業に伝えられる．

SWIFTのメッセージ（MT）は，かなりの種類のコーポレートアクションに対応しており，7〜8割についてはMTによる連絡が可能である．カストディアンはSWIFTへの参加比率が高く，機関投資家も大手の多くはSWIFTユーザーとなっている．ただし，コーポレートアクションは，ロー・ボリュームである（件数が少ない）ため，とくに機関投資家サイドのシステム対応が進んでいない．このため，カストディアンと機関投資家との連絡は，主としてマニュアル処理（手作業，FAXやeメールによる通知など）に依存しており，証券業務のなかでも，最もSTP化が遅れている分野となっている．

コーポレートアクション・サービスは，証券メッセージ・フォーマットの国際業準であるISO 15022に準拠しており，標準化されたメッセージを採用することにより，コーポレートアクションの通信の効率化と自動化を図るためのものである．

（2）コーポレートアクションのメッセージ

ISO 15022に準拠するコーポレートアクションのメッセージ（MT）としては，表8-2のようなものがある．

機関投資家から資産管理の委託を受けているカストディアンなどの「口座管理者」（Account Servicer）から，機関投資家などの「口座保有者」（Account Holder）に対して，「配当の通知」を行うケース[23]について，メッセージの流れをみると，図8-16のとおりである．

第8章 SWIFTソリューション

表8-2 コーポレートアクションのメッセージ

メッセージ・タイプ	タイトル	内容
MT564	コーポレートアクションの通知（Notification）	コーポレートアクションの内容の通知。予備的情報（preliminary information）と最終情報（complete information）とがある。
MT565	コーポレートアクションの指図（Instruction）	コーポレートアクションに対する投資家の対応が必要なケースについて，投資家からカストディアンへの指図。
MT566	コーポレートアクションの確認（Confirmation）	コーポレートアクションに基づく資金・証券の増減についての投資家への通知。
MT567	コーポレートアクションのステータス通知（Status and Processing Advice）	投資家の指図に関するステータス，処理状況についての通知。
MT568	コーポレートアクションの説明（Narrative）	複雑な指図やコーポレートアクションについての文章での説明を行う通知。

図8-16 コーポレートアクションのメッセージの流れ（配当の通知のケース）

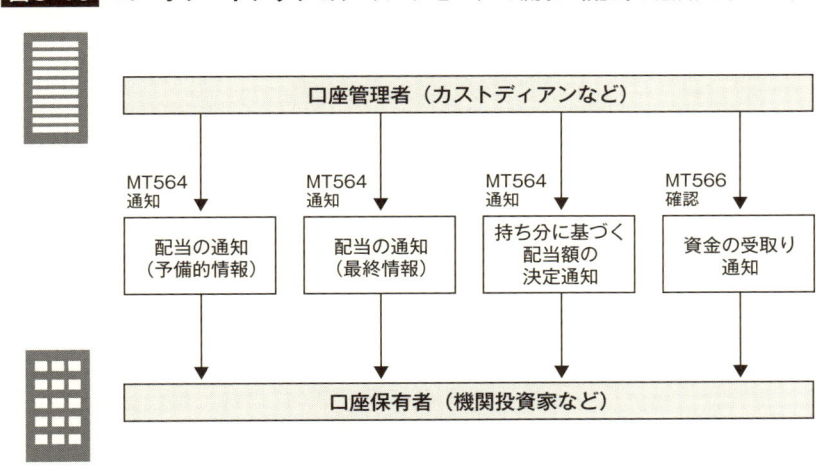

```
          口座管理者（カストディアンなど）
            │        │        │        │
          MT564    MT564    MT564    MT566
          通知     通知     通知     確認
            ▼        ▼        ▼        ▼
        配当の通知  配当の通知  持ち分に基づく  資金の受取り
        （予備的情報）（最終情報） 配当額の      通知
                              決定通知
            │        │        │        │
            ▼        ▼        ▼        ▼
          口座保有者（機関投資家など）
```

---

23) これは，投資家サイドの判断・対応が必要とされない「必須イベント」（mandatory event）である。このほかに，株式の公開買付け，増資のオファーなど，投資家サイドの対応が必要な「任意イベント」（voluntary event）がある。

(3) 関連サービス

①STaQS

コーポレートアクションの詳細については，SWIFTユーザーの代表によって構成されている各国の「証券市場慣行グループ」（SMPG：Securities Market Practice Group）が，「EIG」（Event Interpretation Grid）と呼ばれるイベントごとの各国市場での違いについての比較表を作成しており，これが市場慣行のガイドラインとなっている．

SWIFTでは，ユーザーがコーポレートアクションのメッセージがEIGや市場慣行に沿っているかどうかを確認（self-test）することができる「STaQS」（Simulation Testing and Qualification Service）と呼ばれるサービスを導入している．

②議決権の代理行使サービス

SWIFTでは，同じく株主の権利に関するサービスとして「議決権の代理行使サービス」（Proxy Voting）を提供している．これは，投資家がカストディアンやエージェントを通じて議決権を行使する際のメッセージをISO 20022によるXMLベースで標準化し，SWIFTのネットワークで通信できるようにしたものである．議決権の行使プロセスは，前述のコーポレートアクションと同様に標準化が進んでおらず，手作業のウェイトが高い業務分野となっているが，こうした標準メッセージをSWIFTのネットワークを通じて関係者の間でやりとりすることによって，議決権行使のプロセスについてのSTP化を図ることを目指している[24]．

議決権行使に関するメッセージとしては，(a) 株主総会の通知（meeting notification），(b) 議決権の行使（voting），(c) 投票結果の確認と通知（confirmation, meeting result dissemination），などが設けられている．議決権行使にかかる関係者には，株式の発行企業，企業の発行エージェント，証券取引所，証券決済機関（CSD），市場データ・プロバイダー，議決権行使エージ

---

[24] 国際分散投資の進展により，海外の企業に対する議決権の行使（cross-border proxy voting）が増えてきており，こうしたSTP化へのニーズが高まっている．

ェント,カストディアン,機関投資家(ファンド・マネージャー,ヘッジファンドなど)などが含まれる.

同サービスには,SWIFTのInterActサービスのストア&フォワード・メッセージが用いられる.関係者は,クローズド・ユーザー・グループ(CUG)を組成して,メッセージのやりとりを行う.

8 デリバティブ・サービス

「デリバティブ・サービス」(Derivatives)は,SWIFTのネットワーク上で,OTCデリバティブ用のFpMLメッセージの交換を行うサービスである[25].取引量が急拡大するOTCデリバティブ取引について,主として,取引後の処理(post-trade processing)を合理化することを目的としている.2008年末現在で113のユーザーがデリバティブ・サービスを利用している.

(1) FpMLメッセージとISDA

「FpML」(Financial products Markup Language)は,OTC(Over the Counter:店頭取引)デリバティブ用のメッセージ標準である.FpMLは,SWIFTの次期メッセージ標準である「MX」と同様に,XML(拡張可能なマークアップ言語)をベースとしている.

FpMLは,「ISDA」(International Swaps and Derivatives Association:国際スワップデリバティブ協会)が開発し,管理を行っている.FpMLは,通貨,金利,株式などに関するスワップ取引,オプション取引やクレジット・デフォルト・スワップ(CDS)取引など,幅広いデリバティブ取引を対象としており,複雑なエキゾチック商品もカバーされている.また,対象業務としては,約定段階から,価値評価,コンファメーション,修正,ポジション報告,契約終了まで,幅広い範囲をカバーしている.

FpMLは,送金・決済分野におけるSWIFTメッセージや,証券取引の分野におけるFIXプロトコルなどと同様に,デリバティブ業界における「事実上の

---

[25] このため,2008年夏までは「FpMLサービス」と呼ばれていた.

業界標準」となっている．ただし，FpMLは，単なるメッセージ標準であり，それをサポートするネットワークについては，取決めがなかった．

こうしたなかでSWIFTでは，SWIFTNetによるFpMLメッセージのサポートについて，2006年6月にISDAと協定を結び，協力して準備を進めた．そして，2007年10月にバージョン1（Release1）が導入されて，SWIFTのネットワークでのFpMLメッセージの通信が可能となった．また，2008年3月にはバージョン2（Release2）が導入されて，機能が拡充された．2009年には，FpMLメッセージを用いたAccordサービスによるコンファメーションのマッチング（照合）も導入される予定である．

（2）デリバティブ・サービスの概要

デリバティブ・サービスは，SWIFTNet上でFpMLメッセージの交換を可能にしたものであり，メッセージング・サービスとしては，InterActのストア＆フォワード方式が利用される．

バージョン1では，まず，投資家（asset manager）がカストディアンに対して行う「取引通知」（contract notification）のメッセージの取扱いが可能となった．取引通知のメッセージには，①新規取引の通知（ContractCreated），②取引額の増額通知（ContractIncreased），③ノベーション（当事者交替）の通知（ContractNovated），④契約の一部終了の通知（ContractPartialTermination），⑤取引のすべての終了通知（ContractFullTermination），などが含まれる．

次いでバージョン2では，取引通知プロセスにおけるキャンセル関連のメッセージと，ディーラー同士の間における「取引確認プロセス」（confirmation process）が追加された．ディーラー間の取引確認のメッセージとしては，①新規取引の確認（RequestTradeConfirmation），②確認済み取引の変更（ModifyTradeConfirmation），③確認済み取引のキャンセル（CancelTradeConfirmation），などがある．

ただし，これだけでは，デリバティブ取引のすべてのプロセスをカバーしておらず，今後も同サービスの対象業務は拡大するものとみられる．

図8-17 デリバティブ・サービスの対象業務

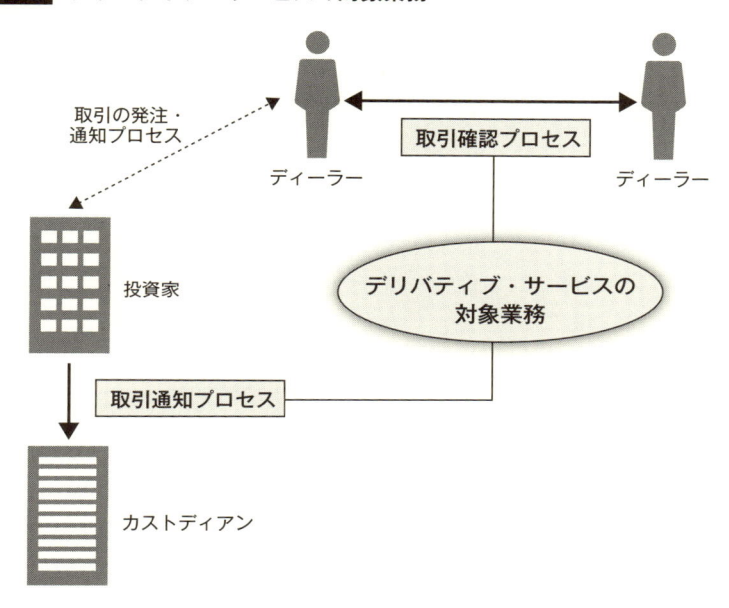

[図：ディーラー間の取引確認プロセス、投資家からの取引の発注・通知プロセス、カストディアンへの取引通知プロセスを示す。中央に「デリバティブ・サービスの対象業務」]

(3) ローン・サービス

SWIFTでは，同じくFpMLメッセージを利用するサービスとして，シンジケート・ローン[26]用に「ローン・サービス」（Loans）を提供する予定である．これは，ユーロクリア・バンクのサービスである「LoanReach」やDTCCのサービスである「Loan/SERV」のネットワークとして，SWIFTを利用するものである．

サービス提供者（ユーロクリア・バンク，DTCC），エージェント（loan agent），参加金融機関（lender）などが，クローズド・ユーザー・グループ（CUG）を組成してSWIFTを利用し，シンジケート・ローンの組成（貸出条件の通知など），ローンの中間管理（元利金の支払，手数料の徴収，金利変更の通知など）等に関する諸連絡を標準的なメッセージにより交換する．2008年11月から，

---

[26] 大口の借入に対し，複数の金融機関が，幹事役（エージェント）の取りまとめにより，同一の条件・契約により，協調してシンジケート団を組成し，融資を行う手法のこと．

パイロット・プロジェクトが行われている.

❾ ファンドサービス

「ファンドサービス」(Funds) は，投資信託 (mutual fund)，ヘッジファンドなどのファンド業界の関係者間で，標準化されたメッセージにより，必要な業務フローを行うためのメッセージ・サービス (messaging solution) である．ファンド処理の自動化，STP化をサポートすることを目的として，2004年10月より導入されている．

(1) ファンド業界の関係者

ファンドサービスが対象とするファンド業界の関係者としては，投資家，仲介業者，ファンド販売業者，販売プラットフォーム，運用会社などのほか，これらに対するサービス提供者が含まれる．サービス提供者としては，トランスファー・エージェント，登録機関 (registrar)，会計事務所 (fund accounting agent)，受託者 (trustee)，カストディアン，資産運用部署 (portfolio manager) などがある．すなわち，ファンドサービスは，ファンドに関する取引チェーン (transaction chain) のすべての関係者を対象としている．また，国内取引とクロスボーダー取引の両方を含んでいる．

これまで，これらの関係者の間での諸連絡は，かなりの部分がFAX，eメール，独自のフォーマットによるファイルの送付などによって行われており，STP化を進めることが急務となっている．また，今後のファンド業界のボリュームの増大を考えると，手作業ではいずれ限界がくるものとみられている．ファンドサービスは，こうした業界のニーズに応えて，ファンド取引のライフサイクル全般にわたってSTP化を図ることを目的としている．

(2) 対象業務とメリット

ファンドサービスの対象業務としては，①口座の開設と維持管理 (account management)，②発注と発注確認 (order flow)，③ファンドの移管 (transfer flow)，④明細（ファンドの保有状況，取引状況など）の通知 (statement)，⑤

基準価額，キャッシュフロー予測，手数料などの通知（reporting），⑥目論見書の通知，などの幅広い業務が含まれる．

　これらのうち，メイン・フローは，ファンド管理業務を行う「トランスファー・エージェント」（信託銀行など）と「ファンド販売業者」（銀行，証券会社等）との間の設定・解約の連絡と，そのコンファメーション，ステータス確認などのメッセージである．

　同サービスは，当初ISO 15022に基づくMTによって行われていたが，その後ISO 20022に基づいたMXのメッセージが作成されており，現在，MTからMXへの移行が進められている．

　ファンド業界の関係者は，ファンドサービスを利用することによって，受発注や各種のレポーティングを自動化して，業務のSTP化を進めることができ，これにより，人手の介入によるミスを排除し，業務コストを削減することができるものとされる．

　2007年からは，年金基金の分野で業務を行っている企業の団体である「IMSDG」（Investment Managers Straight-through-processing Development Group：ファンド・マネージャーSTP化推進グループ）のメンバー企業による利用も始まっている．同サービスのユーザーは，ファンド業界の主要プレーヤーを中心に，約1000社に達している（2008年末）．

⑩ SWIFTNetメール

(1) SWIFTNetメールの概要

　「SWIFTNetメール」（SWIFTNet Mail）は，安全性の高いSWIFTNetを通じて，ユーザー間でeメールをやりとりする仕組みであり，機密性の高い情報（sensitive information）の送信などに適している．従来，SWIFTの通信は，組織対組織のコミュニケーションに用いられてきたが，SWIFTNetメールは，SWIFTとしては初めての「個人間[27]の通信市場」（person-to-person messaging market）への進出となる．同サービスは，5カ月間のパイロット・

---

27) ただし，あくまでも「SWIFTに加盟する組織に勤務する個人間」である．

テストを経て，2007年5月に導入された．2008年末時点で，約50のユーザーがSWIFTNetメールを利用している．

(2) SWIFTNetメールの特徴

SWIFTNetメールは，以下のような点が特徴となっている．

①高い安全性の確保

SWIFTNetメールは，SWIFTのネットワーク（SWIFTNet）を通じてeメールが伝送されるため，高い安全性が確保されることが最大の特徴である．すなわち，メッセージは暗号化され，相手先への到着が保証され，否認防止[28]（non-repudiation）も確保される．また，クローズド・ユーザー・グループ（CUG）の組成によって，相手先がコントロールされるため，インターネットでの通信にみられるような迷惑メール（spam mail）やフィッシング[29]（phishing）などを回避することができる．

技術的にみると，SWIFTNet上では，eメールは，FileActの封筒（envelope）に入って伝送される（図8-18参照）．送信側のSWIFTNetメールのソフトウェアが，eメールをFileActの封筒に入れてネットワークに伝送する．一方，受信側のSWIFTNetメールのソフトウェアが，eメールをFileActの封筒から出して，自社のメールサーバーに転送する．

②導入の容易さ

導入が容易であることも，このサービスの特徴の1つとされている．ユーザー側で必要なのは，SWIFTへの接続機器（SAG：SWIFTAlliance Gateway）にSWIFTNetメール用のソフトウェア（SWIFTNet Mail Application）を追加することのみである．このため，社内のメール・システムには変更を加える必要がなく，そのまま使い続けることができる．各金融機関がどのような社内メ

---

28) 受信者（または送信者）が，事後になってその受信の事実（または送信の事実）を否定することができない機能のこと．
29) 偽のウェブサイトを用いて，個人情報や口座情報などを獲得する詐欺行為．偽のウェブサイトのURLリンクをeメールで送りつけることが多い．

図8-18 SWIFTNetメールの仕組み（概念図）

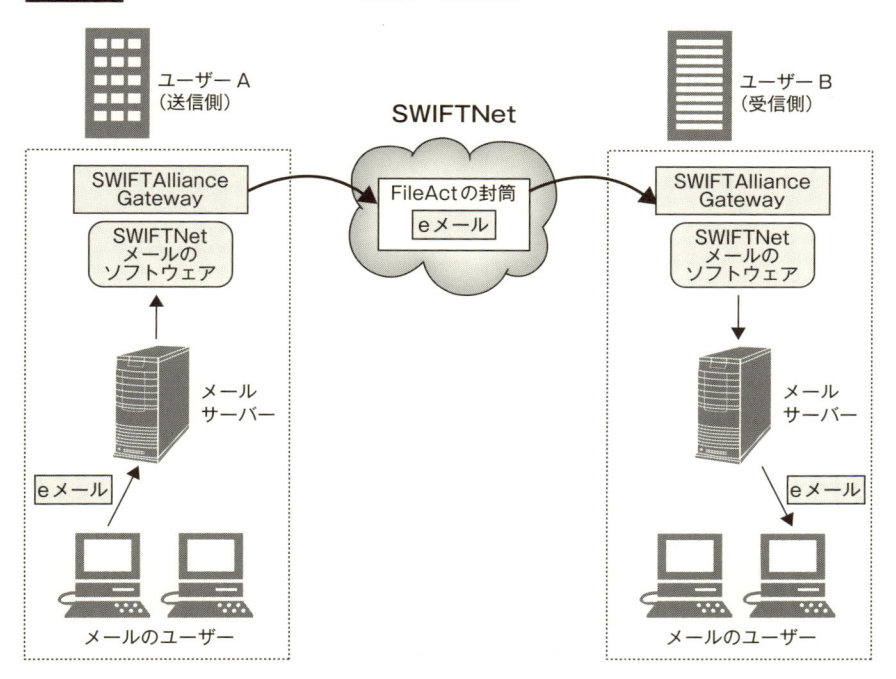

ール・システムを使っているかにかかわらず，SWIFTNetメールのユーザー間における互換性は確保される．

③利用の簡単さ

利用方法が簡単であることも特徴とされており，eメールの送信者は，受信者のアドレスの最後に「.swift」を追加するだけで，eメールは自動的にSWIFTNet経由で送信される．このため，エンド・ユーザーに対する特別なトレーニングは不要とされている．

11 Watchサービス

「Watchサービス」は，各ユーザーが自社におけるSWIFTの利用状況（ト

表8-3 Watchアナライザーのメニュー

メニュー	内容
トラフィック・アナライザー	FIN，InterAct，FileActのトラフィック量（送信量，受信量）について，自社分とSWIFTトータルについて分析することができる．メッセージタイプ別，BIC（銀行識別コード）別，国別，相手先別などにブレークダウンして分析できる．
メッセージ・コスト・アナライザー	自社の全世界の拠点におけるSWIFTのメッセージ・コストについて分析ができる．時間帯，地域，ビジネスライン，メッセージタイプなどにブレークダウンした分析が可能である．
総費用アナライザー（Billing Analyser）	自社がSWIFTにかけている総費用（インターフェース，メインテナンス，トレーニングなどのコストを含む）についての分析を行うことができる．製品やサービスごとのブレークダウンが可能である．年間予算の策定や部門間のコスト分担などに用いることができる．
マーケット・アナライザー	SWIFT全体のトラフィック量についての分析ができる．分野別，地域別のブレークダウンが可能である．各国におけるトップ10，トップ5のユーザーのシェアや，各種のトラフィックにおける自社の順位についても知ることができる．

ラフィック量，マーケット・シェア，メッセージ・コスト，SWIFTの総費用など）について分析を行うためのサービスである．Watchサービスには，自らがコストやトラフィックについての分析を行うことができる「Watchアナライザー」（Watch Analyser）と，定型的な分析結果を定期的に受け取る「Watchレポート」（Watch Reports）の2種類がある．

(1) Watchアナライザー

「Watchアナライザー」は，オンライン分析ツールであり，SWIFTの利用量やコストのデータ（毎月アップデートされる）について，SWIFT端末からのアクセスにより，①SWIFT全体のトラフィック量，②自社のトラフィック量，③相手先別やMT別のブレークダウン，④SWIFTのコストなど，必要な切り口で分析を行うことができる．Watchアナライザーのメニューとしては，表8-3のようなものがある．

(2) Watchレポート

「Watchレポート」は，独自の切り口による詳細な分析までは必要はないが，

定期的に自社のSWIFT利用状況について知っておきたいというユーザー向けのサービスである．Watchレポートのユーザーは，自社とSWIFT全体のデータについての定型の分析レポートを毎月受け取る．

分析レポートの主なものは，①FINのトラフィック量（分野別，相手先別，地域別），②自国における利用シェア，③BIC11（支店）レベルでの送受信先の上位200社，④FINのトラフィック・コスト，⑤SWIFTの総コスト，などである．

12 業務分野別のSWIFTソリューション

以上，SWIFTの付加価値サービス（SWIFT Solutions）のうち主なものについて述べたが，これらを業務分野別に分類したものが，表8-4である．とくに証券分野でのサービスが多くなっていることがわかる．

ユーザーは，これらのなかから必要なサービスを個別に選択して，利用することができる．

表8-4 SWIFTソリューションの分野別分類

送金・決済 (payment)	貿易金融 (trade)	外為・デリバティブ (treasury)	証券 (securities)
E&Iサービス キャッシュ・レポーティング	TSUサービス	Accordサービス デリバティブ・サービス ローン・サービス	FIXサービス データ配信サービス コーポレートアクション・サービス STaQS 議決権の代理行使サービス ファンドサービス
SWIFTNetメール Watchサービス			

第9章
事業法人によるSWIFTへのアクセス

　SWIFTは,もともと銀行向けのネットワークとしてスタートしたため,当初,銀行の顧客である「事業法人」(Corporate)は,SWIFTのネットワークに直接アクセスすることは認められていなかった.

　その後,1998年には,一部のメッセージ(コンファメーション)についてのみ,事業法人がSWIFTのネットワークを使うことができる「TRCO」というアクセス手法が導入され,一般企業によるSWIFTへのアクセス(接続)が初めて認められた.また2001年には,特定の金融機関が,自行の顧客グループ(user group)に対して,自行との間をSWIFTのネットワークで結ぶ「MA-CUG」という方法で,限定的に事業法人のSWIFTネットワークへのアクセスが認められた.ただし,この方法は,企業サイドからみると,複数の金融機関とSWIFTによる通信を行うためには,複数の金融機関の運営するユーザー・グループにそれぞれ参加する必要があり,利便性に難があったため,さほど普及しなかった.

　2007年1月に,SWIFTでは「SCORE」と呼ばれる,より一般的な事業法人のSWIFTNetへのアクセス手法を導入した.SCOREでは,SWIFTの運営する1つのユーザー・グループに参加するだけで,一挙に多くの金融機関との間でメッセージ交換ができるようになるため,企業にとっての使い勝手は格段に向上した.

　金融機関にとっても,SCOREは,企業向けのサービスを拡充する格好の手段として捉えられており,SCOREの利用による銀行と企業との間の通信に注

目が集まっている．

以下では，従来の事業法人のSWIFTへのアクセス方法であるMA-CUGとTRCOについて説明したうえで，新しいアクセス・モデルであるSCOREの概要について述べる．

❶ MA-CUGによるアクセス

(1) MA-CUGの概要

従来，事業法人がSWIFTのネットワークにアクセスする方法が，「MA-CUG」であった．MA-CUGは，「Member Administered Closed User Group」（メンバーが管理するクローズド・ユーザー・グループ）の略である．MA-CUGでは，「クローズド・ユーザー・グループ」（CUG）として登録された企業は，そのグループを管理する金融機関との間で，SWIFTNetによる通信が認められる．MA-CUGは，2001年に導入されたアクセス方法である．

MA-CUGは，SWIFTに接続している金融機関（member）が，顧客企業に対してSWIFTNetを通じてサービスを提供することを目的としている．MA-CUGでは，利用できるメッセージの種類にはとくに制限はなく，送金，キャッシュ・マネジメント，外為・デリバティブ，貿易金融，証券などの各分野について，金融機関と顧客企業の間でメッセージを受送信することが可能である．ただし，顧客企業同士の直接的な通信は認められない．

CUGに入ることのできる企業の範囲については，MA-CUGを設立・管理する金融機関が決定することができ，未上場企業についても参加が認められる．ただし，実際には，ダイムラー，マイクロソフト，ノバルティスなど，グローバルに展開する企業の利用が多い．

【BOX9-1】パナソニックによるSWIFTNetの利用

わが国の事業法人で初めてMA-CUGによりSWIFTのネットワークへの接続を行ったのは，パナソニック（旧松下電器産業）である[1]．同社では，全世界の約600社のグループ企業の資金・為替・対内決済を集中管

理する「グローバル統合財務管理システム」(PATRES) を構築し，2007年に全世界的に展開した．これは，世界中に展開するグループ企業の資金・為替を，グローバルにオランダの財務子会社に集中することによって，資金管理を一元化する「インハウス・バンキング」の仕組みである．

このシステムを構築するにあたって同社では，日本の事業法人として初めてMA-CUGを利用してSWIFTNetに接続した．これは，従来の銀行ごとのファームバンキングでは，端末での手作業が必要になるなど，自動化に制約があったためである．同社では，SWIFTNetを通じて銀行数行との間にリンクを構築し，PATRESシステムとの間で，送金指図の送信，為替予約データの確認，入出金データ・残高データの受信などを自動化している．

(2) MA-CUGの限界

MA-CUGでは，参加企業は，クローズド・ユーザー・グループ (CUG) を管理する金融機関との間でのみ，直接通信を行うことができる．したがって，企業が取引関係のある複数の金融機関との間で，SWIFTNetを通じて通信を行いたい場合には，各取引先金融機関の管理するCUGに，それぞれ個別に契約・登録を行うことが必要であった．たとえば，A行・B行・C行の3行と通信を行おうとすると，各行が管理する3つのMA-CUGにそれぞれ登録を行うことが必要であった（図9-1参照）．

こうした制約により，手続き面やコスト面の問題があったことから，MA-CUGはそれほど普及するには至らなかった．SWIFTがSCOREを導入した2007年1月の時点で，MA-CUGを利用していたのは世界でわずか175社にすぎなかった（125の金融機関がこれらの企業のためのCUGを管理）．

なお，MA-CUGは，未上場企業の利用が可能であるなどSCOREにはない特徴を備えているため，SCOREの導入後も，MA-CUGによるアクセスの仕

---

1) 同社は，TRCOとしても登録されている．

図9-1 MA-CUGによる事業法人のアクセス

(1) 金融機関からみた構図

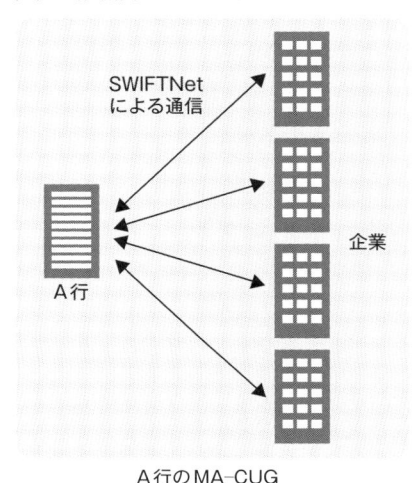

SWIFTNetによる通信
A行
企業
A行のMA-CUG

(2) 企業からみた構図

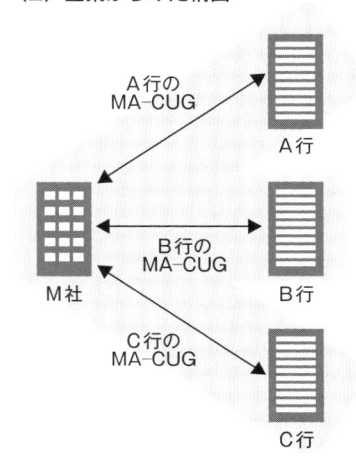

A行のMA-CUG
B行のMA-CUG
C行のMA-CUG
M社
A行
B行
C行

組みは継続されている[2]．

2 TRCOによるアクセス

「TRCO」(Treasury Counterparty) は，企業が「金融取引のコンファメーション」(treasury deals confirmation) を金融機関との間で受送信することを目的とする一般企業のSWIFTNetへのアクセス・モデルであり，1998年に導入された．

TRCOは，利用できるメッセージの種類が「コンファメーションに限定されている」ことが特徴であり，送金やキャッシュ・マネジメントなどのメッセージを送ることはできない．コンファメーションの種類は，外為取引，デリバティブ取引，マネーマーケット取引など広範なものを含む．

---

[2] 欧米の金融機関では，MA-CUGとSCOREの両方のアクセス方法を提供している先が多い．

第9章　事業法人によるSWIFTへのアクセス

図9-2　TRCOによる事業法人のアクセス

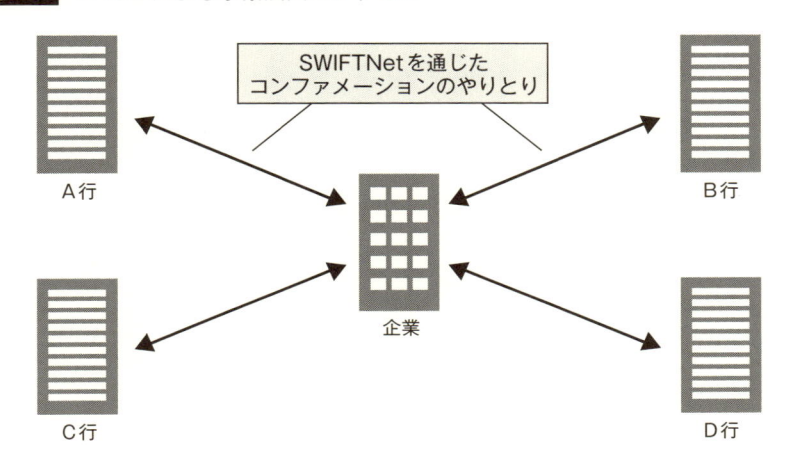

SWIFTNetを通じたコンファメーションのやりとり

A行　B行　企業　C行　D行

　また，MA-CUGとは異なり，クローズド・ユーザー・グループ（CUG）に属する必要はなく，SWIFTユーザーであるいずれの金融機関とも通信を行うことができる。ただし，この仕組みに登録するためには，8つの金融機関（SWIFTメンバー）の推薦を受けること（sponsored）が必要である。このTRCOの仕組みは，上場企業でも非上場企業でも利用することができる。

　このように，MA-CUGが幅広いメッセージを特定の金融機関とやりとりするモデルであるのに対し，TRCOは，特定のメッセージ（市場取引のコンファメーション）を幅広い金融機関とやりとりするモデルとなっており，主に市場取引を幅広く行っている企業向けの仕組みである。

3　SCOREによるアクセス

(1) SCOREの概要

　2006年6月のSWIFT年次総会（AGM）において，株主の98.6％の圧倒的な賛成多数により，新たな事業法人のアクセス方法が認められた。これが，2007年1月に導入されたSCORE（Standardised CORporate Environment）である。

図9-3 SCOREによる事業法人のアクセス

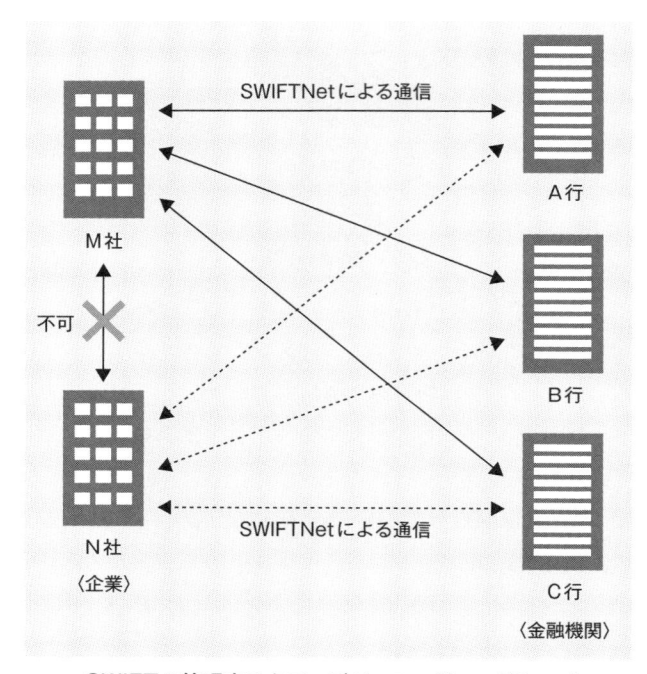

SWIFTの管理するクローズド・ユーザー・グループ

SCOREでは，企業は，SWIFTの運営する1つのクローズド・ユーザー・グループ（CUG）に参加すれば，CUGに参加しているすべての金融機関との間でメッセージやファイルの交換を行うことができる．これを「多対多のCUGモデル」（many-to-many CUG model）という．ただし，SCOREでは，企業同士の通信（corporate-to-corporate traffic）は行うことができず，あくまでも企業と金融機関の間の通信をサポートするサービスである[3]（図9-3参照）．

SWIFTの株主である金融機関がSCOREを認めた背景には，企業との間の通信部分について，各行ごとに個別メニューを提供して競争を行うよりも，ネットワーク部分については共通化を行って，企業がアクセスしやすくしたうえ

---

3) また，CUG内においては，金融機関同士の通信もできないものとされている．

で，本業のサービス・レベルで競争を行っていく方が得策であるとする考え方があった．また，コストの削減，BCP（災害復旧プラン）の重視といった流れのなかで，企業サイドからSWIFTNetへのアクセスに対するニーズが強かったことも，こうした銀行の判断を後押ししたものとみられる．

(2) SCOREへの参加条件

SCOREへ参加できる企業の条件は，「FATFのメンバー国における証券取引所への上場企業」とされている．FATFとは，「資金洗浄に関する金融活動作業部会」(Financial Action Task Force on Money Laundering) のことであり，マネー・ロンダリングに対する国際協調のための活動を行う機関である．日本を含む32カ国がメンバー国となっている（2008年末現在）．

すなわち，日本の証券取引所（東証，大証など）に上場している企業は，SCOREに参加する資格を有している．また，こうした上場企業の子会社（SCORE適格企業が50％以上を保有する子会社）についても，(a) 財務状況が健全であること，(b) 会計監査を受けていること，などを条件にSCOREに参加することができる．

(3) SCOREにおけるメッセージ

SCOREは，金融機関が企業に対して，①キャッシュ・マネジメント・サービス，②証券取引に関するサービス，③金融取引のコンファメーション・サービス，などを提供することをサポートすることを目的としており，そのためのメッセージタイプ（MT）が利用可能となっている．

具体的には，①企業から銀行への送金依頼のメッセージ（顧客送金などMT100番台），②銀行から企業へのキャッシュ・マネジメントのメッセージ（入出金通知などMT900番台），③外為・デリバティブ取引関連のメッセージ（コンファメーション，取引通知などMT300番台），④証券取引関係の一部メッセージ（受取指図，引渡指図などMT500番台），などのMTを利用することができる．また，今後は，E&IサービスやTSUサービスなどSWIFTソリューション用のメッセージや，証券取引の幅広いメッセージなども利用可能としていく予定である．

図9-4 SCOREによるシングル・ゲートウェイとしてのSWIFT

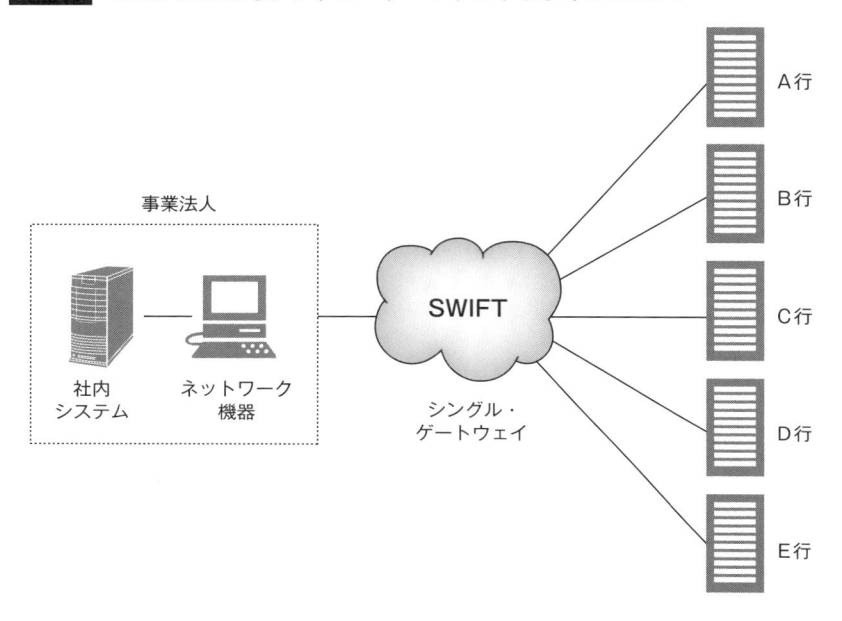

　SCOREのメッセージング・サービスとしては，FINサービスとFileActサービス（リアルタイム方式とストア・アンド・フォワード方式）を利用することができる．このうちFileActサービスでは，大量の支払データなどをファイルに入れて，SWIFT以外のフォーマット（EDIFACT, ANSI-X12など）で送ることも可能である．

(4) SCOREのメリット

　すでにSCOREによりSWIFTNetを利用している企業からは，以下のようなメリットを指摘する声が聞かれている（図9-4参照）．

①安全性と信頼性の高いSWIFTのネットワークを通じて，すべての銀行と標準化されたかたちでメッセージ交換ができる（これにより複数の通信手段を維持するための，コストと複雑さが削減される）．

> ② SWIFT を唯一のアクセス・ポイント（single gateway）とすることによって，銀行の切替え（switch）が容易である．
> ③ 複数の銀行から，日中の口座情報をリアルタイムで得ることができる[4]．
> ④ それにより，資金繰りを改善することができる（better control on funds）．

すでに全世界で130行がSCOREによる企業のSWIFTへのアクセスをサポートしており（2008年末現在），今後も拡大する見込みである．わが国のメガバンクでも，SCOREによるSWIFTアクセスの対応を行っている．

4 事業法人のSWIFT利用状況

(1) SWIFTの利用企業数

SWIFTへのアクセス方法がMA-CUGとTRCOに限られていた時期には，SWIFTを利用している事業法人の数は181社（2006年末）であり，SWIFTユーザーの2％程度にすぎなかった．

2007年1月にSCOREを導入して以降，SWIFTのネットワークを利用する事業法人の数は順調に増加してきており，2008年末時点で402社と，SCORE導入前の2倍以上に達している（図9-5参照）．

これを地域別にみると，欧州地域（EMEA）が69％と圧倒的な割合を占めており，米州地域（Americas）が20％でこれに次いでいる．アジア太平洋地域（Asia Pacific）は11％とこれまでのところあまり利用が進展していない（図9-6参照）．

参加企業のリストをみると，IBM，ノキア，インテル，シェブロン，ゼロックス，エールフランス，シーメンスなどの大企業が並んでおり，グーグル，ペイパル，イーベイなどのIT系新興企業の名前もみられる．また，さほど企業規模の大きくない中堅企業の参加もみられている．日本企業の参加もみられはじめている（表9-1参照）．

---

[4] このことを「資金の可視性」（funds visibility）の高まりという．

図9-5 SWIFTの利用企業数

年	社数
2004	55
2005	108
2006	181
2007	282
2008年末	402

SCOREの導入（2007年1月）

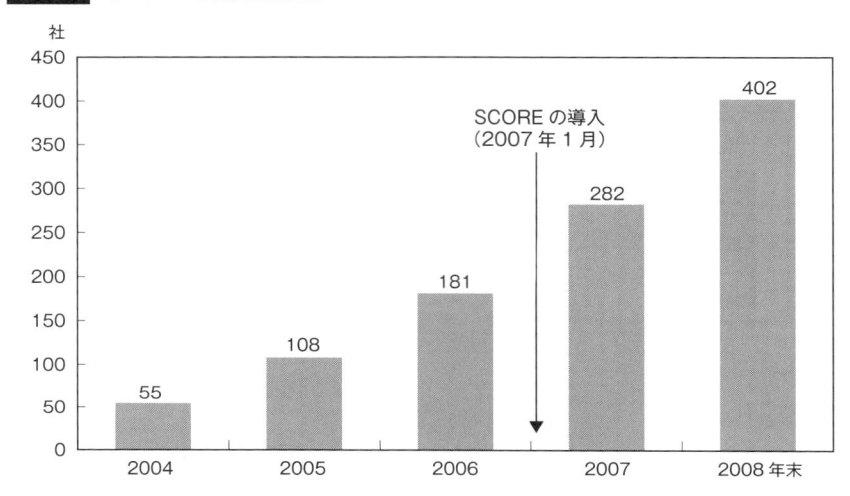

図9-6 SWIFT利用企業の地域別分布（2008年末）

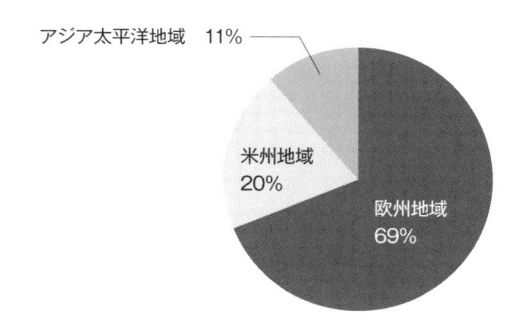

- 欧州地域 69%
- 米州地域 20%
- アジア太平洋地域 11%

表9-1 SWIFTの利用企業（最近の参加先）

		企業名
大企業	北米地域	グーグル，PayPal（ペイパル），eBay（イーベイ），IBM，UPS，シェブロン，ゼロックス，キャタピラー，インテル
	欧州地域	テレフォニカ，テスコ，エールフランス，ノキア，シーメンス，イベルドローラ，ドイツテレコム，ネスレ，ベイヤー，ジェオックス
	アジア	ペトロナス，サムソン，中国石油化工，パナソニック，DIC，ダイムラー・ジャパン，住商情報システム
中堅企業		デカスロン，オートストラダ，アルテン，ベルコープ

(2) 事業法人のトラフィック量

上記のように，SWIFTを利用する事業法人数が増加するにつれて，事業法人によるSWIFTのトラフィック量も急速に増加している．2008年には，事業法人の受送信したメッセージは，FINで前年比＋47％，FileActでも同＋49％と顕著な増加をみせた．いずれも，とくに事業法人の受信メッセージ（金融機関が送信したメッセージ）が大きな伸びとなっており，金融機関が企業に対して活発にサービス（入出金データ・残高データの通知等）を提供している姿がうかがえる（図9-7参照）．

2008年9月のSibos（SWIFTのユーザー会合）の際に開催された「コーポレート・フォーラム」（事業法人のSWIFT利用について話し合うフォーラム）でも，630社が登録して熱心な討議や情報収集を行うなど，事業法人のSWIFT利用に対する関心は高まりをみせている．

図9-7 事業法人によるトラフィック量

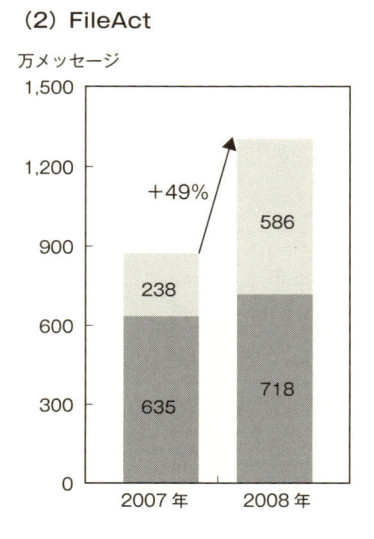

(1) FIN （万メッセージ）
- 2007年：送信87、受信235（計322）
- 2008年：送信113、受信361（計474）、+47％

(2) FileAct （万メッセージ）
- 2007年：送信635、受信238（計873）
- 2008年：送信718、受信586（計1,304）、+49％

凡例：事業法人の送信メッセージ／事業法人の受信メッセージ

❺ コーポレート参加基準の緩和に向けた検討

　上述のように，2007年1月からSCOREが導入され，事業法人のSWIFTアクセスに新たな途が開かれた．これにより，すでに世界の400社以上の企業がSWIFTを利用するようになっているが，SCOREに参加できる企業には，「FATFメンバー国の上場企業[5]」というやや厳しめの参加基準が設けられている．しかし，この基準に適合していない企業（FATFメンバー国以外の企業やFATFメンバー国の非上場企業）が，すでにMA-CUGのメンバーなどとしてSWIFTを利用しているケースもあり，こうした参加基準外の企業からのSWIFT利用への要請が高まっている．

　このため，コーポレートの参加基準の見直しが，今後の検討課題となっている．見直しの方向性としては，①一定の「格付け」を有する企業について参加を認める，②金融機関が推薦する企業については参加を認める，③とくに制限を課さずに，すべての企業にアクセスを認める，などの方向性がありうる．どの範囲の企業にSWIFTへのアクセスを認めるのかという問題であり，SWIFTのネットワークの性格にも影響を与えるだけに，その帰趨が注目される．

---

[5]　この基準に適合する企業は，全部で約2万社にのぼる．

第10章 日本の金融機関のSWIFT利用状況

　SWIFTは，わが国の金融機関においても，国際業務を中心に幅広く用いられており，銀行や証券会社などが業務を進めるうえで，不可欠な存在となっている．本章では，わが国の金融機関によるSWIFTの利用状況について概観することとする．

1　わが国のSWIFTユーザー数

（1）ユーザー数の推移

　わが国におけるSWIFTの利用は，1981年からスタートしている．ユーザー数は，1981年の45ユーザー（邦銀42行，外銀3行）から着実な増加をみせ，1985年には100ユーザー，1994年には200ユーザーを上回った．その後もユーザー数は徐々に拡大し，2008年末では259ユーザーに達している．
　このうち，SWIFTの株主となっている「メンバー」は，1998年の140社をピークに，国内金融機関の合併・統合などを背景にやや減少しているが，121社と全体の5割弱を占めている．また，外国銀行，外国証券などの「サブメンバー」も2000年の103社をピークに若干減少しているが，91社と全体の4割弱を占める．一方，投信，投資顧問会社などの「パーティシパント」は，証券分野でのSWIFT利用の拡大等を映じて徐々に増加してきており，47社と全体の約2割を占めている（いずれも2008年末，図10-1参照）．

図10-1 日本におけるSWIFTのユーザー数の推移

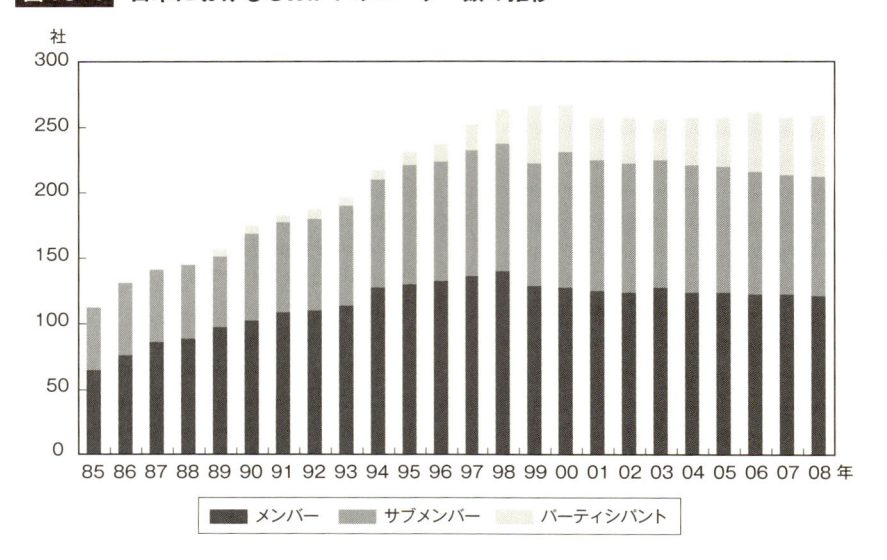

凡例：メンバー／サブメンバー／パーティシパント

（2）業態別のSWIFT利用状況

SWIFTの利用状況を業態別にみると，都市銀行，信託銀行，地方銀行では，ほとんどの先がSWIFTのメンバーとなってSWIFTを利用している．また，外国銀行では約8割，第二地方銀行でも約6割の先がユーザーとなっている（表10-1参照）．

一方，証券会社のユーザー比率は約1割，信金では約5％と，いずれも低い利用率にとどまっている．これは，これらの先では，①もともと地域を拠点とした地場証券や地域金融機関であるため，SWIFTが必要となる国際業務のウェイトが低いこと，②信金については，業界の中央機関である信金中央金庫を通じて外為業務を行っていること，などによるものとみられる．

なお，日本銀行や証券保管振替機構などの公的な機関もユーザーとして名を連ねている．

2 わが国のSWIFTメッセージ量

わが国におけるSWIFTのトラフィック量（FINメッセージ）の推移をみると，

第10章 日本の金融機関のSWIFT利用状況

表10-1 日本におけるSWIFTユーザーの業態別分類

(日本SWIFTユーザーグループ加盟先、2008年12月現在)

	メンバー	サブメンバー	パーティシパント	合計
中央銀行	1	0	0	1
都市銀行	6	0	0	6
信託銀行	9	0	0	9
地方銀行	55	0	6	61
第二地方銀行	24	0	2	26
信用金庫	14	0	1	15
外国銀行	0	52	0	52
その他金融機関	4	1	1	6
証券会社	8	19	6	33
投信・投資顧問	0	0	10	10
その他	0	0	5	5
合　計	121	72	31	224

(注1) 「その他金融機関」には、新生銀行、あおぞら銀行、商工組合中央金庫、農林中央金庫、シティバンク銀行、新銀行東京を含む。
(注2) 「その他」には、証券保管振替機構、日本証券代行、だいこう証券ビジネス、セントラル短資、野村総合研究所を含む。
(注3) ユーザーのなかには、日本国内ではSWIFTのオペレーションを行っていないことなどから、日本スイフトユーザーグループに加盟していない先(外資系が主)があることから、加盟先数は、ユーザー数とは若干異なる。

図10-2 わが国のSWIFTトラフィック量の推移

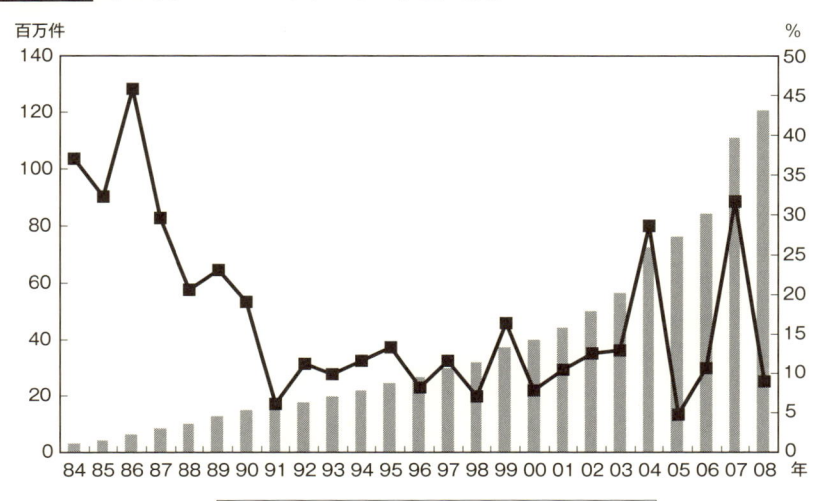

表10-2 SWIFT通信量の国別ランキング

(FINメッセージ, 2008年)

順位	国	メッセージ量（百万件）	シェア（％）
第1位	米国	665	17.24
第2位	英国	657	17.05
第3位	ドイツ	326	8.47
第4位	ベルギー	267	6.93
第5位	フランス	180	4.67
第6位	スイス	132	3.42
第7位	オランダ	130	3.37
第8位	ルクセンブルク	123	3.18
第9位	日本	121	3.14
第10位	イタリア	113	2.93
第11位	オーストラリア	81	2.10
第12位	スウェーデン	68	1.78
第13位	スペイン	68	1.76
第14位	香港	64	1.66
第15位	南アフリカ	58	1.52
第16位	ノルウェー	58	1.50
第17位	カナダ	57	1.47
第18位	フィンランド	52	1.36
第19位	シンガポール	47	1.23
第20位	デンマーク	47	1.23
－	その他	541	14.03
合　計		3,855	100.0

　送信メッセージ数は，1980年代には前年比20～40％の高い伸びを示し，1994年に年間2000万件，2000年には4000万件に達した．その後も，2002年には5000万件，2004年には7000万件，2007年には1億件を突破するなど順調に増加してきている．2008年までの5年間で，メッセージ量は2倍以上に増加している．

　この間，トラフィックの伸び率は，ほぼ一貫して前年比2桁台を維持しており，過去10年間（1999年以降）の年平均伸び率は13.9％となっている．

第10章 日本の金融機関のSWIFT利用状況

3 世界における日本の位置づけ

（1）FINメッセージ

　わが国のSWIFTのトラフィック量を「FINサービス」のメッセージでみると，2008年は1.2億件であり，SWIFTの全世界のメッセージ量に占めるウェイトは，3.1％となっている．

　送信件数の国別順位でみると，米国，英国，ドイツ，ベルギー，フランス，スイス，オランダ，ルクセンブルクに次いで，第9位となっている．

　トラフィック量の推移を時系列でみると，1990年代から2003年（いわゆる「失われた15年」）にかけて，日本の伸び率は，ほぼ一貫して世界全体の伸びを下回った（図10-3）．このため，トラフィック量の世界シェアでみても，日本のシェアは，1990年の4.5％から，2001～2003年にかけては3.0％を下回るところまで落ち込んだ．その後，2004年，2007年には，日本が世界全体を上回る高い伸びを示したことから，世界シェアは3.0％を若干上回る水準で下げ

図10-3 SWIFTトラフィック量の伸び率：日本と全世界の比較（FINメッセージ）

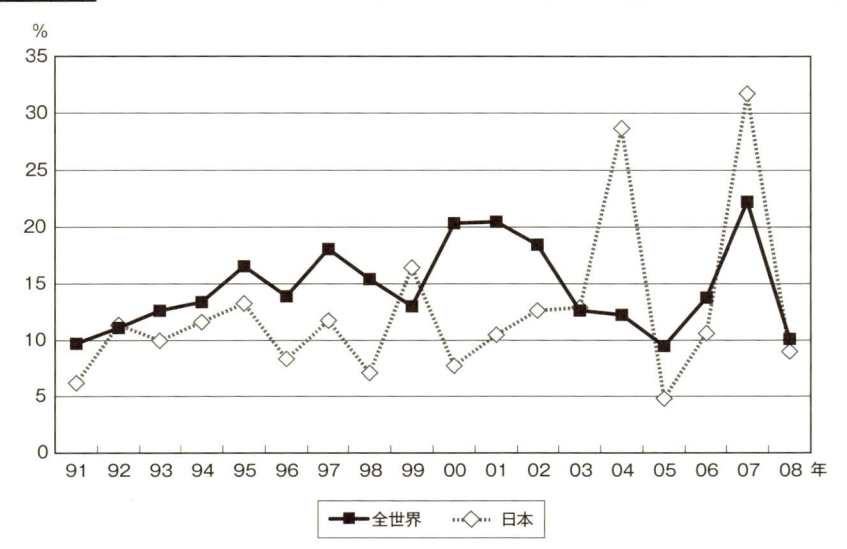

225

図10-4 日本のトラフィック量の世界シェア（FINメッセージ）

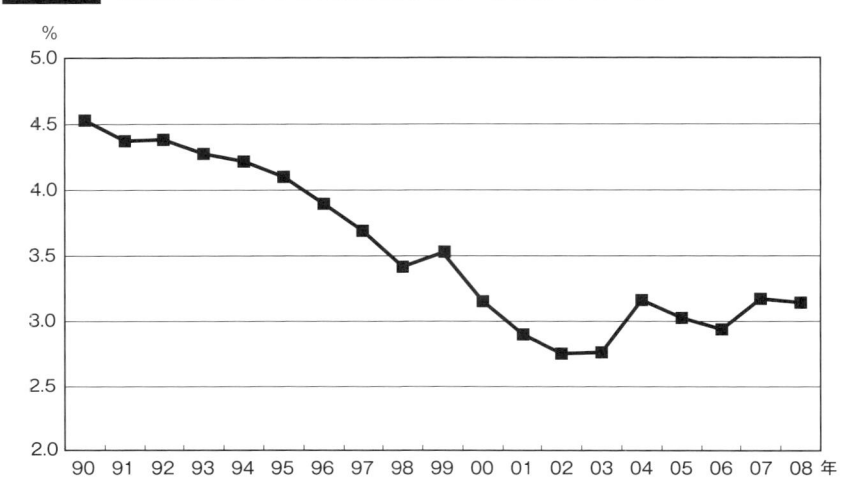

止まるかたちとなっている（図10-4参照）．

このように長期にわたり，日本の通信量の伸びが世界全体を下回ったことを映じて，国別順位でみても日本は下降線をたどっている．すなわち，1995年には世界第7位の地位にあったが，2000年には第8位に，2001年には第9位に順位を下げ，2005年以降は3年連続で第10位となった．なお，2008年にはイタリアが特殊要因による通信量の減少から大幅にランクダウンした[1]（第7位→第10位）のを受けて，4年ぶりに第9位に浮上している（表10-3参照）．

SWIFT理事についても，1997年6月から2003年6月までは，トラフィック量を映じて日本から2名の理事を選出していたが，2003年以降は，利用シェアの低下により日本からの理事は1名となっている．

---

1) 2008年5月に，イタリアの大口決済システムである「BIREL」が閉鎖され，「TARGET2」に統合されたことによる特殊要因．従来のBIRELでは，イタリア中央銀行から参加行に対して口座残高・決済状況などがFINメッセージ（MT900/910）によって通知されていたが，TARGET2では，InterActとBrowseを使った「流動性管理機能」（ICM：Information and Control Module）によって行われるようになったため，FINメッセージの利用が大幅に減少したもの．

表10-3 SWIFTトラフィック量の国別順位の推移（FINメッセージ）

	1995	2000	2001	2005	2006	2007	2008年
第1位	米国	米国	米国	英国	英国	米国	米国
第2位	英国	英国	英国	米国	米国	英国	英国
第3位	ドイツ	ドイツ	ドイツ	ドイツ	ドイツ	ドイツ	ドイツ
第4位	フランス	フランス	フランス	ベルギー	ベルギー	ベルギー	ベルギー
第5位	スイス	ベルギー	オランダ	フランス	フランス	フランス	フランス
第6位	イタリア	スイス	ベルギー	イタリア	イタリア	オランダ	スイス
第7位	日本	オランダ	スイス	オランダ	オランダ	イタリア	オランダ
第8位	ベルギー	日本	イタリア	スイス	スイス	スイス	ルクセンブルク
第9位	香港	イタリア	日本	ルクセンブルク	ルクセンブルク	ルクセンブルク	日本
第10位	オランダ	香港	ルクセンブルク	日本	日本	日本	イタリア

(2) InterActとFileActのメッセージ

リアルタイムでのメッセージ交換などに用いられる「InterActサービス」のメッセージ量をみると，日本は第6位とFINよりは高い位置づけとなっており，世界に占めるシェアでみても3.9％とFINよりも高い（表10-4参照）．ただし，日本のInterAct利用のほとんど（99％）は，CLS銀行向けの利用であり，高いシェアはCLS銀行による外為決済が比較的活発であることを意味している．諸外国でみられているような証券決済システムや資金決済システムにおけるInterActの利用はみられていない（それぞれSWIFT全体のInterAct利用の32％，10％を占める）．

一方，ファイルの送付などに用いられる「FileActサービス」のメッセージ量では，日本は世界で第28位（世界シェア0.08％）と低位にあり，このサービスの利用が進んでいないことがわかる（表10-4参照）．これは，世界的にはFileActが，資金決済システム（小口決済システム）での利用や，銀行と企業間での利用，SWIFTソリューション用などに用いられている（それぞれSWIFT全体のFileAct利用の68％，8％，4％を占める）のに対し，わが国では，こうした面でのFileAct利用がほとんどみられないことによるものである．

表10-4 InterActとFileActの通信量の国別順位(2008年)

	InterAct		FileAct	
	国	シェア(%)	国	シェア(%)
第1位	英国	32.1	英国	27.6
第2位	米国	13.8	イタリア	12.0
第3位	スイス	12.3	オランダ	11.9
第4位	ドイツ	5.5	ドイツ	10.4
第5位	オランダ	5.2	米国	7.2
第6位	日本	3.9	フランス	6.5
第7位	イタリア	3.6	ルクセンブルク	5.6
第8位	スウェーデン	3.4	スペイン	4.7
第9位	フランス	3.0	ベルギー	3.0
第10位	ベルギー	2.4	オーストリア	1.5
第28位	—	—	日本	0.08

(注) FileActについては,ファイル内の文字(character)数によるボリューム・ベース.

4 わが国の通信相手国

わが国のSWIFT利用を相手国(日本からの発信先)別にみると(図10-5参照),有力な金融センターを有する米国,英国が1位と2位を占めており,この2カ国で56%と過半を占める(2008年).また,日本国内への発信が15%で第3位を占めている[2].

このほか,アジアでは,香港,シンガポール,中国が,欧州では,ベルギー,スイス,フランス,ルクセンブルクがベスト10の通信相手国に入っている.

5 わが国のSWIFT利用の特徴

日本におけるSWIFTの利用には,欧米諸国とは異なる特徴がみられる.主

---

[2] 円の決済については,日銀ネット,全銀システム等によっているため,これらのSWIFTの国内利用(Domestic SWIFT)は,基本的には外貨に関するメッセージである.具体的には,東京ドルクリアリング(米銀東京支店への決済指図)や外為ディーリングのコンファメーション(約定確認)などが多いものとみられる.

第10章 日本の金融機関のSWIFT利用状況

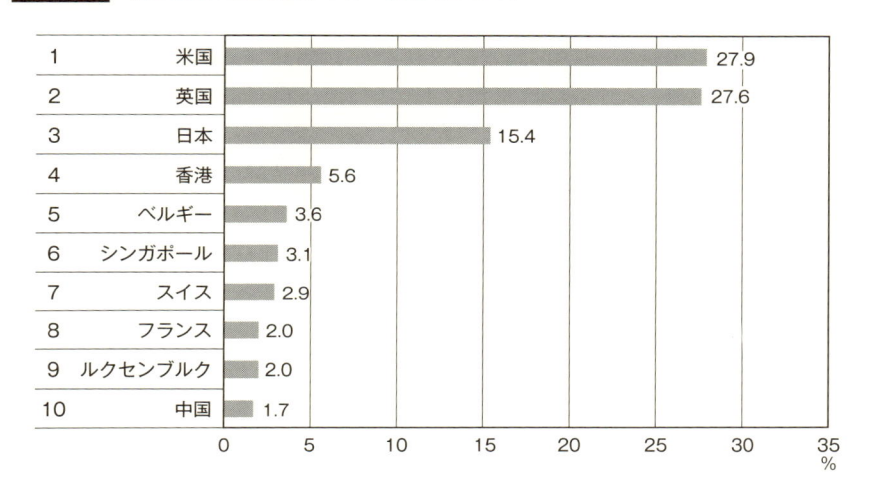

図10-5 相手国別の通信量シェア（2008年中）

順位	国	シェア（%）
1	米国	27.9
2	英国	27.6
3	日本	15.4
4	香港	5.6
5	ベルギー	3.6
6	シンガポール	3.1
7	スイス	2.9
8	フランス	2.0
9	ルクセンブルク	2.0
10	中国	1.7

な点は，①国際業務での利用が中心であること，②証券メッセージのウェイトが高いこと，③決済インフラでの利用が少ないこと，などである．

（1）国際業務での利用が中心

　SWIFTの利用は，世界的にみても，当初は，コルレス銀行業務をはじめとする国際業務からスタートしたが，SWIFTの業務分野の拡大等に伴って，徐々に国内のユーザー同士のメッセージ交換にも使われるようになってきている．しかし，わが国においては，SWIFTは依然として国際業務での利用が中心であり，「SWIFTの国内利用」（Domestic SWIFT）が比較的限定的であることが特徴である．

　ちなみに，FINメッセージに占める国内ユーザー向けの比率をみると，上位25カ国の平均が24％，世界平均でみても23％であるのに対して，日本の場合には，2割以下にとどまっている．また，SWIFTの国内利用量の世界に占めるシェアも，1.8％とFINメッセージ全体のシェア（3.1％）よりも低めである（表10-5参照）．

　これには，後述のように，わが国の決済インフラがSWIFT以外の「独自ネ

229

表10-5 SWIFTの国内利用のウェイト（2008年中）

(%)

国内SWIFTの利用量順位	国	国内SWIFT利用量の世界におけるシェア	国内SWIFT利用量の各国トラフィックに占めるウェイト(注)
1	米国	40.2	34.0
2	英国	15.5	25.6
3	ドイツ	5.7	19.4
4	フランス	4.7	14.5
5	スイス	3.9	19.2
6	ベルギー	3.8	13.0
7	ルクセンブルク	2.8	27.7
8	イタリア	2.6	18.5
9	オランダ	1.9	20.7
10	日本	1.8	19.5
—	上位25カ国	95.6	24.0
—	SWIFT全体	100.0	23.4

(注) SWIFTの国内利用ウェイト＝国内ユーザー向けの発信量／すべての発信量．

ットワーク」（proprietary network）を利用しているため，国内決済のためのSWIFT利用がほぼ皆無であることによる面が大きいものとみられる．

このように，国際業務のウェイトが高いことを映じて，わが国のSWIFTトラフィックを発信者の国籍別でみると，外資系金融機関（外銀，外証等）の利用ウェイトが47％と高く，国内金融機関の利用（53％）とほぼ肩を並べている点が特徴である[3]（図10-6参照）．またトラフィックの伸び率でみても，ここ数年，外資系が国内金融機関の伸びを上回っており，遠からず外資系の利用（発信量）が国内金融機関を上回ることになるものとみられる．

(2) 証券メッセージのウェイトが高い

証券メッセージの利用ウェイトが高いのも，日本の特徴である．全世界ベースでは，送金・決済などの「資金メッセージ」が最大のウェイト（50％）を占

---

[3] このように海外勢のウェイトが高いのは，世界的にみても，いわゆる「ウィンブルドン現象」の英国と日本のみである．

第10章 | 日本の金融機関のSWIFT利用状況

図10-6 SWIFT利用の国籍別（日本発のトラフィック，2008年中）

（1）利用シェア

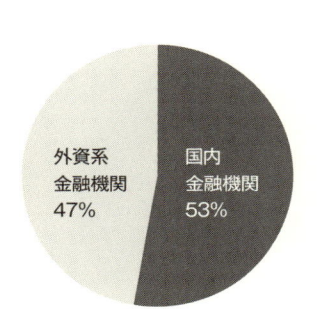

国内金融機関 53%
外資系金融機関 47%

（2）トラフィック（発信量）の伸び率

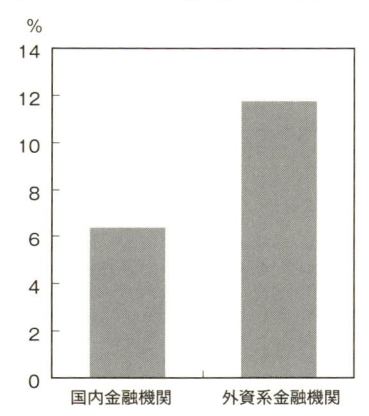

国内金融機関 約6.3%
外資系金融機関 約11.8%

めており，「証券メッセージ」がこれに次ぐ位置づけ（42％）となっている．これに対して，日本の場合には，資金メッセージは36％で第2位となっている一方，証券メッセージが55％とトップの位置づけにあり，世界全体とは構成比が逆転したかたちとなっている（図10-7参照）．

こうした利用ウェイトの傾向を映じて，世界のトラフィックにおける日本のシェアでみても，資金メッセージが2.3％（第9位）であるのに対して，証券メッセージは4.1％で第7位となっている（トラフィック計でのシェアは3.1％で第9位，2008年）．

こうした背景としては，①国内の資金決済システムにSWIFTが利用されている欧州諸国などに比べて，資金メッセージの国内利用が少なく，その分，相対的に証券メッセージのウェイトが高くなっていること，②活発な売買を行う外国人投資家の取引ウェイトが高まっており[4]，それに伴って，海外との証券メッセージのやりとりが増加していること，③機関投資家の証券取引の照合を行う「決済照合システム[5]」の稼働開始以来，国内のサブ・カストディアン（カ

---

4) 東京証券取引所の株式売買高における外国人投資家の割合は，2007～2008年には6割を上回っている．

図10-7 SWIFTメッセージの構成比：世界と日本の比較（2008年中）

(1) SWIFT合計（世界計）
- 貿易金融メッセージ, 1.2%
- システム, 0.4%
- 外為・デリバティブ, 6.8%
- 証券メッセージ, 42.2%
- 資金メッセージ, 49.5%

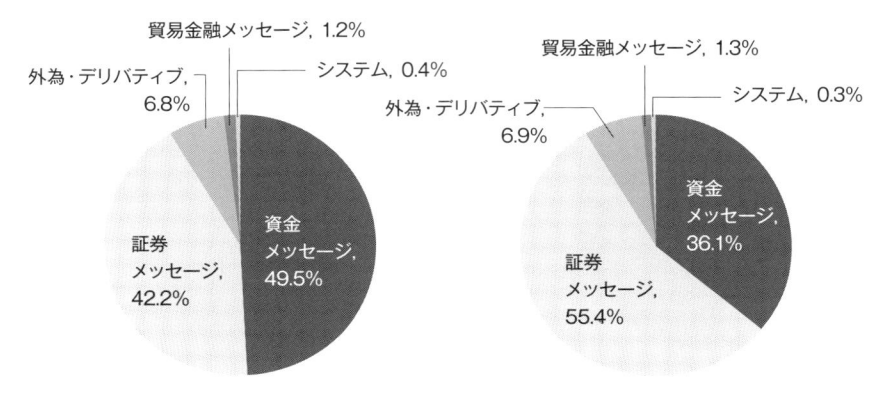

(2) 日本
- 貿易金融メッセージ, 1.3%
- システム, 0.3%
- 外為・デリバティブ, 6.9%
- 証券メッセージ, 55.4%
- 資金メッセージ, 36.1%

ストディ銀行）からグローバル・カストディアンへの決済状況の通知メッセージが増加していること，などを指摘できる．

(3) 決済インフラでの利用が少ない

欧米諸国では，資金決済システムや証券決済システムのネットワークとしてSWIFTを利用する例が増えてきている．

とくに，欧州では，大口資金の決済に用いられる各国の「RTGSシステム」において，90年代に次々とSWIFTを採用する動きが広まった．また，これらのRTGSシステムを統合するかたちで導入されたユーロ圏全域を対象とする「TARGET2」においても，ネットワークとしてSWIFTが採用されており，EU域内の1万行以上の金融機関を結ぶ一大ネットワークを形成している．また，EBA（ユーロ銀行協会）の運営しているEURO1，STEP1，STEP2などの資金決済システムでもSWIFTが用いられているほか，ユーロクリア，クリ

---

5) 機関投資家取引の約定照合，決済照合を行うことを目的として，証券保管振替機構が2001年から運営している．対象証券は，国内株式のほか，非居住者取引，転換社債，国債，一般債，CP，先物・オプションなど多岐にわたる．詳細は『証券決済システムのすべて（第2版）』（東洋経済新報社）の第7章を参照．

表10-6 主要国の決済インフラにおけるSWIFTの利用状況

〈欧州〉

TARGET2 (欧州全域)	EURO1, STEP1, STEP2 (欧州全域)	CHAPS (英国)	ユーロクリアリア・グループ (フランス，英国，ベルギー，オランダ等)	クリアストリーム・グループ (ドイツ，ルクセンブルク等)
資金	資金	資金	証券	証券
○	○	○	○	○

〈米国〉

Fedwire	CHIPS	ACH	DTC
資金	資金	資金	証券
×	○	×	○ (一部)

〈日本〉

日銀ネット 当預系	外為円決済 システム	全銀システム	日銀ネット 国債系	証券保管振替機構
資金	資金	資金	証券	証券
×	×	×	×	×

(注) ○はSWIFTを利用している，×は利用していないことを示す．

アストリームなどの証券決済システムでもネットワークとしてSWIFTを利用している．米国においても，資金決済のCHIPSや証券決済のDTCにおいて，SWIFTが導入されている（表10-6参照）．

こうした欧米での状況に対して，わが国では，決済システム（資金・証券）に専用回線などを使った独自のネットワークが用いられており，決済インフラへのSWIFTの導入は進んでいない．この点が，上述のように国内SWIFTの利用が少なく，証券メッセージのウェイトが高いといった特徴にもつながっているものとみられる．

わが国における決済インフラへのSWIFT導入の動きとしては，証券保管振替機構が運営している「決済照合システム」においてSWIFTNetの採用に向けた検討の動きがある（詳細は第15章を参照）．これが実現すれば，わが国の決済インフラにおける初めてのSWIFT導入となる．

6 SWIFTの国内組織

(1) 日本スイフトユーザーグループ (SUG)

SWIFTのユーザーは，各国ごとにユーザーグループを作ることとされており，わが国でも「日本スイフトユーザーグループ」(SUG：SWIFT User Group of Japan) が組織されている．

SUGのメンバーは，3種類の会員によって構成されている．すなわち，①SWIFTの株主であり，日本の金融機関である「ナショナルメンバー会員」，②外国銀行や外国証券などの「サブメンバー会員」，③投信，投資顧問などの「パーティシパント会員」の3種類である．なお，SUGの事務局機能は，東京銀行協会に委託されている．

(2) 2つの協議会

SUG内には，ナショナルメンバーグループ協議会とユーザーグループ協議会の2つの組織が設けられている．

「ナショナルメンバーグループ協議会」は，ナショナルメンバー会員のみによって構成されており，日本のSWIFTメンバーとしての意思決定機関となっている．具体的には，日本代表のSWIFT理事候補の選出，国内の参加基準の改正などを行う．

一方，「ユーザーグループ協議会」は，3種類のすべての会員（ナショナルメンバー会員のほか，サブメンバー会員，パーティシパント会員を含む）を構成員としており，SUGの予算・決算，規約改正，経費分担基準の改正など，SUG会員全体にかかわる事項についての意思決定を行う．

なお，両協議会の議長（ナショナルメンバーグループ・チェアパーソン，ユーザーグループ・チェアパーソン）は，事務局である東京銀行協会が務めている．

(3) スイフト委員会

これら2つの協議会の下には，常設の下部機関として「スイフト委員会」が置かれており，国内メンバーの要望とりまとめ，SWIFTの年次総会の議案へ

図10-8 日本スイフトユーザーグループの組織

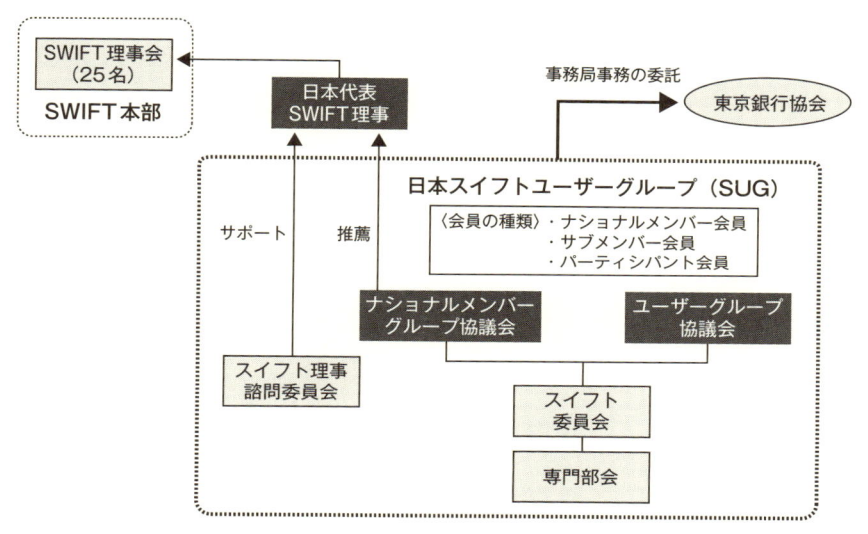

の対応など，SWIFTに関係する事項について，協議・決定を行っている．スイフト委員会は，ナショナルメンバー会員の役職員10数名とナショナルメンバーグループ・チェアパーソン（本委員会の議長）およびユーザーグループ・チェアパーソンによって構成されており，SWIFTに関連する案件全般について，実質的な審議・検討を行い，SUGにおける中核的な役割を果たしている．

（4）専門部会とスイフト理事諮問委員会

スイフト委員会の下部組織として，「専門部会」が設けられる．これは，特定の分野を専門的に検討するために，必要に応じて設けられるものである．現在は「スイフト証券問題専門部会」が設置されており，証券メッセージなどについて，検討・協議が行われている．

また，日本代表のSWIFT理事[6]をサポートする組織として，「スイフト理事諮問委員会」が設けられている．

---

6) 現在，三菱東京UFJ銀行の上総英男決済事業部長が務める．

第11章 SWIFTのセキュリティ

　SWIFTでは，2001〜2004年にかけて，X.25プロトコルによる旧ネットワークである「STN」（SWIFT Transport Network）から，インターネット・プロトコル（TCP/IP）によるネットワークである現行の「SWIFTNet」への移行を行った．このネットワーク・レベルでの移行を「SWIFTNetフェーズ1」と呼んでいる．

　SWIFTは，フェーズ1に続いて2007〜2008年にかけて，セキュリティ面での新たな方式への移行を行った．この新方式（および移行プロセス）を「SWIFTNetフェーズ2」と呼んでいる．

　以下では，SWIFTにおけるセキュリティの目的と，新旧のセキュリティの方式の概要について述べる．

1 SWIFTにおけるセキュリティの目的と手段

（1）セキュリティの目的

　ネットワーク上で通信を行う場合には，盗聴，改ざん，なりすましといった不正行為への対策が必要となる．「盗聴」とは，アクセス権限のない第三者が通信内容をみる行為であり，「改ざん」とは，通信の途中で通信内容を書き換える行為であり，「なりすまし」とは，第三者が通信相手を擬装する行為である．

　こうしたネットワーク上の不正行為に対する対策は，一般に「情報セキュリティ」（information security）と呼ばれる．SWIFTのネットワーク上では，資

金や証券に関する大量の金融データがやりとりされているため，こうした情報セキュリティの確保はとりわけ重要となる．

情報セキュリティは，一般に，①機密性，②完全性，③否認防止，④可用性，⑤責任追跡性，などの要素に分けられる．

このうち，「情報の機密性」（confidentiality）とは，アクセスを許可されたものだけがその情報にアクセスすることができ，アクセス権限のない第三者が情報の中身をみることができないようにすることである．すなわち，不正アクセスや情報漏洩が起きないようにする仕組みである．

また，「情報の完全性」（integrity）とは，情報が意図したとおりに正しく完全であることであり，通信の途中で電文の一部が欠落したり，改ざんされたりしないようにすることである．

「否認防止」（non-repudiation）とは，送信者（あるいは受信者）が事後になって，その送信の事実（または受信の事実）を否認することができない仕組みのことである．

「可用性」（availability）とは，情報や通信サービスが利用したいときに利用できることである．ネットワークが混み合っていて利用できないといった事態が発生すると，可用性が損なわれていることになる．

「責任追跡性」（accountability）とは，システムがいつ誰に利用されたかという証跡を維持し，利用プロセスを追跡できるようにすることである．

（2）セキュリティ確保の手段

SWIFTのネットワークにおいては，上記のような情報セキュリティは，基本的に，①暗号化，②アクセス・コントロール，③メッセージ認証，などの手段によって確保されている．

まず，「暗号化」（encryption）については，SWIFTのメッセージは，ネットワーク上においてはすべて暗号化されて通信される（暗号の基礎知識についてはBOX11-1を参照）．ユーザーのサイト（ネットワーク機器）を出た瞬間から，SWIFTのネットワークを経由して通信相手のサイトに入るまで，すべての段階でメッセージは暗号化されて伝送される．

「アクセス・コントロール」（access control）は，権限を有する端末（ユー

ザー）のみが，ネットワークにアクセスできるように制御することである．

　一方，「メッセージ認証」(message authentication) とは，通信が正しい相手との間で行われ，また送信者と受信者との間でやりとりされるデータ（メッセージ）が通信の途中で改ざんされていないことを保証する仕組みである（詳細は，BOX11-2を参照）．

【BOX11-1】暗号の基礎知識

（1）暗号とは

　暗号とは，通信の内容が当事者以外には解読できないように，文字を「一定の規則」（後述のアルゴリズム）により，他の文字や記号に置き換えたものである．すなわち，メッセージの外見を変えることにより，正当な受信者にしか読めないようにする方法のことであり，基本的には「機密保護」のために用いられる．また，暗号の技術を応用すると，後述する「メッセージ認証」や「鍵の配送」の機能を実現することができる．

（2）平文と暗号文

　暗号化する前の文章（データ）のことを「平文(ひらぶん)」(plain text) といい，暗号化を行ったデータのことを「暗号文」(cipher text) という．平文を暗号文に変換することを「暗号化」(encryption) と呼び，暗号文を平文に戻すことを「復号（または復号化）」(decryption) という．

（3）アルゴリズムと鍵

　暗号化では，「アルゴリズム」と「鍵」(key) の2つが重要な構成要素となる．たとえば，古典的な暗号として「シーザー暗号[1]」がある．シーザー暗号は，アルファベットを何文字かずらした文字に置き換えることによって暗号化する方式である（こうした暗号を「換字式暗号」と呼ぶ）．仮に3文字ずらす場合には，原文のaはdに，bはeになる．この際の「ア

---

[1] ローマの指導者であったカエサル（英語読みでシーザー）が実際に使ったとされる暗号．

ルファベットを何文字かずらす」という規則が「アルゴリズム」にあたり，ずらす文字数が「鍵」にあたる．同じシーザー暗号であっても，原文「TOKYO」は，鍵が2の場合には「VQMAQ」に，鍵が3の場合には「WRNBR」とまったく異なる暗号文になる．このように，アルゴリズムが大まかな暗号の方針を決め，鍵がその詳細を決めることになる．

(4) 鍵の重要性

暗号システムの安全性は，鍵の秘密が守れるかどうかにかかっているといっても過言ではない．それだけ，暗号においては，鍵の秘密性が重要である．鍵の秘密が守られるためには，鍵の候補が十分に多いことが必要条件となる．鍵の候補が少ない場合には，鍵の候補をすべてチェックする「総当り法」によって暗号が解読されてしまう可能性があるためである[2]．

(5) 秘密鍵暗号と公開鍵暗号

暗号の方式は，秘密鍵暗号と公開鍵暗号の2つに大別することができる．

①秘密鍵暗号

「秘密鍵暗号」(secret key cryptosystem) は，暗号化と復号化で同じ鍵を使う方式である．同じ鍵を使うことから，この方式は「共通鍵暗号」(common key cryptosystem) または「対称鍵暗号」(symmetric key cryptosystem) とも呼ばれる．ただし，共通の鍵を秘密にしておくことがこの暗号にとって最も重要であることから，「秘密鍵暗号」と呼ばれることが多い．

秘密鍵暗号は，暗号化や復号化の速度が速いというメリットがある一方で，①送信者と受信者の間で，鍵をあらかじめ安全な方法によって共有しておかなければならない（安全な鍵の配送が必要），②通信相手ごとに鍵を作成し，それぞれの相手と定期的に交換する必要がある（鍵の管理が煩雑）といったデメリットがある．

---

[2] ちなみに，上述のシーザー暗号では，鍵の候補は0〜24までの25通りしかないため，暗号としてはあまり強力とはいえない．

図11-1　秘密鍵暗号の手順

送信側　　　　　　　　　　　　　　　受信側

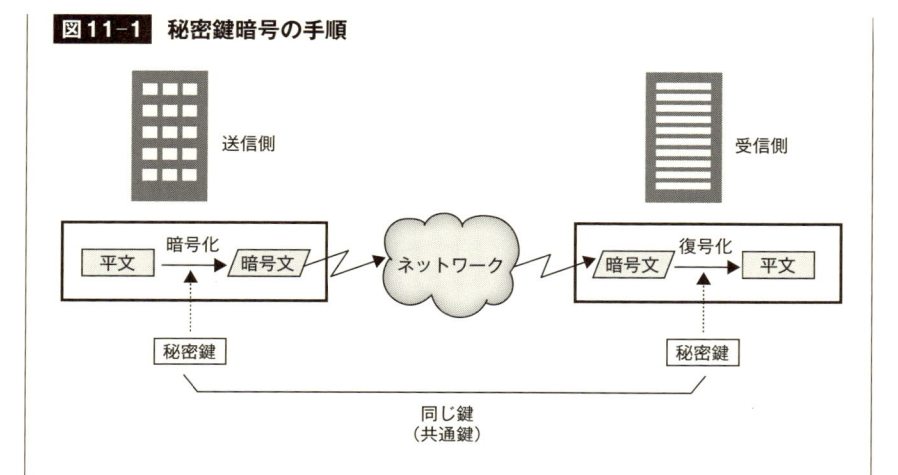

平文 →暗号化→ 暗号文 → ネットワーク → 暗号文 →復号化→ 平文

秘密鍵　　　　　　　　　　　　　　　秘密鍵

同じ鍵（共通鍵）

　秘密鍵暗号の代表的なものとしては,「DES」(Data Encryption Standard) がある．DESは, 米国の公式な標準暗号として採用されてきた経緯があり, 金融界でも幅広く用いられている．

②公開鍵暗号
　「公開鍵暗号」(public key cryptosystem) は, 暗号化のための鍵（暗号鍵）と復号化のための鍵（復号鍵）が異なる暗号である．2つの異なる鍵を使うことから「非対称鍵暗号」(asymmetric key cryptosystem) とも呼ばれる．
　まず, メッセージの受信者は,「公開鍵」(public key) と「秘密鍵」(private key) のペア (key pair) を作成し, 公開鍵は誰でも知ることができるように公開しておく．一方, 秘密鍵は, 受信者だけの秘密としておく．公開鍵暗号においては, 公開鍵で暗号化したものは, それとペアになっている秘密鍵でしか復号化することができない（逆に, 秘密鍵で暗号化したものは, それとペアになっている公開鍵でしか復号化することができない）．
　機密保護のために公開鍵暗号を利用する場合には, 送信者は, 受信者の公開鍵を使ってメッセージの暗号化を行い, 暗号文を受信者に送る．そして受信者は, 自分の秘密鍵を使って, 暗号文の復号化を行うことになる．
　公開鍵暗号は,「南京錠」の仕組みと同じイメージである．つまり, 誰

図11-2 公開鍵暗号の手順

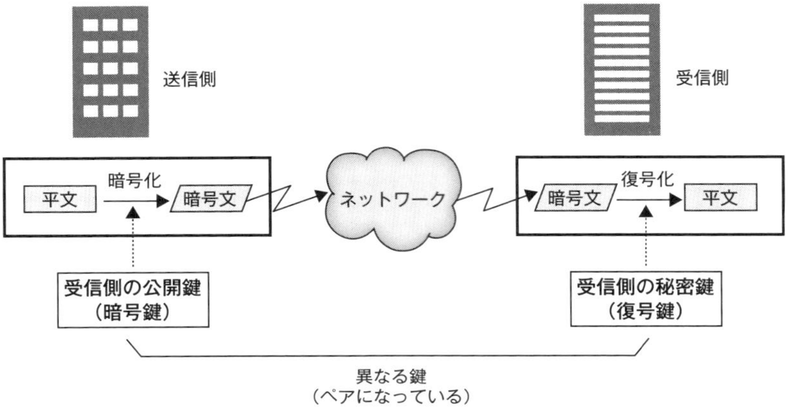

でも鍵を閉めることはできる（そして鍵をしたら開けられない）が，鍵を開くことができるのは，鍵をもっている正当な当事者のみである．

公開鍵暗号は，一対の鍵を作成して，1つを公開，1つを秘密に保持しておけばよく，鍵の管理が容易であるというメリットがある一方，暗号化・復号化のシステム負荷が重い（速度が遅い）というデメリットがある．このため，メッセージ全体の暗号化よりも，鍵の配送やデジタル署名（BOX11-3で後述）など，メッセージの一部分（圧縮値）のみを暗号化する手法において用いられることが多い．

代表的な公開鍵暗号としては，「RSA暗号[3]」がある．RSAは，多くの桁の素数（p）と素数（q）を掛け合わせた数字（$p \times q = N$）を素因数分解するためには，膨大な時間を要する[4]という性質を利用した暗号である．RSA方式では，元となる素数（pとq）が秘密鍵として，素数同士の積（N）が公開鍵として用いられる．

---

[3] この方式を発明したリヴェスト（Rivest），シャミア（Shamir），エーデルマン（Adleman）の3人の頭文字を取って名づけられた．

[4] たとえば，10^{308}（1のあとに308個のゼロが続く）の数字（$N = p \times q$）を素因数分解するためには，1億台のパソコンを使って1000年以上かかるものとされている．

③両方式の使い分け

上述のように,秘密鍵暗号と公開鍵暗号には,一長一短がある.このため,鍵の配送やデジタル署名など,情報量の少ないデータについては,公開鍵暗号によって暗号化を行う一方で,データ量の多いメッセージについては,秘密鍵暗号を用いて効率的に暗号化を行うなど,それぞれの長所を活かした形で組み合わせて利用されるのが一般的である.

【BOX11-2】 メッセージ認証の仕組み

メッセージ認証は,暗号技術を使って,発信元のなりすましや通信内容の改ざんを防止する仕組みである.

(1) メッセージ認証の手順
具体的な手順は,以下のとおりである(図11-3参照).
① 送信側は,送信するメッセージ本体を「ハッシュ関数[5]」という特殊な関数を使って圧縮した「ハッシュ値」(いわばメッセージの圧縮データ)を求める(これを「ハッシュ化」という).
② 次に,送信側では,ハッシュ値を「認証鍵」で暗号化したものを「認証子」(MAC:Message Authentication Code)として,メッセージ本体に添付して送る.このとき,MACを作成するための認証鍵は,あらかじめ安全な方法により,送信者と受信者との間で共有されているものとする.
③ 受信側では,受信したメッセージ本体から,送信側と同様の方法で,ハッシュ関数と認証鍵を使ってMACを作成する.
④ そして受信側では,こうして作成したMACを,受信したメッセージに添付されているMACと比較する.両者が同一であれば,メッセー

---

[5] 「ハッシュ関数」は,元となるデータ(ここではメッセージ本体)に少しでも変更があると,ハッシュ値がまったく異なったものになるような性質をもっている関数である.また,ハッシュ値からは,元のデータを求めることはできないようになっている.

図11-3 メッセージ認証の手順

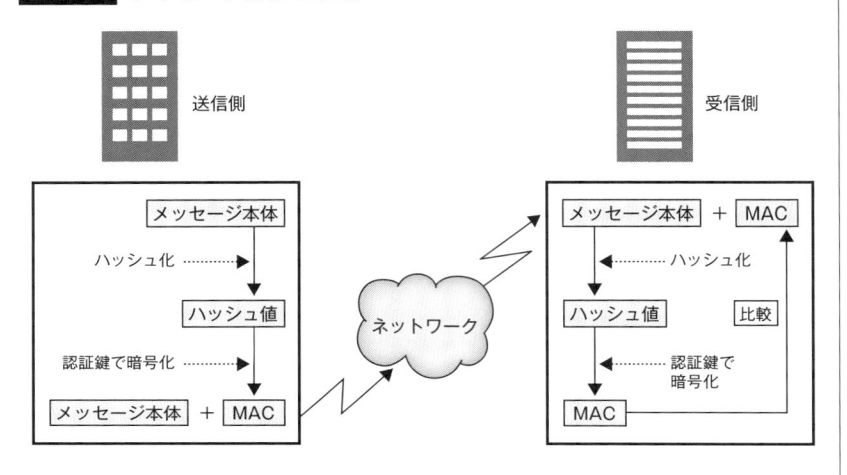

ジ本体が改ざんされていないことが検証される．

（2）メッセージ認証の意味

上記のように，メッセージ認証は，認証鍵を用いて作成したMACを検証することにより，第三者が通信の途中でメッセージに改ざんを加えていないことを確認する仕組みである．また，秘密の認証鍵をもっているのは，送信者と受信者のみであるため，MACが正しく検証できれば，正しい相手からの通信であることが確認できる．

❷ セキュリティの旧方式

ここでは，まずSWIFTNetフェーズ2が導入される以前に用いられていたSWIFTのセキュリティの方式（以下，旧方式という）の概略について述べておくこととする．

（1）BKE方式

①メッセージ認証とBKE

旧方式では，①送信者の真正性（メッセージが正しい送信者から送られてきたこと）と，②メッセージの完全性（通信の途中で欠落・改ざんされていないこと）を確認する手段として，「ユーザー間認証」（user-to-user authentication）を行っていた．これは，メッセージに「MAC」（認証子：Message Authentication Code）を付加する形のメッセージ認証として行われた．メッセージ認証は，送信者と受信者のみが知っている秘密の鍵を用いて作成したMACを，送信者がメッセージに添付し，受信者が同じ鍵を使って確認する仕組みである（詳細はBOX11-2を参照）．

このメッセージ認証のためには，秘密鍵である「認証鍵」（authentication key）を通信の相手と相互（bilateral）に交換する必要がある．このための安全で自動化された鍵交換の方法は，「BKE」（Bilateral Key Exchange：二者間の鍵交換）と呼ばれた．

②認証鍵

認証鍵は，「32桁の16進数の文字列」（32-character hexadecimal string）として作成され，カードリーダー（SCR）が生成した．この鍵は，「バイラテラル・キー」（BK）ともいわれ，送信者と受信者が同じ鍵を使用した[6]．つまり，あるSWIFTのユーザーにとっては，メッセージの通信先が100先あれば，この100の先と個別に認証鍵を交換しておくことが必要であった．認証鍵は，SWIFT端末内の「BKファイル」というファイルのなかにすべての通信相手の分が保管された．

セキュリティの観点から，認証鍵には利用期限（life time）が設けられ，6カ月～1年ごとに新しい鍵に変更することが必要であった[7]．

認証鍵のうち，現在利用しているものを「現行キー」（active key），現行キーの前に使っていたものを「過去キー」（previous key），今後使う予定のもの

---

[6] すなわち，秘密鍵暗号の方式を利用していた（BOX11-1を参照）．
[7] SWIFTでは，6カ月ごとの交換を推奨していた．

図11-4 BKEによる鍵交換のメッセージ

```
ユーザーA                                              ユーザーB
(開始者)                                               (応答者)
   │ ──── ①BKEの開始要求メッセージ（MT960）────→ │
   │ ←─── ②BKE開始の応答メッセージ（MT961）──── │
   │ ──── ③キー送付メッセージ（MT962）─────────→ │
   │ ←─── ④キー確認メッセージ（MT963）────────── │
```

を「将来キー」（future key）と呼んだ．すなわち，通信の相手先ごとに，これら3種類のキーがSWIFT端末内に保管された．

③BKEによる鍵交換

BKEによる鍵交換を行うためには，まず，両者が「BKEに関する事前合意」（BKE pre-agreement）を交わすことが必要であった[8]．事前合意には，交換する鍵のタイプ，鍵交換の頻度，交換する鍵の発効日（activation date），鍵交換の開始日（initiation date）などが含まれた．事前合意は，鍵交換を行う1カ月前までに行うものとされた．

こうした事前の準備を行ったうえで，BKEは，最終的には，以下のような4つのメッセージの交換によって行われた（図11-4参照）．この間，SWIFTは，公開鍵証明書（Public Key Certificate）を発行するなど，両者の間で信頼性を確保する役割を果たした．

①ユーザー A（開始者）がBKEの開始要求メッセージを送る
②ユーザー B（応答者）がそれに対する応答メッセージを送る
③ユーザー Aが，キー送付（key service）のメッセージを送る

---

8) SWIFTのフリー・フォーマット(n99)を使って行われた．また書面で行うこともできた．

④ユーザーBが，キー確認（key acknowledgement）のメッセージを送る

　BKEのプロセスは，基本的にSWIFT端末によって行われたが，ユーザーによって自動化のレベルは異なっていた．自動化が進んでいない場合には，上記の4つのメッセージの交換が完了するまでに数日を要した．一方，両方の当事者がBKEプロセスを自動化している場合には，上記のようなメッセージ交換は数分で完了した．
　なお，SWIFTNetフェーズ2への移行を進めるなかで，BKEによる鍵交換は2008年9月末に廃止された．

(2) ハードウェア
　旧方式では，通信のセキュリティを物理的に確保するためのハードウェアとして，①ICカードと②カードリーダーが用いられた．

①カードリーダー
　「カードリーダー」は，ICカードを読み込むための小型のデバイスであった．入力用のキーパッドとディスプレイが装備されており，内部には暗号用のソフトウェアが格納されていた．通常は，SWIFT端末に接続して利用された．
　カードリーダーには，①SCR（Secure Card Reader）と②BCR（Basic Card Reader）の2種類があった．「SCR」は，標準的なカードリーダーとされ，SWIFTのネットワークへログインするための「SLSサービス」と鍵交換のための「BKEサービス」の両方をサポートした．「BCR」は，より小型で単機能のものであり，SLSサービスのみをサポートした．SCRには，秘密鍵の情報が蓄積されるため，内部を勝手にいじれない仕組み[9]（tamper-resistant）となっていた．

②ICカード
　「ICカード」（ICC：Integrated Circuit Card）は，カードの所有者のみがロ

---

[9] 内部を不正に開けようとするとセンサーが感知して，なかの秘密鍵の情報を破壊する仕組みとなっていた．

グインできるように管理するためのものであり，カードリーダーに差し込んで使用した．ICカードによるアクセス管理は，6桁の暗証番号（PIN：Personal Identification Number）によって行われた．

各カードは，「ICCセット」と呼ばれる金融機関ごとのグループ単位で管理された．ICカードには，①USERカード[10]，②USOFカード[11]，③UKMOカード[12]などの種類があり，それぞれ機能が異なっていた．

(3) SLSサービス

FINサービスの利用にあたっては，「SLSサービス」というアクセス管理の手法が用いられた．

①LOGINコマンドとSELECTコマンド

「SLS」（Secure LOGIN and SELECT）は，FINサービスへのアクセスを管理する機能である．FINサービスを利用するためには，ユーザーの論理端末（LT：Logical Terminal）が，SWIFTサイドの「一般アプリケーション」（GPA：General Purpose Application）と「FINアプリケーション」の2つにアクセスする必要がある．GPAは，システム・レベルのメッセージやアクセスを管理するものであり，FINは，実際の金融メッセージをやりとりするためのアプリケーションである．

GPAへのアクセスは「LOGINコマンド」によって行われ，FINへのアクセスは「SELECTコマンド」によって行われる．これら2つのコマンドは，MAC（認証子）を利用してSWIFTによる確認が行われ[13]，権限を有するユーザーのアクセスであることが確認される．

---

10) USERカードは，ネットワークへのログインを行うための実務者用のカードであった．
11) USOFカードは，ICCセット内において特権を有するカードであり，各カードのアクセス権限や暗証番号の管理等を行う管理者用のカードであった．
12) UKMOカードは，秘密鍵の管理を行うための機能を有するカードであり，鍵管理責任者が利用した．
13) ユーザーのICカード内の秘密情報（ICC Kernel）を使って，GPAとFINのセッションごとにユニークな「セッション鍵」（session key）が生成され，そのセッション鍵を使ってMAC（認証子）が作成される．SWIFTでは，同じ秘密情報を使ってMACが正しいものである（権限のあるユーザーによるアクセスである）ことを確認する．

第11章 SWIFTのセキュリティ

②SLSのオペレーション

　上記のようなコマンドの作成や認証のプロセスは，システムによって自動的に行われるため，ユーザーとしては，日常業務においてとくに気にする必要はない．ユーザーとしては，SWIFT端末に接続されているカードリーダーにICカード（USERカード）を挿入して，暗証番号（PIN）を入力すれば，上記のようなプロセスが自動的に行われる．

　また，人手による操作（オペレーターのPIN入力）をなくし，システムが自動的にLOGINやSELECTのコマンドを準備して発信する「自動アクセス」（automated LOGIN/SELECT facility）の設定も可能である．

③ SWIFTNetフェーズ2

　SWIFTでは，2007～2008年にかけて，上述した旧方式のセキュリティ方式に代えて「SWIFTNetフェーズ2」と呼ばれる新しいセキュリティ・モデルへの移行を行った．新方式では，①「HSM」（Hardware Security Module）という新しいタイプのハードウェアを採用したこと，②公開鍵暗号の技術を使った「デジタル署名」や「PKI」（Public Key Infrastructure）という手法を利用していること，③「RMA」（Relationship Management Application）という通信相手との取引関係を厳格に管理できる新たなツールを導入したこと，などが特徴となっている．

（1）新たなハードウェア：HSM

　SWIFTNetフェーズ2では，「HSM」という新しいタイプのハードウェアが導入されている．

①HSMとは

　「HSM」（Hardware Security Module）は，耐タンパー性（内部の情報が不正に読み書きできない性質）を有するハードウェアであり，旧方式におけるカードリーダー（SCR）やICカード（ICC）に代わるものとして導入された．

とくにSCRやICCの安全性が脅かされたわけではないが，技術的なライフサイクルが終わりに近づいているとの判断から，より安全性の高いハードウェアを導入したものである．HSMには，PKI（公開鍵基盤）に関する秘密情報が格納されるほか，デジタル署名に関する演算（署名の作成）も行う．

②2種類のHSM
HSMは，中高トラフィック用と低トラフィック用の2種類が用意されている．中高トラフィック用は「HSMボックス」と呼ばれ，メッセージの処理能力が高く（最大で14.4万件／時），多くの鍵／証明書を格納できる（最大250個まで）．このHSMは，社内のLANに接続することによって，複数のSWIFT機器が共有することができる．このため，「LANベースのHSM」（LAN-based HSM）とも呼ばれる．

一方，低トラフィック用のHSMとしては，①ICカードとカードリーダー形態の「HMSカード」と，②トークン形態の「HSMトークン」（PCのUSBポートに差込み可）がある．いずれも，1日に1000件以下の低メッセージ量のユーザーに適する．また，いずれのHSMも，1つの鍵／証明書しか格納することができない．

(2) デジタル署名とPKI

旧方式のセキュリティが，基本的に秘密鍵暗号に拠っていたのに対し，SWIFTNetフェーズ2では，「公開鍵暗号」の技術によって，アクセス・コントロール，メッセージ認証，鍵配送などを実現しているのが特徴である．公開鍵暗号では，「公開鍵」（public key）と「秘密鍵」（secret key）のペア（key pair）によって，暗号化・復号化や署名の作成・検証を行う（公開鍵暗号の詳細は，BOX11-1を参照）．

①アクセス・コントロール
（a）デジタル署名とは
旧方式では，アクセス・コントロールと端末認証（エンド・ツー・エンド認証）は，「SLS」（Secure LOGIN and SELECT）におけるMAC（認証子）によ

って行われたが，SWIFTNetフェーズ2では，デジタル署名によって行われる．
　「デジタル署名」（digital signature）とは，「メッセージの正当性を保証するために添付される，暗号化された署名情報」のことである．デジタル署名は，公開鍵暗号を応用したものであり，メッセージが正しい送信者からのものであり，かつそのメッセージが途中で改ざんされていないことを保証する機能を有している（詳細はBOX11-3を参照）．

　(b) デジタル署名による検証
　ユーザー側では，SWIFTに対してLOGINコマンドやSELECTコマンドを送る際に，HSMによってデジタル署名を作成し，これらのコマンドに添付する．SWIFTでは，このデジタル署名を検証して，権限のある端末からの通信であることを確認し，このアクセスを許可する．一方，SWIFTでは，ユーザーからのコマンドに対する応答メッセージを送り返す際に，自らのデジタル署名を添付する．ユーザー側では，このデジタル署名を検証することによって，SWIFTから応答を得ていることを確認できる．
　このように，SWIFTへのアクセスを行うに際して，SLS（LOGINコマンドとSELECTコマンド）が必要な点については，旧方式からの変更はない．ただし，コマンドの通信を行ううえでのセキュリティ確保の手段は，MACからデジタル署名に変更されている．

②メッセージ認証
　送信者の真正性とメッセージの完全性を確認するためのユーザー間の「メッセージ認証」は，旧方式ではMAC（認証子）によって行われたが，SWIFTNetフェーズ2では，アクセス・コントロールと同様に，「デジタル署名」によって行われる．
　送信側では，メッセージに対するデジタル署名が，送信者の秘密鍵を使ってHSMによって計算され，メッセージに添付して送付される．受信側では，このデジタル署名を送信者の公開鍵を使って検証する．送信者から送られたデジタル署名が正しいものであることが検証できると，(a) メッセージが正しい送信者からのものであること，(b) 改ざんされていないメッセージが届いたこと，

が確認できる.なお,送信者の公開鍵は,「SWIFTNetディレクトリ」に保存され,公開されている.

【BOX11-3】デジタル署名の仕組み

　デジタル署名には,公開鍵暗号の技術が用いられる.前述（BOX11-1）のように,「機密保持目的」で公開鍵暗号を利用する場合には,暗号化には公開鍵を,復号化には秘密鍵を使う（つまり,秘密鍵をもっている正当な受信者のみが,平文のメッセージを得ることができる）.デジタル署名では,この手順が逆に用いられる.すなわち,署名を作成する際の署名鍵には「秘密鍵」が用いられ,署名を検証するための検証鍵としては「公開鍵」が用いられるのである.

（1）デジタル署名の手順

　デジタル署名の作成・検証の具体的な手順は,以下のとおりである（図11-5参照）.

① 送信側は,送信するメッセージ本体をハッシュ関数によって圧縮した「ハッシュ値」を求める（ハッシュ化）.

② 次に,送信側では,ハッシュ値を送信者のみが知っている「自分（送信者）の秘密鍵」で暗号化したものを「デジタル署名」として,メッセージ本体に添付して送る.

③ 受信側では,受信したメッセージ本体から,送信側と同様の手順でハッシュ値を求める.

④ 受信側ではまた,受信したメッセージに含まれるデジタル署名の部分を「送信者の公開鍵」によって復号化する.

⑤ ③で求めたハッシュ値と④で復号化したハッシュ値とを比較して,両者が一致すれば,「送信者が正しい」という点と,「メッセージは伝送途中で改ざんされていない」という点を確認することができる.

図11-5 デジタル署名の手順

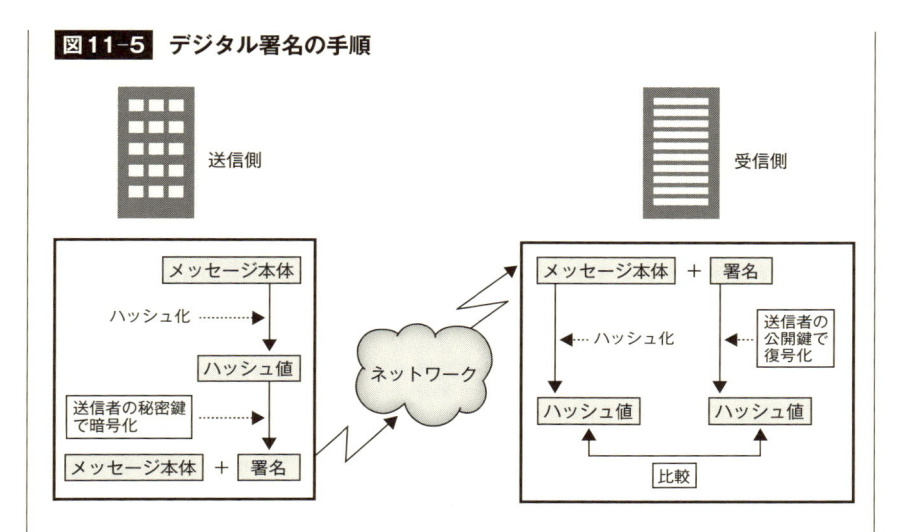

(2) デジタル署名の意味

　デジタル署名の部分は，送信者本人しか知りえない「秘密鍵」を用いて作成されているため，送信者以外の第三者は誰も偽造することはできない．秘密鍵で暗号化した暗号文を送信者の公開鍵によって復号化できるということは，確かに送信者本人から送られたものであるということができ，「送信者が正しい」ことが確認される．

　一方，デジタル署名は，送信者の公開鍵を用いて復号化することができるため，誰でもそれが本物の署名であるかどうかを検証することができる．もし，伝送途中でメッセージが改ざんされていれば，ハッシュ値のもつ特徴（元になるデータが少しでも変更されたら，ハッシュ値はまったく異なったものになる）により，メッセージから求めたハッシュ値（上記の③）とデジタル署名を復号化したハッシュ値（上記の④）とは，まったく異なる値になるはずである．したがって，この両者が一致したということは，途中でメッセージが改ざんされていないことを意味している．

③鍵の配送

(a) PKIとは

鍵の配送には，旧方式では「BKE」が用いられたが，SWIFTNetフェーズ2では「PKI」（Public Key Infrastructure：公開鍵基盤）という手法が用いられる．相手から送られてきたデジタル署名を検証するためには，相手の公開鍵を事前に入手しておく必要がある．ここで問題になるのが，「入手した公開鍵が信頼できるものかどうか（本当に本人のものか）」ということである[14]．

ここで，公開鍵が信頼できるものであることを証明する手段として用いられるのが「PKI」である．PKIとは，簡単に言うと，信頼できる第三者が「公開鍵証明書」によって，公開鍵が本人のものであることを保証する仕組みである（詳細は，BOX11-4を参照）．

(b) 認証局（CA）とは

この信頼できる第三者のことを「認証局」（CA：Certification Authority）というが，SWIFTは，この認証局（CA）として，ユーザーに対して，公開鍵の所有者の本人性を保証する証明書（digital certificate）を発行する．この機能は，「SWIFTNet認証局」（SWIFTNet Certification Authority）といわれる．

証明書には，①公開鍵の所有者の情報（金融機関名など），②公開鍵そのもの，③認証局（CA）のデジタル署名などの内容が含まれる．いわば，「これは本人の公開鍵で間違いありません」という証明書を，SWIFTが自らの署名を付けて送るものである．SWIFTでは，このサービスを「PKIサービス」（SWIFTNet PKI）と呼んでいる．これにより，各ユーザーは，通信相手の公開鍵を信頼できるものとして受け取り，相手との間で公開鍵暗号（デジタル署名）を使った安全な通信を行うことができる．

SWIFTNet認証局の証明書には，「簡易証明書」（lite certificate）と「ビジネス用証明書」（business certificate）の2種類があるが，簡易証明書は，テス

---

[14] たとえば，C氏が，自分の公開鍵を「A氏の公開鍵」としてB氏に送り，B氏がこれを「A氏の公開鍵」と思って取得すると，C氏はA氏へのなりすましが可能となってしまう．

トやトレーニング用であり、実際のメッセージの送付（live service）には、ビジネス用証明書を使うことが必要とされている。

(c) セキュリティ・オフィサー（SO）とは

各ユーザーでは、こうした証明書の管理（certificate management）を行うための「セキュリティ・オフィサー」（SO：Security Officer）を2名ずつ[15]置くことが求められている[16][17]。

2名のSOは、責任を分担することもできるし、各種の手続きに両名の承認が必要とする扱いにすることもできる。後者の場合を「2人チェックの原則」（4-eyes principle）といい、この適用をSWIFTに申請すると、各種の手続きに必ず2名のSOの承認（dual authorisation）が必要となり、相互牽制を働かせることができる。

SOは、通常、「ローカル登録申請」（LRA：Local Registration Application）という機能（SWIFT端末などに組み込まれている）を使って、SWIFTの登録局と通信を行い、オンラインで証明書管理（online certificate management）を行う[18]。

【BOX11-4】PKIの仕組み

(1) PKIの概要

「PKI」（Public Key Infrastructure：公開鍵基盤）とは、公開鍵を安全にやりとりするための基盤のことであり、公開鍵が正しいものであることを第三者機関が保証する仕組みである。

PKIでは、「3者間認証」のモデルが利用されており、信頼できる第三

---

[15] 主たる2名のSOのほかに、必要に応じて、追加のSO（additional security officer）を置くことができる。
[16] 主たる2名のSOは、SWIFTの「登録局」（SWIFTNet Registration Authority）に登録される。
[17] 2名のSOが複数の機関（BIC8単位）の証明書を管理する場合には、「共通SO」（SSOs：Shared Security Officers）と呼ばれる。
[18] バックアップとして、オフラインでの証明書管理（offline certificate management）の手続きについても定められている。

図11-6 PKIによる公開鍵配送の手順

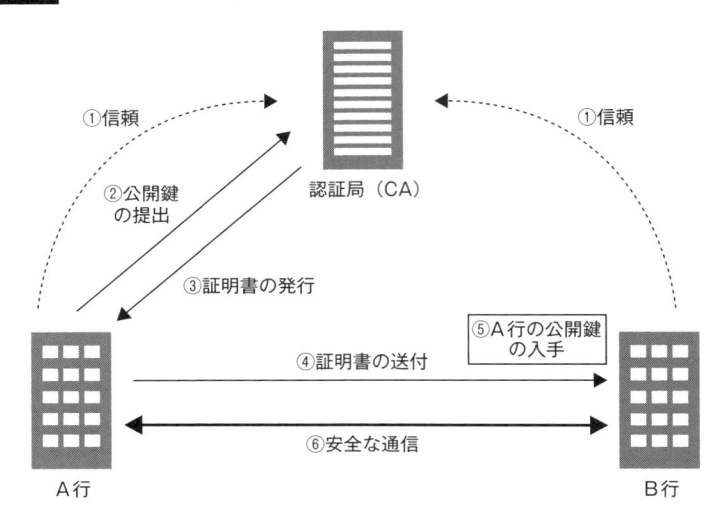

者機関が公開鍵の所有者を保証する証明書を発行する．証明書には，公開鍵とその所有者を証明する情報が記載され，また改ざんを防ぐために第三者機関のデジタル署名が付される．この証明書の発行主体のことを「認証局」（CA：Certification Authority）という．

（2）PKIにおける公開鍵配送の手順

PKIを使った具体的な手順は，以下のとおりである（図11-6参照）．

① A行とB行は，ともに認証局（CA）を信頼しているものとする．
② A行は，秘密鍵と公開鍵のペアを作成し，このうち公開鍵を認証局に提出する．
③ 認証局は，A行の本人性を確認し，A行の証明書をA行に対して発行する．
④ A行では，発行された証明書を通信相手であるB行に送信する．
⑤ B行では，証明書に記載されているA行の情報と認証局のデジタル署名を確認し，証明書に含まれているA行の公開鍵を安全に入手する．

⑥B行では，A行の公開鍵を使って安全な通信を行う．

(3) 取引関係の管理ツール：RMA
SWIFTNetフェーズ2では，通信相手との取引関係を管理するために「RMA」という新たなツールが導入されている点が特徴の1つである．

①RMAの概要
旧方式では，SWIFTのネットワーク上での取引関係[19]の管理は，BKEによって行われてきた．通信相手と鍵を交換するということは，取引の必要性があり，メッセージ交換を行うことについてお互いが合意していることを意味していたためである．SWIFTNetフェーズ2においては，この役割を果たすのが「RMA」(Relationship Management Application：取引関係管理ツール) である．

RMAでは，ユーザーは，受信者から「自分あてにメッセージを送ってもよい」という「通信許可」(authorisation) を得ていない限り，その受信者に対してメッセージを送ることができない仕組みとなっている．

このようにRMAは，受信者から送信者に対する一方向 (uni-directional) の通信許可である．このため，双方向 (bi-directional) の通信を行う必要がある場合（こうしたケースがほとんどとみられる）には，両方のユーザーは，相互に相手に対して通信許可を付与しておく必要がある．

BKEによって交換されたバイラテラル・キー (BK) 方式からRMAへの移行[20]は，2008年10〜12月にかけて行われた[21]．

---

19) より正確には，SWIFTのネットワークを通じて通信を行う通信関係 (communication relationship) のことであるが，SWIFTでは，取引関係 (business relationship) という用語を使っている．
20) BKEによる鍵交換自体は，2008年9月末で終了した．
21) BKEからRMAへの移行に際しては，①過去の一定期間にFINメッセージの交換があり，②BKEによる有効な鍵交換が行われている相手先との間では，自動的に通信許可を作成する仕組みを導入した．この仕組みは，「RMA Bootstrap」(RMAの自動作成機能) と呼ばれた．

②RMAの特徴
RMAには，以下のような特徴・メリットがあるものとされる．

(a) 通信許可の定期的な更新が不要
BKEにおいては，秘密鍵の機密性保持が重要であったため，セキュリティの観点から，6カ月～1年ごとに鍵を変更すること（鍵の更新）が必要であった．しかし，通信許可には機密性のある情報は含まれないため，RMAではこうした通信許可の定期的な更新は必要とされない．通信許可は，もっぱら取引関係に基づくものであり，いったん通信許可が与えられると，その取引関係が変更・中止されるまで，通信許可は有効である[22]．通信許可について定期的な見直しを行うかどうかは，各ユーザーの判断に委ねられている．

(b) 幅広い適用範囲
RMAは，FINサービスのほか，InterActサービスやFileActサービスなど，SWIFTNetにおけるすべてのサービスに適用可能である．このため，通信許可のメッセージは，FINサービスではなく，「RMAサービス[23]」という専用のサービスによって交換される．
RMAの利用は，FINサービスについては必須（義務づけ）であるが，InterActサービスやFileActサービスについてはオプションであり，各サービスのサービス・アドミニストレーターが必要の有無を決めるものとされている．

(c) 取引関係のきめ細かな管理が可能
BKEでは，いったん鍵の交換が行われると，その相手とはすべてのメッセージの交換が可能となっていたが，RMAでは，メッセージタイプ（MT）ごとや，メッセージ・カテゴリー（業務分類）ごとに通信許可を設定することがで

---

22) ただし，ユーザーは，一時的な取引関係については，通信許可の「開始日」と「終了日」（どちらか一方または両方）を指定して利用することができる．
23) InterActサービスのストア＆フォワード方式により，XMLメッセージが用いられる．

きる[24]．このため，従来より，きめ細かい取引関係の管理が可能である．つまり，「誰が（who）自分に対してメッセージを送ることができるか」を管理するだけではなく，「どんなメッセージ（what）を送ることができるのか」をコントロールすることができる．

たとえば，A行では，資金のコルレス関係にあるB行から，送金関係のメッセージは受け取るが，証券取引や信用状については取引関係がないため，それらに関するメッセージは受領しないといったかたちで，取引関係に応じた切分けを行うことができる[25]．この点をSWIFTでは，「管理の細やかさ（granularity）の向上」や「精度の高い通信許可」（granular authorisation）と呼んでいる．やりとりするメッセージの範囲を決めることができるのは，常に受信側であり，送信側では，これを変更することはできない．こうした受信メッセージに対する厳格なコントロールにより，取引関係のない先などからの「迷惑メッセージ」（unwanted traffic）をブロックすることができるため，コンプライアンス面やリスク管理面でのメリットが大きいものとされる[26]．

なお，メッセージ範囲を限定することは，オプション機能であり，こうした限定を行うことは必ずしも必要ではない．メッセージの範囲が指定されていない場合（これがデフォルト設定とされている）には，従来と同様に，すべてのFINメッセージが通信許可の対象となる．

通信許可は，同じ通信相手であっても，メッセージング・サービスが異なる場合には，別の通信許可が必要となる．たとえば，FINメッセージのやりとりを行っていた相手と新たにFileActでの通信を行う場合には，FileAct用の新たな通信許可が必要となる．

---

24) ただし例外的に，MT999（フリー・フォーマット・メッセージ）については，通信許可不要のメッセージ（non-authenticated traffic）とされており，相手先からの通信許可がなくても送信することができる．
25) 「許可リスト」（permission list）に，許可する（または許可しない）カテゴリー，MT番号を指定することによって，こうした切分けを行うことができる．
26) 従来，こうした迷惑メッセージに対しては，事実関係の確認，相手への連絡，当局への報告など，手間のかかる処理が必要であった．

表11-1 BKEとRMAとの比較

項目	BKE	RMA
方向性	両方向の鍵の交換	一方向の通信許可の付与
定期的な更新	必要	不要
利用するメッセージ・サービス	FINサービス	InterActサービスのストア＆フォワード方式
交換の単位	BIC8のほか，BIC4，BIC6が可能（注）	BIC8のみ
MT，カテゴリーごとの区分	不可	可能
事前合意の必要性	必要	不要

（注） BIC4は，銀行識別コード（BIC）の最初の4桁の銀行コードのみ（世界全体のすべての本支店を含む），BIC6はこれに2桁の国名コードを加えたもの（特定国におけるすべての支店を含む），BIC8はさらに地域コード2桁を加えたもの（特定地域内の支店のみ）である．

(d) 手続きの簡素化

RMAでは，BKEとは異なり，「事前合意」（pre-agreement）は必要とされない．これは，通信許可には，鍵に関する技術的なパラメータが含まれておらず，事前調整の必要がないためである．

また，BKEでは，鍵交換が終了するまでに4つのメッセージを交換することが必要とされ（図11-4参照），そのために数日を要することも少なくなかった．RMAでは，「通信許可メッセージ」の1つのみで済むため[27]，簡単なオペレーションで済み，また短時間のうちに通信関係を構築することができるというメリットがある．

上記のようなRMAの特徴をBKEと比較したのが，表11-1である．

③通信許可の発行

RMAのもとでは，相手先からのメッセージを受け取るためには，各ユーザーは，相手先に対してあらかじめ通信許可を「発行」（issue）しておくことが必要になる．通信許可の記録は「RMAレコード」と呼ばれ，ユーザーのシステム環境内に保存され，ユーザーがビジネス上のニーズに応じて，直接管理を行う．

---

27) 通信許可メッセージが受諾された場合には，通信許可の発行者に対する確認メッセージは送られない（拒否された場合にのみ，拒否メッセージが送信される）．

図11-7　RMAによる通信許可の発行（一方向のケース）

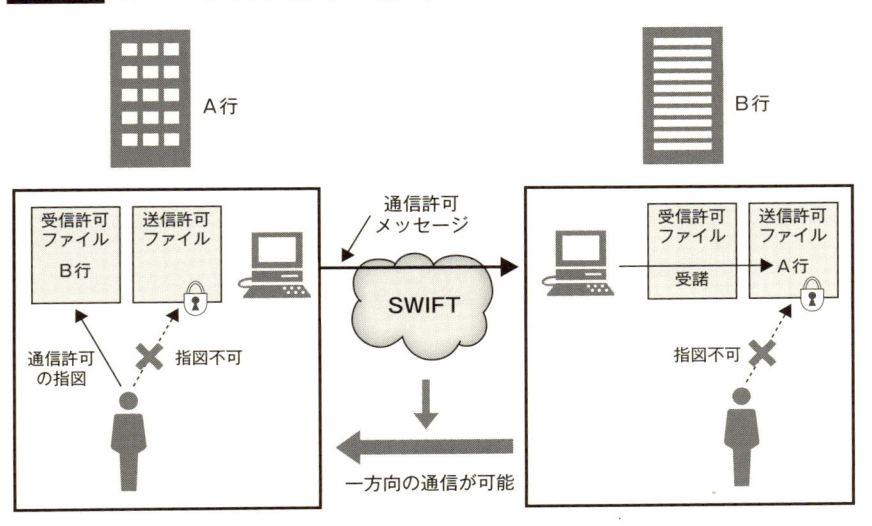

たとえば，A行がB行に対して通信許可を発行する場合には，A行は，B行に「通信許可メッセージ」(authorisation message) を送る．このときA行では，B行に対する通信許可が「受信許可ファイル」(authorisation-to-receive) に保存される．一方，B行では，通信許可メッセージを受け取り，これを受諾すると，A行への通信許可が「送信許可ファイル」(authorisation-to-send) に保存される．つまり，1つの通信許可により，2つのRMAレコードが発生し，受信側と送信側のそれぞれに保存される．これにより，B行はA行に対して，許可の対象となるメッセージを送ることができるようになる（図11-7参照）．

また，双方向の通信を行うため（こうしたケースがほとんどとみられる）には，B行もA行に対して同様に通信許可を発行する必要がある．すなわち，「通信許可の相互付与」が必要となる（図11-8を参照）．

なお，各ユーザーは，自分では，自行の送信許可ファイルに手を加えることはできない（自らが，自行に対して他行への送信許可を与えることはできない）．

通信許可の発行単位は，基本的にはBIC8レベル（銀行識別コードの8桁）となるが，本店が支店のためにRMA管理を集中して行うこと（Centralized

図11-8 RMAによる通信許可の発行（双方向ケース）

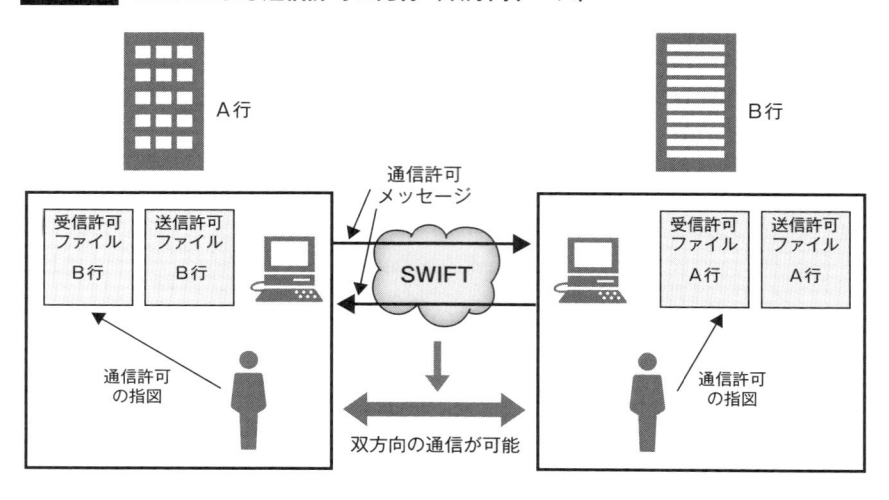

RMA management）も可能である[28]．

④通信許可の取消し・変更等
（a）通信許可の受諾・拒絶・削除・取消し

通信許可を受け取った先（メッセージの送信側）では，送られてきた送信許可に対して「受諾」（accept）または「拒絶[29]」（reject）を行うことができる．もし，拒絶された場合には，通信許可の発行者はその旨の通知を受け取る．通信許可を受け取った先は，遅くとも6営業日以内に受諾または拒絶の意思表示をすることが必要である．また送信側は，通信許可をいったん受諾したうえで，後になって「削除」（delete）することも可能である．

一方，通信許可の発行者（メッセージの受信側）では，いつでも通信許可の「取消し」（revoke）を行うことができる．

---

28) RMAを集中管理していることは，取引相手には知られることがない．
29) 送られてきた通信許可の内容が，事前の合意と異なっている場合など．

(b) 通信許可の変更

通信許可の内容を変更することが必要となった場合（メッセージの範囲を拡大する場合など）には，発行者は，新しい通信許可を発行することが必要である．たとえば，「カテゴリー4」（取立てとキャッシュレター）のみの取引であった先と，新たに「カテゴリー7」（荷為替信用状と保証）のメッセージの交換を行うことになった場合などがこうしたケースにあたる．

新たな通信許可が発行され，受諾されると，既存の通信許可は，新しい通信許可によって「上書き」（replace）される[30]．こうした通信許可の上書きは，新しい通信許可が受諾されると直ちに行われ[31]，即座に新しい通信許可に基づいたメッセージの送受信ができるようになる．

(c) RMA管理

このように通信許可を発行したり，それを受諾・拒絶したり，取消し・削除を行ったりするなど，通信許可のステータスをコントロールすることを「RMA管理」（RMA management）という．各ユーザーは，毎日RMAの未処理案件がないかを確認する必要がある．

RMA管理におけるアクションの一覧表は，表11-2のとおりである．

表11-2　RMA管理のアクション

アクションの種類	内　容
通信許可の発行（issue）	受信側が，送信側に対して通信許可を送る．
通信許可の受諾（accept）	送信側が，受け取った通信許可を受諾する．
通信許可の拒絶（reject）	送信側が，受け取った通信許可を拒絶する．
通信許可の取消し（revoke）	受信側が，以前に発行した通信許可を取消す．
通信許可の削除（delete）	送信側が，いったん受諾した通信許可を後になって削除する．

（注）　受信側＝通信許可の発行者（issuer），送信側＝通信許可の受け手．

---

30) RMAでは，常に，1つの有効な通信許可（only one valid authorisation）しか存在せず，BKEのように過去，現在，将来といったバージョンの概念はない．
31) 通信許可に，将来日付の開始日が設定されていない場合に限る．

⑤RMAフィルタリング

(a) RMAフィルタリングの手法

RMAソフトウェア(通信許可ファイルに蓄積されたRMAレコード)の情報に基づいて，実際にメッセージのフィルタリング(選別)を行うことを「RMAフィルタリング」(RMA traffic filtering)という．これは，FINインターフェースなど，ユーザーの「アプリケーション」において行われる．

RMAフィルタリングは，送信側と受信側の両方で行われる．まず，送信側では，インターフェースがそのメッセージの送信が許可されているかどうかを送信許可ファイルとの突合によりチェックする(もし，送信が許可されていなければ，メッセージは送信されない)．また，受信側でも，再度，受信を許可しているかどうかのダブル・チェックを実施する[32]．

(b) FINコピーの例外

なお，決済システムにおいて「FINコピー」を利用している場合には，サービス・アドミニストレーター(中央銀行などの中央機関)は，RMAを「バイパス扱い」にすることができる．すなわち，その決済システムのメンバー間では，相互に通信許可を発行し，フィルタリングを行うことは必ずしも必要とされない．こうした場合，サービス・アドミニストレーターとすべてのFINコピー利用者との間で，必要なメッセージを交換する旨の合意を行えば，RMAによるメッセージのフィルタリングを省略(bypass)することができる．

⑥RMAの対象の拡大

RMAは，2008年中に，FINサービスを対象として全世界のユーザーに導入された．2009年以降は，InterActサービスやFileActサービスにも対象が拡大される予定である．

---

[32] 万が一，通信許可のないメッセージを受信した場合には，無条件にリジェクトするのではなく，「通信許可なし」のフラグを立てて，調査用のキューに入れるなどの処理が行われる．

第12章 市場インフラにおけるSWIFTの利用

　SWIFTは，これまで述べてきたように，金融機関間の通信ネットワークとして利用されているほか，決済システムのためのネットワークとしても利用されている．本章では，資金決済システムや証券決済システムなどの「市場インフラ」（MI：Market Infrastructures）におけるSWIFTの利用について述べる．

1 決済システムにおける3つのSWIFT利用形態

　決済システムにおいてSWIFTを利用する場合の手法には，大きく分けて，①通信ネットワークとしての利用，②FINコピー・サービスの利用，③決済システムのオペレーションの利用，の3つの形態がある．

（1）通信ネットワークとしての利用

　第1は，決済システムの「通信ネットワーク」（communication network）としてSWIFTを利用する方法である．この場合，決済システムの参加者は，SWIFTのネットワークを通じて，支払指図を決済システムに送り，支払指図の処理状況や口座残高の状況についてモニタリングを行い，支払指図の優先度の変更や取消しなどの指図を行う．SWIFTのメッセージング・サービス（FINサービス，InterActサービス等）を使う場合もあるし，メッセージ・フォーマットはSWIFT標準ではなく，独自フォーマット（proprietary format）

図12-1 決済システムの通信ネットワークとしてのSWIFT

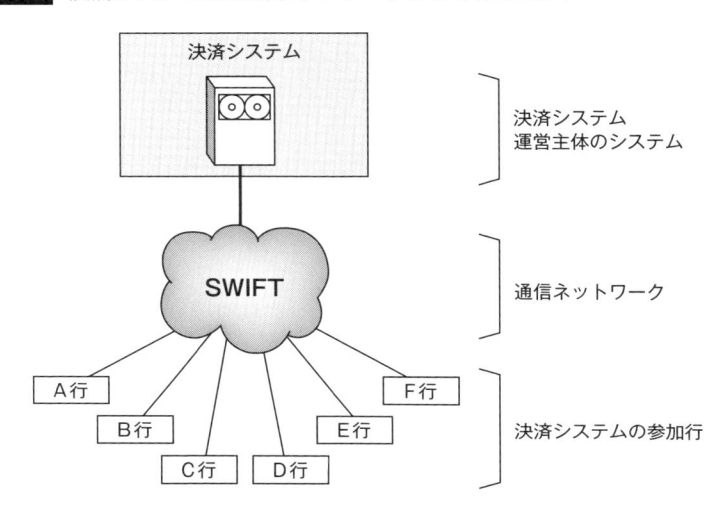

```
            ┌──────────────┐
            │  決済システム   │      ┐
            │    ┌──┐      │       │ 決済システム
            │    │OO│      │       │ 運営主体のシステム
            └────┼──┼──────┘      ┘
                 │
              ╭──┴──╮
             ╱       ╲            ┐
            │  SWIFT  │            │ 通信ネットワーク
             ╲       ╱            ┘
           ╱ ╱ │ │ ╲ ╲
        ┌───┐ │ │ │ │ ┌───┐
        │A行│ │ │ │ │ │F行│         ┐
        └───┘ │ │ │ │ └───┘          │
          ┌───┐│ │┌───┐              │ 決済システムの参加行
          │B行││ ││E行│              │
          └───┘│ │└───┘              │
            ┌───┐┌───┐               │
            │C行││D行│               │
            └───┘└───┘              ┘
```

を使うケースもある．

　こうした決済システムの通信ネットワークには，その国のネットワーク・プロバイダーを使った専用のネットワークが用いられることも多い．これらは，一般に「専用ネットワーク」(proprietary network) と呼ばれるが，近年では，専用ネットワークに替えてSWIFTのネットワークを利用し，SWIFTのフォーマットで支払指図を送るケースも増えてきている．とくに，欧州（中東欧を含む）の決済システムにおいては，SWIFTの利用が高いシェアを占めている（詳細は後述）．

　通信ネットワークとしてのSWIFTの利用は，決済システムの参加者（金融機関）がすでにSWIFTのユーザーである場合には，決済システム運営者は新たなネットワークを構築する必要がなく，また参加者にとっても追加的なネットワーク接続を行う必要がないという点がメリットとなる．

(2) FINコピー・サービスの利用

　第2に，SWIFTが決済システム用に開発したサービスを利用する方法がある．こうした決済システム用のサービスとしては，「Yコピー」と「Tコピー」

があり，両方をまとめて「FINコピー・サービス」(FIN Copy Service) と呼んでいる．これらは，いずれもFINサービスを決済システム用に応用した付加価値サービスである（詳細は後述）．

(3) 決済システムのオペレーションの利用

決済システムにおけるSWIFT利用の第3の形態として，SWIFTが「決済システムのオペレーション」までを請け負うケースがある．この場合，SWIFTは，ネットワーク部分だけではなく，支払指図の処理やキュー（待ち行列）の管理などの「決済処理プロセス」の部分も含めて，サービスを提供することになる．

こうした例としては，ユーロの資金決済システムである「EURO1」（大口決済システム）や「STEP1」（小口決済システム）があり，両方の運営主体である「EBA」（ユーロ銀行協会：Euro Banking Association）が，SWIFTにネットワークと決済処理を委託している．

② 決済システムに用いられるメッセージング・サービス

決済システム用にSWIFTが用いられる場合には，SWIFTのメッセージング・サービスのいくつかが組み合わせて利用される．ただし，必ずしも，すべてのメッセージング・サービスを利用する必要はなく，必要なサービスのみを用いることができる．

SWIFTの各メッセージング・サービスが，決済システム用に果たす役割は，以下のようなものである．

(1) FINサービス

FINサービスは，決済システムのために最も基本的な機能を提供するものであり，支払指図の送信や決済結果の通知を送信するためのメッセージとして用いられる．利用方法としては，①Yコピー，②Tコピー，③Vシェイプの3種類があり，それぞれの概要は以下のとおりである．

①Yコピー

「Yコピー」(Y-Copy)は，A行からB行に対しての支払指図が送信されると，このメッセージの主要部分をSWIFTのコンピュータ（Yコピー・エンジン）がコピーして決済システムの中央機関（CI：Central Institution）に送る仕組みである．中央機関（CI）では，支払銀行（A行）の口座に十分な残高があることを確認したうえで，決済処理（A行口座の払出しとB行口座への入金）を行う．Yコピーは，主として，中央銀行が運営するRTGS（Real-time Gross Settlement）システムのために利用されている．

1990年代半ばから，欧州各国の中央銀行が決済システムのRTGS化[1]を進めるなかで[2]，中央機関（CI）である中央銀行にすべての決済情報（顧客名など）を送らずに，決済処理に必要となる最低限の情報（金額，決済日，通貨，受取銀行名など）のみをコピーして送りたいとのニーズが出てきた．これに応えて開発されたのが，Yコピーである．

Yコピーでは，①ストア → ②コピー → ③オーソライズ → ④フォワードの順番で処理が行われる[3]（図12-2参照）．すなわち，支払指図は，Yコピー・エンジン内に蓄積（ストア）され，そのうち決済処理に必要なデータのみがコピーされて，中央機関（CI）に伝達される．中央機関（CI）では，支払銀行の口座に十分な資金があることを確認して決済処理を行ったうえで，オーソライズ（承認）を発出する[4]．Yコピー・エンジンでは，この承認を受けて，オリジナルの支払指図を受取銀行に対してリリースする（フォワード）．したが

---

[1] RTGS化の前は，受払いの差額（ネット金額）について，1日に1回の時点決済を行う「時点ネット決済システム」であった．
[2] EUでは，単一通貨ユーロの導入にあたって，ユーロのクロスボーダー決済を行うために各国の国内決済システムをリンクして「TARGET」を構築した（1999年1月より稼動を開始）．TARGETにリンクするためには，各国の決済システムはRTGSシステムであることが必要条件とされたため，欧州各国では，1990年代半ば以降，決済システムのRTGS化を急速に進めた．
[3] 図12-2のように，メッセージのフローがYの字のようになることから，Yコピーと呼ばれる．
[4] 支払銀行の口座残高が不足している場合などには，CIは「オーソライズ」ではなく，「リジェクト」（rejection）の回答を行う．この場合，オリジナルの支払指図はリリースされず，Yコピー・エンジンから支払銀行に「中止通知」（abort notification）が送られる．

第12章　市場インフラにおけるSWIFTの利用

図12-2　Yコピーの仕組み

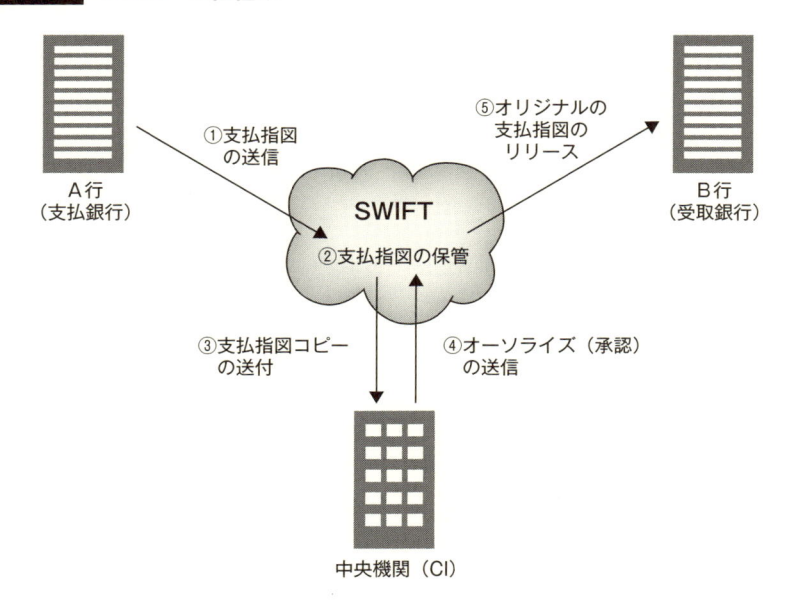

①支払指図の送信
②支払指図の保管
③支払指図コピーの送付
④オーソライズ（承認）の送信
⑤オリジナルの支払指図のリリース

A行（支払銀行）　SWIFT　B行（受取銀行）
中央機関（CI）

って，受取銀行がオリジナルの支払指図を受け取った時点では，すでに資金決済は完了していることになる．

　Yコピーは，クローズド・ユーザー・グループ（CUG）を組成して利用され，利用者のメンバーシップは，中央機関（CI）が決める．利用者は，SWIFTメッセージのヘッダーに専用のコードを入れることによって，Yコピー用のメッセージであることを指示する仕組みとなっている．

　②Tコピー
　「Tコピー」（T-Copy）は，Yコピーと同様に，支払指図のコピーを中央機関に送るサービスであるが，(a) メッセージの一部のみではなく，オリジナルのメッセージ全体のコピーがそのまま中央機関（CI）に送られること，(b) 中央機関（CI）における処理や承認が必要とされないこと，などの点がYコピーとは異なっている．

　Tコピーを利用している例としては，CLS銀行があげられる．CLS銀行では，

269

図12-3 Tコピーの仕組み（CLS銀行のケース）

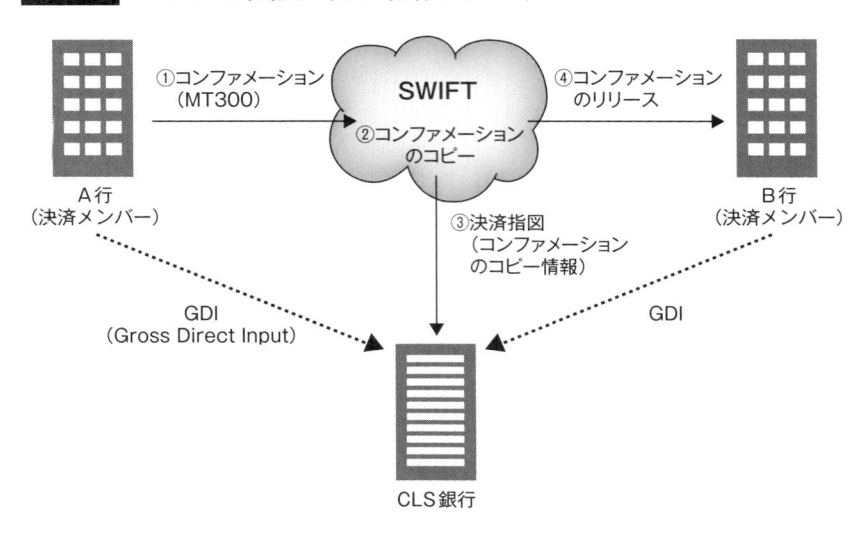

決済メンバーであるA行が，取引相手のB行に対してコンファメーション（MT300）を送ると，そのコピーがCLS銀行に送られる．CLS銀行において，両行からのコンファメーションが照合されると，それがCLS銀行に対する決済指図になる[5]．この際，CLS銀行に送られるコンファメーションのコピーは，オリジナルのコンファメーションの単純なコピーであり，とくに何の加工もなされていない（図12-3参照）．

Tコピーは，CLS銀行のほか，一部の決済システムで利用されているが，Yコピーほどは広く用いられていない．

③Vシェイプ

「Vシェイプ」（V-Shape）は，FINメッセージを支払指図としてそのまま中央機関（CI）に送って決済処理を行い，その結果を再びFINメッセージで，

---

[5] CLS銀行に対する支払指図の送付方法としては，このほかに，CLS銀行に対して，直接，取引内容を通知する「GDI」（Gross Direct Input）という手段がある．GDIは，SWIFTのInterActサービスをベースにしている．

第12章　市場インフラにおけるSWIFTの利用

図12-4　Vシェイプの仕組み

A行
（支払銀行）

B行
（受取銀行）

SWIFT

①支払指図の送信　　②支払指図の送信

中央機関（CI）

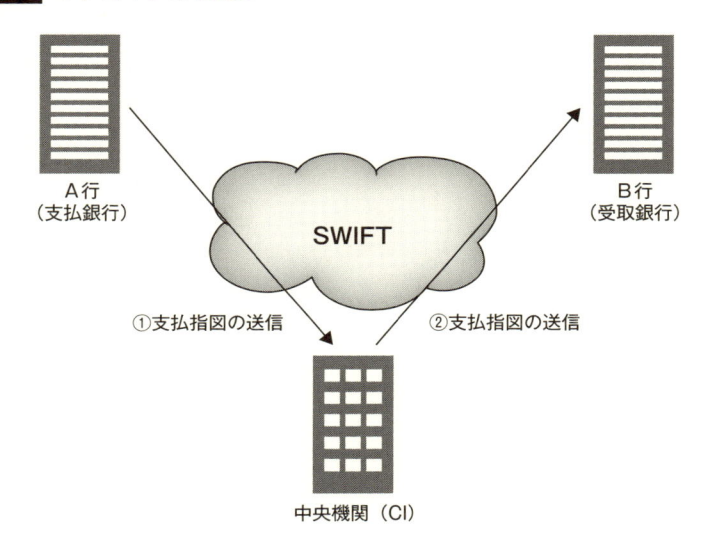

表12-1　Vシェイプを利用している資金決済システム

	国（決済システム）
欧州（1）	スイス（REMOTE-GATE）
米州（6）	バハマ（BHS），バルバドス（BDS），カナダ（BCAN），グァテマラ（RTGS），トリニダード・トバゴ（SAFE-TT），ベネズエラ（PIBC）
アジア太平洋（2）	タイ（BAHTNET/2），フィジー（RTGS）
中東（2）	クウェート（RTGS），オマーン（RTGS），
アフリカ（6）	アルジェリア（RTGS），中部アフリカ諸国（RTGS），モロッコ（RTGS），西アフリカ諸国（BCEAO），スワジランド（TGS），チュニジア（RTGS）

受取銀行に通知する形態である（図12-4参照）．

　この形態は，FINサービスをそのまま利用したものであり，FINコピー・サービス用の追加料金を支払わなくてよいというメリットがある．安価なコストでYコピーに類似したサービスを実現できるため，小規模な途上国で用いられることが多い（表12-1参照）．Vシェイプでは，当初のFINメッセージがそのまま中央機関（CI）に送られ，メッセージのコピーが行われていない点が，Y

271

表12-2 InterActを利用している資金決済システム

運営主体	決済システム
ECB（欧州中央銀行）	TARGET2
EBA Clearing	EURO1
EBA Clearing	STEP1
MAS（シンガポール）	MEPS＋
バーレーン中央銀行	RTGS
イスラエル中央銀行	RTGS

コピーやTコピーとの違いである．

（2）InterActサービス

InterActサービスは，決済システムにおいて，支払指図をコントロールするための指図をリアルタイムで行うために用いられる．こうしたコントロールとしては，①キュー（待ち行列）内における支払指図の順番の入替え，②支払指図の優先度（priority）の変更，③他行に対する仕向限度額（sender limit）の変更，④支払指図のキャンセル，などがある．InterActは，リアルタイムのキュー管理が可能な比較的先進的な決済システムにおいて用いられている（表12-2参照）．

（3）Browseサービス

Browseサービスは，決済システムを運営する中央機関（CI）が，決済システムの参加者に対して，照会機能を提供するために用いられる．参加者は，SWIFTのネットワークを通じて，CIが用意した決済システム用のウェブサイトにアクセスする．そして，自行口座の残高，決済処理のステータス（決済完了，未済）等をリアルタイムに確認することができる．

（4）FileActサービス

FileActサービスは，大容量のファイルを送受信するためのサービスであり，決済システムにおいては，多数の支払指図が含まれたファイルを送るために用いられる．また，ユーザー・ディレクトリ，決済処理に関する統計レポートな

どを送信するためにも利用される.

(5) バルク・ペイメント・サービス

SWIFTでは，上記のようなメッセージング・サービスを組み合わせて，主として小口決済システムであるACH（Automated Clearing House）向けにパッケージ化したサービスである「バルク・ペイメント・サービス」（Bulk Payments）を提供している.

同サービスでは，FileActサービスがメインのメッセージング・サービスであり，緊急を要さない（non-urgent），小口（low-value）の支払指図のファイルが，ACHのユーザー（金融機関）からACHに送られ，決済処理が行われる. また，カットオフ・タイムの間際などの緊急性が高い状況では，リアルタイムのInterActサービスを用いて決済指図を送ることもできる.

同サービスは，①金融機関が相対での決済（bilateral clearing）に用いることもできるが，②ACHにおける中央集中決済（centralized clearing）において用いられるケースが多い. 後者の場合には，ACHの運営者が，サービス・アドミニストレーターとして，参加者の範囲，サービス内容などを決める[6].

バルク・ペイメント・サービスでは，利用方法の標準化を進めるために「ルールブック」が設けられており，ユーザーはここに定められたルールやガイドラインに沿って，決済指図のファイルを送る. また，ACHごとに「クローズド・ユーザー・グループ」（CUG）が設定され，そのメンバー間でのみメッセージのやりとりが行われる. 同サービスのメッセージには，ISO 20022（UNIFI）ベースのXMLメッセージ（MX）が用いられる.

同サービスは，汎欧州のユーロの小口決済システムである「STEP2[7]」や，イタリアのACHである「Seceti」において用いられている.

---

6) 前者（相対での決済）の場合には，SWIFTがサービス・アドミニストレーターとなる.
7) EBA（ユーロ銀行協会）が運営するユーロの小口決済システム. 初の「汎欧州ACH」として認定されている.

3 資金決済システムにおける利用

(1) SWIFTを利用している資金決済システム

SWIFTの資金決済システムにおける利用は，歴史的な経緯もあって，大口決済システムが中心となっている．

2009年2月時点で，53カ国の資金決済システムがすでにSWIFTを利用している（このほか，特定の国を対象としないものとして，CLS銀行，EURO1，STEP1などがある）．また7つの資金決済システムがSWIFTを導入中であるほか，19の国・地域がSWIFTの導入を計画している（表12-3，表12-4参照）．

これらを合わせると全部で約80カ国となるが，ユーロ圏諸国，中部アフリカ諸国，西アフリカ諸国など，複数の国が利用している資金決済システムの対象国を含めると，SWIFTを利用している資金決済システムの対象は110カ国

表12-3 SWIFTを利用している資金決済システム

地域	国（決済システム）
欧　州（13）	アルバニア（AIP），アゼルバイジャン（AZIPS），ボスニア・ヘルツェゴビナ（BIH），ブルガリア（BGN-RINGS），クロアチア（HSVP），デンマーク（DDK-KRONOS），ユーロシステム（TARGET2），ハンガリー（ViBER），ノルウェー（NICS），ルーマニア（REGIS），スウェーデン（RIX），スイス（Remote Gate），英国（CHAPS）
米　州（9）	バハマ（BHS），バルバドス（BDS），カナダ（LVTS），チリ（LBTR），ドミニカ共和国（RTGS），グァテマラ（RTGS），トリニダード・トバゴ（SAFE-TT），米国（CHIPS），ベネズエラ（PIBC）
アジア太平洋（7）	豪州（PDS/PDC），ニュージーランド（AVP），フィリピン（PPS），シンガポール（MEPS＋），スリランカ（Lanka Settle），タイ（BAHTNET/2），フィジー（RTGS）
中東（5）	バーレーン（RTGS），イスラエル（RTGS），ヨルダン（RTGS），クウェート（RTGS），オマーン（RTGS），
アフリカ（19）	アルジェリア（RTGS），アンゴラ（PTR），ボツワナ（RTGS），中部アフリカ諸国（BEAC），エジプト（CBE），ガーナ（GISS），ケニア（KEPSS），レソト（RTGS），モーリシャス（MACSS），モロッコ（RTGS），ナミビア（NISS），南アフリカ（SAMOS），スワジランド（TGS），タンザニア（TISS），チュニジア（RTGS），ウガンダ（UNIS），ザンビア（RTGS），ジンバブエ（ZETTS），西アフリカ諸国（BCEAO）
その他（2）	CLS銀行，EBA（EURO1/STEP1/STEP2）

（注）2009年2月時点，カッコ内は，決済システム名．

表12-4 SWIFTを導入中・計画中の資金決済システム

地域	導入中	計画中
欧州（2）	ロシア，グルジア	
米州（8）	ベネズエラ	ボリビア，中米共同市場，エルサルバドル，ホンジュラス，メキシコ，ペルー，ウルグアイ
アジア太平洋（5）	香港	パキスタン，カザフスタン，マカオ，サモア
中東（3）		レバノン，パレスチナ，パラグアイ
アフリカ（8）	エジプト，東南部アフリカ共同市場（COMESA），東アフリカ共同体（EAC）	エチオピア，ナイジェリア，ルワンダ，スーダン，シエラレオネ

（注） 2009年2月時点．

以上にのぼる．これは，世界各国（国連加盟国は192カ国）のうち，約6割の国の資金決済システムで，近年中にSWIFTが利用されることになることを意味する．

地域別にみると，欧州では従来から利用率が高かったが，近年では，中東，中南米やアフリカ諸国でもSWIFTを採用する動きが広がっている．直近では，香港が，2006年10月に，国内RTGSシステムの主たるネットワーク（primary messaging platform）としてSWIFTを採用することを決め，導入作業を進めている．

SWIFTでは，今後は，利用率の低いアジアや北米の決済システムにおいて，SWIFTの利用を働きかけていく方針である．

(2) TARGET2におけるSWIFTの利用

「TARGET2」は，2007～2008年にかけて稼働を開始したユーロの大口決済システムである．TARGET2は，単一通貨ユーロの導入時（1999年）からユーロの決済を担ってきた「TARGET」の後継の資金決済システムである．初代のTARGETが，各国の資金決済システムをSWIFTのネットワークで結んだ「分散型の構造」であったのに対して，TARGET2は，「共通プラットフォーム」（SSP：Single Shared Platform）ですべての決済処理を行う「中央集権型の構造」となっている．

TARGET2では，FINサービス，FINコピー・サービス（Yコピー），InterActサービス，FileActサービス，BrowseサービスといったSWIFTのメッセージング・サービスをフル・セットで利用している（図12-5を参照）．

以下では，資金決済システムにおけるSWIFT利用の具体例として，TARGET2におけるSWIFTの利用方法についてみることとする．

①FINサービスとYコピー

TARGET2の参加行は，顧客送金（MT103, MT103＋），金融機関間の資金移動（MT202），資金引落し（MT204）などのFINのメッセージを使ってTARGET2にメッセージを送る．また，レポーティングのためのメッセージ（MT900, MT910, MT950）を用いることもできる．ユーロの支払指図には，上述した「Yコピー」のメカニズムが用いられている．

②InterActサービス

TARGET2の直接参加行は，InterActサービスを使って，流動性や担保の状況などについて問合せを行うとともに，支払指図に関する指図（キュー内での順番の入替えなど）をリアルタイムで行うことができる．InterActサービスでは，キャッシュ・マネジメント用のXMLメッセージ（21種類）が用いられる．

③FileActサービス

FileActサービスは，大容量のデータを受送信するのに適しており，決済統計のレポートやTARGET2の参加行リストである「TARGET2ディレクトリ」の配布などに用いられる．

FileActサービスとしては，①リアルタイムのファイル・ダウンロード型（参加行がTARGET2から情報を引き出すために利用）と，②ストア・アンド・フォワード型（TARGET2が参加行にファイルを送るために利用），の2つのモードが用いられている．

④Browseサービス

TARGET2の直接参加行は，Browseサービスを使って，TARGET2のウェ

図12-5　TARGET2におけるSWIFTの利用

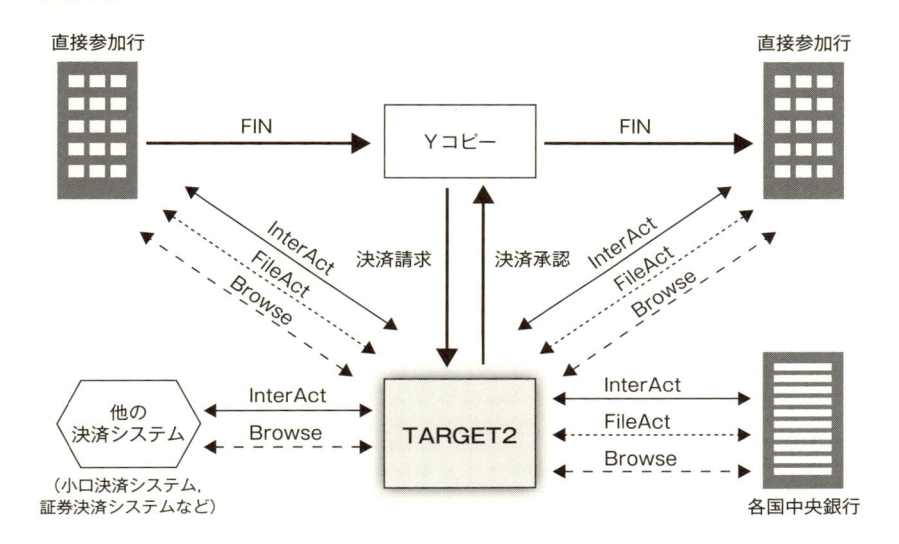

ブサイトを安全に閲覧することができ，これを使って，自行口座の残高，支払指図の待ち行列の状況，システムの運行状況などを知ることができる．

⑤接続方法

TARGET2へのアクセス方法としては，①人手を介さずに，システムとシステムとを接続する「アプリケーション間接続モード」（Application-to-Application mode）と，②ユーザーが端末の操作を行う「ユーザー・アプリケーション間接続モード」（User-to-Application mode），の2つの接続方法が設けられている．

なお，TARGET2には，SWIFT以外の代替的なネットワークは設けられていない．また参加行は，サービスビューローを経由してSWIFTに接続することも可能である．

④ 証券決済システムにおける利用

（1）SWIFTを利用している証券決済システム

証券決済インフラであるCSD（証券決済機関）やCCP（清算機関）でも，ユーザーとの間をつなぐネットワークとして，SWIFTを利用している．

世界のCSDのうち，SWIFTのトラフィックが多少でもある先は50カ国，約80のCSDに及んでいる．ただし，トラフィック自体は少ない先が多く，バックアップ用のネットワークとしての利用が多いものとみられる．

メインのネットワークとしてSWIFTを利用しており，トラフィックが多い先としては，ユーロクリア・バンク，クリアストリーム・ルクセンブルク，ユーロクリアUK&アイルランド（英国），Strate（南アフリカ）などをあげることができる．国際的なCSD（ICSD）であるユーロクリア・バンクやクリアストリーム・ルクセンブルクでは，専用ネットワークやインターネットなどと並んで，SWIFTによるアクセスを可能としている．また最近では，2008年8月に欧州の清算機関である「EuroCCP[8]」がネットワークとしてSWIFTを選定している．

（2）SWIFT利用を予定している証券決済関連プロジェクト

今後，SWIFTの利用を予定している証券決済関係のプロジェクトとしては，①ユーロクリア・グループの共通インターフェースである「CCI」，②欧州のCSD間をリンクする「リンクアップ・マーケット」，③欧州中央銀行（ECB）の進めている証券決済インフラである「T2S」，④ECBへの共通インターフェースとなる「ESIプロジェクト」などがある．また，SWIFTでは，CSDが複数のCCPと接続することができるようにするための「T2C」（Trade to CCP）というプロジェクトを進めている．以下では，これらの概要について述べる．

[8) 米国のDTCCの子会社であり，汎欧州の証券取引プラットフォームである「ターコイズ」（Turquoise）の清算機関となっている．

①ユーロクリア・グループの「CCI」

ユーロクリア・グループは，国際的なCSD（ICSD）であるユーロクリア・バンクと4つの各国CSD（ユーロクリア・フランス，ユーロクリアUK&アイルランド，ユーロクリア・オランダ，ユーロクリア・ベルギー）の5つのCSDによって構成されている[9]。

同グループの5つのCSDでは，経営を統合したあとも，各CSDでそれぞれ独自のシステム，インターフェースを利用していたが，現在，こうしたシステムの統一化を進めている．共通インターフェースである「CCI」（Common Communication Interface）もこうしたシステム統一化の一環であり，2008〜2010年にかけて順次，各CSDに導入される予定である．ユーロクリア・グループのユーザーは，この単一のインターフェースを通じて，グループ内のどのCSDにもアクセスすることができるようになる（これは"single point of access"と呼ばれる）．

CCIのための通信サービスは，「SMS」（Secure Messaging Service）と呼ばれている．SMSの提供者としては，SWIFTとBTの2社が選定されており，ユーザーはどちらかを選択して利用することができる．既存のSWIFTユーザーであれば，多少のアップグレードによりCCIにアクセスできるようになる．

CCIには，①パソコンベースのアクセスである「ScreenFlow」と，②システム接続によるアクセスである「AutoFlow」の2種類が用意されている．

②リンクアップ・マーケット

「リンクアップ・マーケット」（Link Up Markets）は，欧州の8つのCSD間をリンクして，各CSD間のクロスボーダー証券決済を行おうとするプロジェクトである[10]．リンクアップ・マーケットのシステムは，ネットワークの中央で「コンバーター」（変換装置）としての役割を果たし，各国の国内フォーマット（domestic format）を他国のフォーマットへと変換する（図12-6参照）．

---

9) このほか，スウェーデンとフィンランドのCSDが，ユーロクリア・グループへの統合を決めている．
10) 参加CSD社は共同で，マドリッドに「Link Up Capital Markets社」を設立している．

図12-6 リンクアップ・マーケットの概要

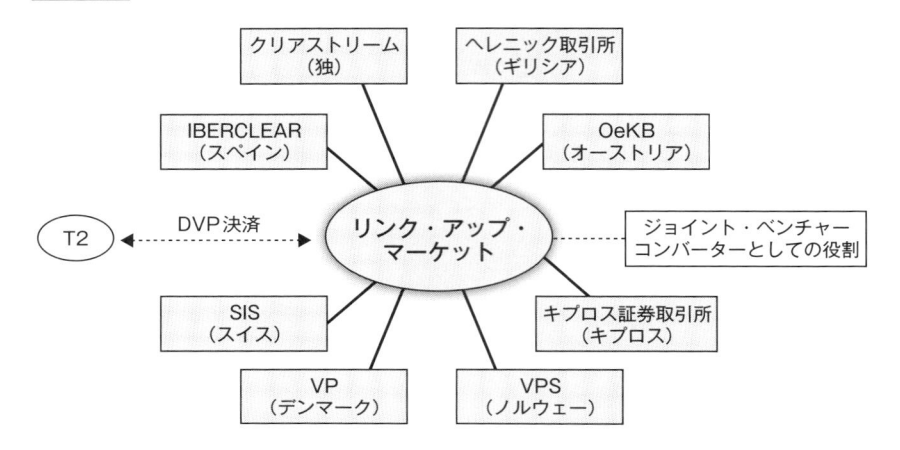

```
        クリアストリーム    ヘレニック取引所
          (独)            (ギリシア)
    IBERCLEAR                    OeKB
    (スペイン)                (オーストリア)
                  リンク・アップ・         ジョイント・ベンチャー
  T2 ←DVP決済→   マーケット     ‥‥ コンバーターとしての役割
       SIS                    キプロス証券取引所
      (スイス)                   (キプロス)
         VP              VPS
      (デンマーク)      (ノルウェー)
```

　こうしたリンクにより，8つのCSDのいずれかに口座をもてば，8つのマーケットにアクセスして証券決済を行うことができる．これによって，欧州内のクロスボーダー証券決済のコストが，最大80％まで削減されるものとしている．

　ユーロクリア・グループが，合併戦略によって欧州内のCSDの統合を進めているのに対抗して，同プロジェクトは，クリアストリーム・グループが中心となって，相互リンクによるグループ化を進めようとするものである[11]．8つのCSDは，合計で欧州における決済シェアで約50％，証券保管残高で45％のシェアを占めるものとされており，リンクが成功裏に構築されれば，ユーロクリア・グループに匹敵する有力な勢力となる可能性もある．

---

11) 各国のCSD間を相互にリンクすることにより，クロスボーダーの証券決済を行おうとする点では，かつてみられた「クロスボーダー・リンク・モデル」に類似している．このモデルは，1998～2002年ごろにECSDA（欧州CSD協会）が推進したが，欧州のすべてのCSD間にリンクを構築するためには，膨大な数のリンクが必要となるため，「スパゲッティ・モデル」と揶揄されて，挫折した．今回の構想では，バイラテラルにリンクを構築するのではなく，中央にハブとなる機関を設けて，リンクの数を減らしている点が特徴である．その意味では，かつてユーロクリアが提唱していた「ハブ・アンド・スポーク・モデル」に近いとみることもできる．もっとも同モデルでは，ユーロクリアがハブとして中心的な役割を果たすとしていたのに対し，今回の構想では，中立的な機関がハブとなっている点が相違点となっている．

このリンクアップ・マーケットのネットワークには，SWIFTが選定されている．同プロジェクトでは，2008年4月に構想を発表したあと，7月にはITプロバイダー[12]を，10月にはネットワークのパートナーとしてSWIFTを選定した．そして，2009年3月には一部のリンクが稼働を開始しており，かなりスピーディーな展開をみせている．

③欧州中央銀行の「T2S」

「T2S」（TARGET2-Securities）は，欧州中央銀行（ECB）が進めているプロジェクトであり，欧州各国のCSDの証券口座をECBの資金決済システムである「TARGET2」に集約して，TARGET2のプラットフォーム上で，資金と証券とのDVP決済を行おうとするものである．これにより，これまで各国のCSD（証券決済機関）で分散して行われてきたユーロ建て証券[13]の決済が，1つのプラットフォームにおいて集中して行われるようになる[14]．

T2Sのネットワークとしては，TARGET2と同様に，SWIFTが採用されるとの見方が有力である[15]．T2Sは，2013年に稼働を開始する計画である．

④欧州中央銀行の「ESI」

ECBでは，資金決済システムである「TARGET2」を構築し，証券決済のプロジェクトである「T2S」を進める一方で，担保管理のための共通システムである「CCBM2」についてもプロジェクトとして進めている（詳細は，Box12-1を参照）．

ECBでは，TARGET2，T2S，CCBM2の3つのシステムを金融機関の流動性管理に密接に関連するシステムとして，「流動性管理のトライアングル」（liquidity management triangle）と呼んでいる．この3つのシステムについて

---

[12] ITプロバイダーとしては，クリアストリームのシステム構築・運営を担当する「クリアストリーム・サービシズ」（ルクセンブルク）が選定された．こうした点からも，クリアストリーム主導のプロジェクトであることがうかがえる．
[13] 株式や国債のほか，社債，投資信託，ワラントなど，各国CSDが決済を行っているすべての証券を含む．
[14] T2Sの詳細については，『証券決済システムのすべて（第2版）』（東洋経済新報社）のp.280以下を参照のこと．
[15] 正式な決定は，まだなされていない．

図12-7 ESIの概念図

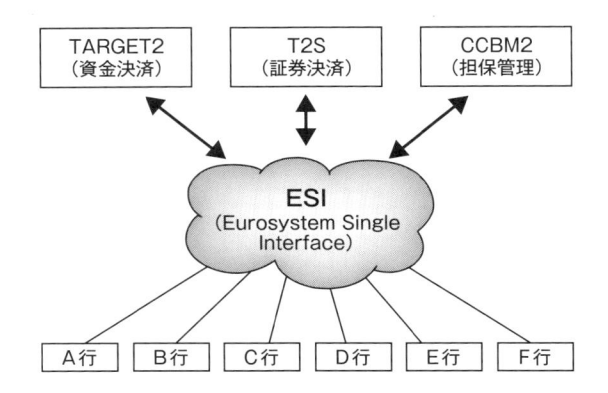

```
TARGET2        T2S          CCBM2
(資金決済)     (証券決済)    (担保管理)
    ↕           ↕             ↕
         ESI
    (Eurosystem Single
        Interface)
   │    │    │    │    │    │
  A行  B行  C行  D行  E行  F行
```

の共通インターフェースを構築するプロジェクトが,「ESI」(Eurosystem Single Interface) である.ESIは,ユーロシステム(欧州中銀および傘下の各国中銀)の提供するすべてのサービスにアクセスするためのネットワークとなる見込みである(図12-7参照).

ESIについては,一般的な原則や要件が示された段階であり,ネットワークのプロバイダーについては,まだ決定されていない.また,インターネット・チャンネルなど,トラフィック量に応じた複数のコミュニケーション・チャンネルが含まれることになる可能性もある.ただし,従来の経緯[16]や,ESIの利用者となる金融機関のほとんどすべてがすでにSWIFTのユーザーとなっていることなどから,SWIFTは有力な候補の1つであるものとみられている.

⑤SWIFTの「T2C」

欧州では,証券決済インフラ間の競争が激化するなかで,CSDが複数の清算機関(CCP)を利用するケースがみられている.SWIFTでは,こうした「マルチCCP」を可能とするため,「T2C」(Trade to CCP)というプロジェクトを進めている.T2Cでは,CSDが複数のCCPと接続することを可能にするた

---

16) TARGET2では,すでにSWIFTを採用済みである.

第12章 市場インフラにおけるSWIFTの利用

め，メッセージの作成などを進めており，2009年中にも実用化の見込みである．

　決済インフラにおけるSWIFTの利用は，従来は，資金決済システムでの利用が多かったが，上記のように，ここにきて証券決済システムでの利用が急速に広がりをみせてきている．

【BOX12-1】 CCBMとCCBM2

（1）中央銀行の信用供与と担保

　金融機関が，中央銀行から信用の供与（資金の貸付）を受ける場合には，適格証券を担保として差し入れることが必要である．しかし，金融機関では，信用供与を受ける国に必要な証券をもっているとは限らない．こうした場合，金融機関では，他国にある証券を担保として差し入れて，所在国の中央銀行から資金を調達することになる．

（2）CCBM

　上記のようなケースにおいて，EU内でクロスボーダーでの担保差入れを行う仕組みが「CCBM」(Correspondent Central Banking Model) であり，ユーロの導入と同時に導入されている．

　具体的なケースでみてみることとしよう．たとえば，a行がA国中銀から信用供与を受ける際に，a行がB国に保有する証券を担保として利用するものとする．この場合，B国中銀がA国中銀のために担保の受入れを行い，受入れの情報をA国中銀に通知することによって，a行に対する信用供与が実行される．その過程では，①a行がB国におけるカストディアンに証券の移転指図を行い，②カストディアンがB国のCSDに対して，B国中銀への担保差入れの指図を行い，③B国中銀がCSDに証券の移管（担保の差入れ）を確認する，といった手順が必要になる（図12-8参照）．こうしたCCBMのためのシステムは，ユーロ参加各国の中央銀行ごとに手当てされているが，手作業による部分も多く，クロスボーダーでの担保差入れには，かなりの時間（3～4時間）を要しているのが現状である．

図12-8 CCBMの仕組み

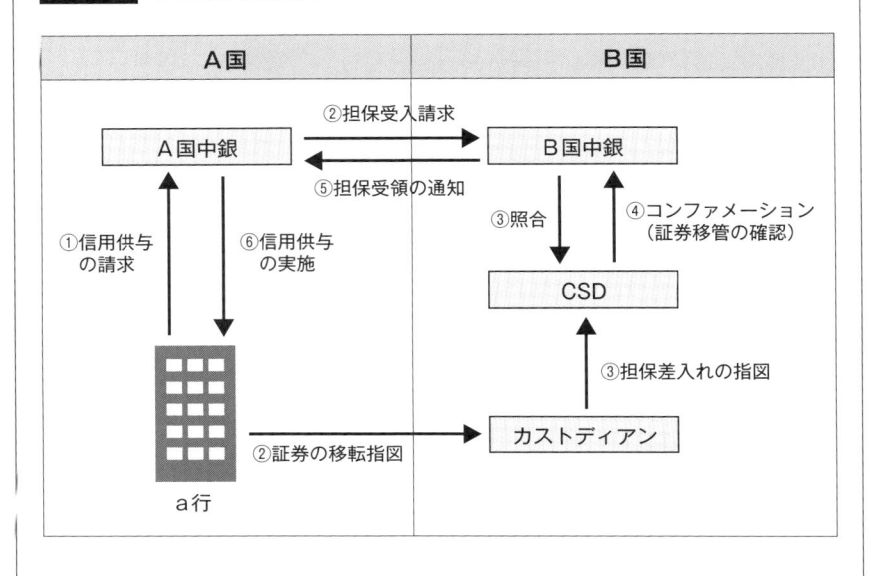

A国	B国

②担保受入請求 — A国中銀 ⇄ B国中銀
⑤担保受領の通知

①信用供与の請求 / ⑥信用供与の実施

③照合
④コンファメーション（証券移管の確認）

CSD

③担保差入れの指図

a行 → ②証券の移転指図 → カストディアン

（3）CCBM2

CCBM2は，CCBMの後継となる担保管理ためのシステムであり，EU域内での担保管理を一括して行うためのシングル・プラットフォームを構築するプロジェクトである．CCBM2は，クロスボーダー分のみならず，国内における担保も含めて，EU内における担保管理を一元的に行うシステムとなる．考え方としては，分散型であったTARGETをTARGET2に統合したのと同様である．

CCBM2は，ベルギー中銀とオランダ中銀が，既存のシステムをベースに構築・運営する予定であり，担保管理の一元化，リアルタイム化，STP化が実現することになる予定である．

第13章 SWIFTと標準化

　SWIFTは,「標準化したフォーマットで銀行間の通信を行うこと」を目的として設立されたという経緯からもわかるように,「標準化」とは一貫して深い関わりをもっており,SWIFTと標準化は,いわば「切っても切れない」関係にある.

　通信に用いられるメッセージ体系やそこで使われるコード体系などを標準化しておくことは,メッセージング・サービスを提供するうえで,不可欠な前提である.このため,SWIFTでは,多くの標準化団体の活動に関与して,作成段階から国際標準作りに参画している.また,できあがった国際標準のいくつかについては,自らが国際標準の登録機関や管理機関となって,標準の運営・管理において中核的な役割を果たしている.さらに近年では,各種のコードなどに関するデータベースをユーザーに提供する「ディレクトリ・サービス」や各種の「検索サービス」を提供するようになっている.このように,SWIFTは「金融メッセージング・サービスの提供者」としての顔のほかに,「金融業界における標準化機関」としてのもう一つの側面を有している.

　本章では,SWIFTが標準設定機関や標準管理機関として果たしている役割と,SWIFTが提供している標準に関するディレクトリ・サービス,検索サービスについて述べる.

❶ 標準設定機関としてのSWIFT

SWIFTでは，金融業務に関して国際標準化を進める多くの団体の活動に積極的に関与しており，いわば「標準の作成者」(standard setter) として活動している．すなわち，SWIFTでは，標準化活動を行う団体にSWIFTのメッセージ標準の解釈や利用に関する情報を提供して整合性の確保を図るとともに，長年の国際標準化活動において培った標準化に関するノウハウ (standards expertise) を提供している．

そして，新しい国際標準が完成すると，それは速やかにSWIFTのメッセージ標準に反映され，メッセージング・サービスのなかで利用されることになる．このため，標準化はSWIFTのメッセージング・サービスに直結しており，SWIFTのメッセージ業務と標準化活動は「表裏一体の関係にある」ということができる．

SWIFTが関与している標準化活動の主なものとしては，以下のようなものがある．

(1) PMPG

「PMPG」(Payments Market Practice Group：資金決済市場慣行グループ) は，2007年に設立された資金決済におけるグローバル・プレーヤーの集まりであり，10カ国から代表者が参加している．PMPGは，①地域ごとの市場慣行の調査，②資金決済に関する市場慣行のあり方に関する議論，③ベスト・プラクティスの提案，などを行うことを目的としている．具体的には，ISO 20022の資金メッセージ (payment message) を市場に導入するためのガイドライン，地域的な決定事項 (IBANの義務づけなど) によるグローバルな影響，などについて議論を行っている．SWIFTは，PMPGの事務局 (secretariat) を務めている．

(2) SMPG

「SMPG」(Securities Market Practice Group：証券市場慣行グループ) は，

1998年に設立された証券決済関係者の集まりである．SMPGには，36カ国から，各国ごとのプレーヤーの集まりである「NMPG」(National Market Practice Group：各国市場慣行グループ）が参加している．各NMPGには，各国の証券会社，機関投資家，カストディ銀行，CSD（証券決済機関），監督当局などが参加している[1]．

SMPGは，証券市場における市場慣行をグローバルに調和させ，STP化を推進することを目的としており，(a) 地域ごとの市場慣行の差異をなくすこと，(b) ISOのメッセージ標準を統一的なかたちで導入すること，などを目指している．SMPGでは，①証券決済に関する世界の市場慣行の比較分析[2]，②特殊な取引（ブロック取引など）の決済に関するグローバルな市場慣行，③コーポレートアクションに関するグローバルな共通ルール，などの策定・公表を行ってきている．

SWIFTは，SMPGの設立を主導したほか，SMPGの運営委員会(steering committee）のメンバーとなっている．また，SMPGの活動全般についてサポートしているほか，ウェブサイトの運営を行うなど深く関与している．

(3) ISTH

「ISTH」(International Standards Team for Harmonisation：国際標準間の調和のためのグループ）は，2003年に設立され，IFX Forum[3]，TWIST[4]，OAGi[5]とSWIFTの4者によって構成されている．ISTHは，銀行と企業間の

---

[1] わが国のNMPGでは，カストディ銀行が中心的なメンバーとなっている．
[2] 世界の市場慣行（market practice）を，共通部分（common element）と各国の特有部分（country specific）に分けて分析している．
[3] Interactive Financial eXchange (IFX) Forumの略．1997年に設立された米国を中心とする国際的な非営利組織であり，金融機関と企業との間の金融データの交換を行うためのXMLベースの標準作りとその普及を図っている．金融機関のほか，ハードウェアやソフトウェアのベンダーが参加している．
[4] Transaction Workflow Innovation Standards Teamの略．2001年に設立された非営利団体であり，主として，企業の財務部門の立場から，XMLベースでのメッセージ標準作りを進めている．
[5] Open Applications Group Inc.の略．1994年に設立された非営利団体であり，企業サイドにおけるビジネス・アプリケーション間の相互運用性の確立とそのためのXML標準の作成を進めている．

メッセージをISO 20022ベースで開発することを目指している．具体的には，銀行と企業間の支払指図や口座残高等に関するステータス・メッセージ（customer-to-bank payment and status message）について，「統一コア・メッセージ」（core payment kernel）を作成することを目的としている．

4者はいずれも，①ISO 20022を利用すること，②統一コア・メッセージをそれぞれの管理する既存メッセージに反映させること，で合意している．ISTHでは，ISO 20022ベースの銀行と企業間の「通知・報告メッセージ」（advice and statement message）の作成を完了しており，そのユーザー・ガイドの策定を進めている．

SWIFTは，このグループにおいては唯一の金融機関サイドの参加者であり，基本となる銀行と企業との取引モデルを提供している（business modellerとしての役割）．また，密接な関係を有するインターバンクのメッセージとの整合性をチェックする役割も担っている．

(4) ISITC

「ISITC」（International Securities Association for Institutional Trade Communication：機関投資家取引処理のための国際証券協会）は，証券の取引段階から決済段階までのプロセスをSTP化することを目的とする証券業務の専門家による民間団体である．ISITCでは，主として，ポスト・トレード（取引成立後の処理）段階や決済段階を対象としたSTP化のための検討を行っている．ISITCの活動には，主要国の証券会社，機関投資家，カストディ銀行など1500人以上が参加している．

ISITCでは，北米，欧州，日本などに地域別の組織を設けているほか，個別テーマについてワーキング・グループ（WG）を設けて検討を行っている．

SWIFTは，個別テーマのWGや欧州の地域会合に参加しているほか，ISO 20022メッセージ用のモデル作りに参画している[6]．

---

6) 日本においても，ISITC Japanの事務局をスイフト・ジャパンが務めている．

(5) ISDA

「ISDA」(International Swaps and Derivatives Association：国際スワップデリバティブ協会) は，デリバティブ取引に関する標準化を進める団体であり，56カ国から銀行や証券会社など800社以上がメンバーとなっている．ISDAが作成した「ISDAマスター・アグリーメント」は，デリバティブ取引の基本契約書として，世界中で広く用いられている．また2002年からは，デリバティブの取引言語である「FpML」(Financial products Markup Language) の活動がISDAの傘下に入っている．

SWIFTでは，ISDAに準会員 (associate member) として参加しており，デリバティブ・メッセージに関する情報収集等を行っている．

(6) IIBLP

「IIBLP」(Institute of International Banking Law and Practice：国際銀行法銀行業務協会) は，銀行法と銀行業務との関係を明確化するための活動を行う非営利団体である．IIBLPでは，毎年「信用状サーベイ」(L/C Survey) を実施しており，調査結果に基づいて，L/Cの統一ルールである「ISP98[7]」の作成，L/Cに関する仲裁センターである「ICLOCA[8]」の設立などを行ってきている．

SWIFTは，IIBLPの準会員 (associate) となっており，1997年以降，IIBLPの活動に関与してきている．SWIFTでは，主にSWIFTのメッセージ標準の適切な解釈や利用方法について明らかにすることによって，その活動に貢献している．

(7) IFSA

「IFSA」(International Financial Services Association：国際金融サービス

---

[7] International Standby Letter of Credit Practices (国際スタンドバイL/Cの実務慣行)．スタンドバイL/Cに関する用語の定義，取扱い方法，ルールなどについて定めている．

[8] International Center for Letter of Credit Arbitration (国際L/C審判所)．信用状に関するトラブルの仲裁などのため，1996年に設立された．

協会）は，金融機関による国際的な資金取引に関する標準化を行う協会である．具体的には，信用状（L/C），取立て（collection），資金管理（treasury），資金移動などの国際的な銀行業務にフォーカスして標準化を進めており，業務ルールや市場慣行の作成を行っている．IFSAのメンバーは，主として銀行であるが，システム・ベンダー，法律家なども参加している．

SWIFTは，IFSAにメンバーとして参加しており，SWIFT標準に関する解釈などを提供している．一方，IFSAでも，SWIFTのいくつかの標準化ワーキング・グループにオブザーバーとして参加し，相互に協力を図っている．

(8) ICC

「ICC」（International Chamber of Commerce：国際商業会議所）は，国際貿易と国際投資を促進することを目的とする機関であり，世界の130カ国から7400社が会員となっている．ICCの「銀行業務委員会」（Commission on Banking Technique and Practice）では，信用状，取立て，保証など，国際的な貿易金融に関するルールを策定している．同委員会では，2007年に「信用状統一規則（UCP600[9]）」の改訂を行ったほか，「請求払保証に関する統一規則」（Uniform Rules for Demand Guarantees）の改訂作業を進めている．

SWIFTは，銀行業務委員会にオブザーバーとして参加しており，規則の策定・改訂時には原案作りに参画している．SWIFTでは，SWIFT標準に関する解釈を提供するほか，原案作りへの参画によってSWIFT標準への影響をモニターしている．一方，同委員会も，SWIFTのいくつかの標準化ワーキング・グループにオブザーバーとして参加している．

(9) EPC

「EPC」（European Payments Council：欧州決済協議会）は，「単一ユーロ決済圏[10]」（SEPA：Single Euro Payments Area）の構築とそのための市場慣行の統一を進めるために，欧州の銀行業界[11]などのバックアップにより，

---

[9] UCPは，「Uniform Customs and Practice for Documentary Credits」の略．これまで利用されてきた1993年バージョンが「UCP500」と呼ばれたのに対し，2007年7月に発効した新バージョンは「UCP600」と呼ばれる．

2002年6月に設立されたEUベースの団体である.

EPCでは，それまでバラバラであったユーロ圏内での決済電文のフォーマットを統一するために，SEPA決済にISO 20022標準のメッセージを採用することを決めた．これを受けてSWIFTでは，EPCとの間でISO 20022メッセージの開発とプロモーションを行う旨の覚書を交わし，EPCの作成した「ルール・ブック」に準拠したISO 20022メッセージを作成した．このメッセージには，「順送金」（Credit Transfer）用と「自動引落し」（Direct Debit）用の2つがある．これらのメッセージのうち，順送金についてはすでに2008年1月に利用が開始されており，自動引落しについては，2009年11月から利用がスタートする予定である．

(10) EACT

「EACT」（European Associations of Corporate Treasurers：欧州企業財務担当者協会）は，欧州16カ国の4500社以上の企業の財務・経理担当者が参加するEUベースの組織である．EACTのプロジェクトの1つとして，「CAST」（Corporate Action on STandards）がある．

CASTは，①送金情報（remittance information）の拡充と自動照合（e-reconciliation），②電子請求（e-invoicing）とEBPP[12]，③標準インボイス・ヘッダーによる貿易金融，④企業識別子（entity identifier），⑤電子身元証明（electronic identity）と電子署名，などの分野での標準モデルの開発を目指している．SWIFTはEACTとの間で，標準化に関する専門的知識を提供するとともに，EACTの作成した要件がISO 20022のビジネスモデルに組み込まれ

---

10) 1999年の単一通貨「ユーロ」の導入後も，小口決済は各国ごとに行われており，ユーロ域内でも他国への送金は，クロスボーダーの扱い（時間がかかり，コストが高い）となっていた．SEPAは，こうしたユーロ圏内での国境の壁をなくし，個人や企業がユーロ圏全域で，資金移動を国内と同様に，迅速・安価に行えるようにすることを目指すものである．

11) 欧州銀行協会（EBF：European Banking Federation），欧州貯蓄銀行協会（ESBG：European Saving Banks Group），欧州協同組織銀行協会（EACB：European Association of Co-operative Banks）の3つの業界団体がEPCに参加している．

12) 「Electronic Bill Presentment and Payment」の略で，電子請求書発行・決済のこと．インターネットを利用して請求書の発行や決済を行うことを指し，紙の請求書や明細をインターネット・ベースにすることで，郵送費や業務コストを削減することができる．

るようにサポートする内容の覚書を交わしている．

② 標準管理機関としてのSWIFT

　SWIFTでは，上記のように，標準化活動に参画して国際標準の作成に積極的に貢献していることに加え，完成した標準について，自らが登録機関や管理機関となって，国際標準の維持・管理に中心的な役割を果たしている．これは，SWIFTにとっては，標準化が単なるボランティア活動ではなく，業務そのものに直結しているという面が大きい（このため，管理機関としての活動にコストをかけることが正当化される）．また，世界の金融機関が株主となっている非営利団体であるというSWIFTの公共性・中立性から，こうした国際標準の管理に相応しい組織として位置づけられていることによるものである．

　SWIFTが管理機関となっている国際標準としては，以下のようなものがある．

（1）銀行識別コード（BIC）

　SWIFTでは，「銀行識別コード」（BIC：Bank Identifier Code）について，「登録機関」（Registration Authority）となっており，各金融機関からの申請に応じてコードの割当てを行っている．また，BICの一覧表である「BIC名鑑」（BIC Directory）を公表して，利用者の利便に供している（BICの詳細については，第7章を参照）．

（2）国際銀行口座番号（IBAN）

　SWIFTでは，「国際銀行口座番号」（IBAN：International Bank Account Number）について，「登録機関」（Registration Authority）となっており，各国の標準化団体または中央銀行から，IBANフォーマットの登録を受け付けている（IBANの詳細については，第7章を参照）．

（3）証券メッセージ（ISO 15022）

　SWIFTでは，「ISO 15022」として国際標準になっている証券メッセージの

フォーマット（Data Field Dictionary）について，「維持管理機関」（maintenance agency）となっており，データ・フィールドの辞書やメッセージ集などを作成している（ISO 15022の詳細については，第7章を参照）．

(4) 金融メッセージ（ISO 20022）

SWIFTでは，「ISO 20022」として国際標準になっている金融メッセージの標準化体系についての「登録機関」（Registration Authority）となっており，業務モデル，通信メッセージ・モデル，メッセージ・フォーマットなどを登録する「レポジトリ」の管理を行っている．また，レポジトリに登録された業務モデルと通信メッセージ・モデルから，実際に利用されるXMLメッセージを作成する役割も担っており，ISO 20022の管理・運営において中心的な立場にある（ISO 20022の詳細については，第6章2を参照）．

３ ディレクトリ・サービス

市場取引に必要となるデータには，マーケット・データとリファレンス・データの2種類がある．「マーケット・データ」とは，市場における価格や売買高についての情報であり，証券取引所や情報ベンダーが提供している．一方，「リファレンス・データ」とは，金融機関名や証券の銘柄など，取引の要素を確定するためのデータ（identifier data）である．

SWIFTは，リファレンス・データについて，データの登録機関（registrar）としての機能を果たすとともに，データベースの作成とユーザーへの提供を行っている．SWIFTでは，こうしたリファレンス・データの提供サービスのことを「ディレクトリ・サービス」（Directories）と呼んでいる．

こうしたディレクトリ・サービスを利用するメリットとしては，①電子的なデータベースを社内システムと連動させることによって，取引処理の自動化・STP化を進めることができること，②登録機関が提供する正確なデータベースであること，③必要なタイミングでアップデートされたデータが入手可能であること，などがあげられる．

SWIFTの提供している主なディレクトリとしては，以下のようなものがあ

る．

(1) BICディレクトリ

「BICディレクトリ」(BIC Directory) は，SWIFTのユーザーにとっては不可欠なものであり，幅広く利用されている．BICディレクトリには，金融機関の名称，住所，メールアドレス，BIC（銀行識別コード），BEI（企業識別コード），SWIFTのユーザー・カテゴリー，国内の決済システムへの参加状況，などの情報が含まれる．また，国名コード，通貨コード，その国の時間帯・休日などの実務上必要となる情報も含まれている．

BICディレクトリは，①相手先のBICの確認，②金融機関名・住所からのBICの検索，③相手先がSWIFTユーザーかどうかの確認，④相手先が参加している決済システムの検索，⑤相手先のSWIFTのユーザー・カテゴリーの検索，などに幅広く用いることができる．

BICディレクトリは，表13-1のように，紙ベースや電子ベースなど，いくつかのフォーマットによって提供されており，アップデートの頻度もそれぞれ異なっている．

表13-1 BICディレクトリの提供フォーマット

フォーマット	概　要
紙ベース (BIC Directory Paper)	四半期ごとに，紙ベースでユーザーに送付される．月次のアップデートは，PDFファイルのダウンロードによる． 利用目的に応じて，国別，BICのアルファベット順などの金融機関リストが作成されている．
ポケット・サイズ (BIC Pocket Directory)	紙ベースのポケット・サイズ・バージョンである．BICの地域別リスト，国ごとの休日などが含まれる．四半期ごとに送付される．
ダウンロード版 (BIC Directory Download)	BICディレクトリを電子ファイルでダウンロードして利用するもの．パソコン上の単独のデータベースとして使うこともできるし，社内システムにファイルを組み込んで利用することもできる．電子ファイルは，全体のファイルと過去1カ月間の変更分のデータが，月次でアップデートされる．
プロフェッショナル版 (BIC Online Professional)	BICの変更が，毎日（daily basis）通知される．

(2) IBAN登録簿

「IBAN登録簿」(IBAN Registry)は,各国の口座番号体系に関するIBAN(国際銀行口座番号)のデータベースである.SWIFTが登録機関として公表しているもので,SWIFTのウェブサイトから無料でダウンロードすることができる.

2009年3月現在で,45カ国のIBAN情報(番号体系,桁数と使える文字など)が登録されている[13].IBAN登録簿へ登録を行うかどうかは,各国の標準化団体または中央銀行が決めることとなっており,SWIFTは登録機関として受身の立場にある.

(3) BICプラスIBANディレクトリ

「BICプラスIBANディレクトリ」(BICPlusIBAN Directory)は,BICコードと各国の金融機関コード(national clearing code)とのクロス・リファレンスを可能にするディレクトリである[14].約9万件のBICコードと,約60カ国,40万件以上の金融機関コードがデータベースに含まれている.また,各国の口座番号体系に関するIBANの情報も含まれている.データは,毎月1回更新される.

このディレクトリでは,①BICコードから各国の金融機関コードを導出すること,②相手行の各国決済システムへの参加状況を確認すること,③IBANからBICを導出すること,④IBANとBICの組合せを検証すること,などができる.

BICプラスIBANディレクトリは,SEPA専用のサービスではないが,SEPAの送金では,IBANとBICの利用が義務づけられているため,EUでは,IBANとBICとの対応関係の検証に対するニーズは高い.

このサービスは,SEPAの順送金(SEPA Credit Transfer)のスタート(2008

---

[13] 日本の口座番号体系については,登録がなされていない.
[14] データの入手ソースは,①国際的なディレクトリ管理者(SWIFTとCHIPS),②各国のディレクトリ管理者(中央銀行,銀行協会,決済システム運営者など),③個別の金融機関,などである.

年1月）に備えて，2007年12月から開始された[15]．このディレクトリは，オンラインでの照会ツール（desktop enquiry tool）として使うこともできるし，ファイルをダウンロードして社内システムとリンクしたかたちで利用することも可能である．

(4) SEPA経路ディレクトリ

「SEPA経路ディレクトリ」（SEPA Routing Directory）は，SEPA（単一ユーロ決済圏）における送金ルートに関するデータベースである．ユーロ圏においては，EBA（ユーロ銀行協会）が，「STEP2」というユーロ圏全域にわたるACHサービスを提供しているほか，各国ごとのACHも存在している．こうした状況のなかで，SEPA経路ディレクトリは，送金の受取銀行が，どの決済システム（ACH）のメンバーとなっているか，どのACHやコルレス先を通じてSEPAの送金を受け取ることを希望しているかについてのデータベースである[16]．同ディレクトリには，4000以上の金融機関の2万2000以上のBICが掲載されており，月次で更新される．

(5) EURO1/STEP1ディレクトリ

EURO1/STEP1ディレクトリは，EBA（ユーロ銀行協会）が運営している「EURO1」（大口決済システム）と「STEP1」（小口決済システム）の参加者に関するデータベースである．2008年11月より提供が開始されている．

なお，ECB（欧州中央銀行）が運営するユーロの大口資金決済システムであった「TARGET」の参加者データベースである「TARGETディレクトリ」は従来，SWIFTが作成していたが，2007年より稼働を開始した「TARGET2」については，参加者情報である「TARGET2ディレクトリ[17]」を，ECB自身が作成するようになっており，この面でのSWIFTの役割はなくなっている．

---

[15] 従来の「BIC Database Plus」というBICと各国の金融機関コードとのクロス・リファレンス・サービスは2008年11月に終了し，BICプラスIBANディレクトリに統合された．

[16] ただし，EPC（欧州決済協議会）では，SEPAの送金に関する中央データベース（centralized repository）として，SWIFTではなく，CB.Net社を選定している．

[17] TARGET2の直接参加行，間接参加行，アドレス可能先（addressable BIC）について，金融機関名，支店名，BICなどの情報が含まれる．

(6) FileActによるディレクトリの送信

SWIFTでは，各種ディレクトリをFileActによりユーザーに送信するサービス（FileAct Distribution of Directories）を開始することを計画している．従来，ユーザーはSWIFTのウェブサイトから電子ファイルをダウンロードする必要があった（プル・モード）ため，ユーザーサイドでのマニュアル作業が必要となっていた．しかし，FileActによる配信（プッシュ・モード）が可能となれば，こうした作業がすべて自動化され，ユーザーのメインテナンス負担が軽減されることになる見込みである．

4 検索サービス

上記のようなディレクトリ・サービスに加えて，SWIFTでは，様々なデータベースからの検索を可能とするサービスを提供している．

(1) BICサーチ

「BICサーチ」（BIC Search）は，BICコードの検索ツールであり，金融機関名と住所からBICコードを検索できる．また逆に，BICコードから，金融機関名・支店名を検索することもできる．

これは，SWIFTの利用頻度があまり高くないユーザー向けのサービスであり，SWIFTのウェブサイトから無料で利用できる．データは，月次でアップデートされる．

(2) BICオンライン・プロフェッショナル

「BICオンライン・プロフェッショナル」（BIC Online Professional）は，BICディレクトリに関する高度な検索ツールであり，①特定のBICについての変更履歴を調べる，②一定時期以降のすべての変更先のリストを出す，などの機能がある．情報は，毎日アップデートされるため，直近時点でのBICのステータスを必要とする大口のユーザーに適する．

(3) BIC検索ツール

「BIC検索ツール」(BIC Enquiry Tool) は，ユーザーがSWIFTからダウンロードしたBICディレクトリ，BICプラスIBANディレクトリ，SEPA経路ディレクトリを対象に，自社システム内において検索を行うツールである．BICコードの検索，口座番号 (IBAN) に対応するBICの検索，BICとIBANの組合せの検証，相手先に対する送金ルートの検索，などに用いることができる．

(4) SWIFTNetサービス・ディレクトリ

「SWIFTNetサービス・ディレクトリ」(SWIFTNet Services Directory) は，SWIFTソリューションなど，SWIFTの特定のサービスについて，ユーザーを検索できるサービスである．また，特定の「クローズド・ユーザー・グループ」(CUG) について，参加者を検索することもできる．

このサービスにより，各ユーザーは，SWIFTソリューションなどの各サービスについて，どの金融機関がユーザーとなっているか（どの金融機関が取引相手となりうるか）のリストを入手することができる．このサービスは，SWIFTのウェブサイトから無料で利用できる．

第14章 SWIFTに対する規制・監督

1 中央銀行によるオーバーサイト

(1) 中央銀行の懸念
①SWIFTのトラブルによる深刻な影響の可能性

SWIFTは，金融業界に提供しているサービスの規模と内容からみて，きわめて特異な存在である．すなわち，全世界の8000以上の金融機関を結んで，インターバンクの支払メッセージを国際的に伝送するとともに，多くの国において，資金決済システムや証券決済システムなどの市場インフラのネットワークとしても利用されており，金融取引や金融市場がSWIFTに大きく依存するようになっている．資金決済や証券決済に関して，これだけの規模と内容の通信サービスを世界的に提供しているのは，SWIFTが唯一無二の存在である．

したがって，SWIFTに，万が一，システム・トラブル等が発生した場合には，以下の2点において，深刻な影響を及ぼす可能性がある．とくに，仮にSWIFTのネットワーク全体がダウンするといったケースを想定すると，その影響は世界的な広がりをもち，甚大なものになる可能性がある．

第1に，国際的なコルレス・バンキングに対する影響である．クロスボーダーの資金決済は，送金元のA国の銀行から，送金先のB国の銀行へとSWIFTのネットワークによって送金メッセージ（支払指図）が送られることによって行われている．このため，SWIFTのネットワークに支障が生ずると，クロス

ボーダーの支払指図の受送信が不能となり、こうした国際的なコルレス・バンキング網が遮断され、グローバルな資金の流れが麻痺することになりかねない。

第2に、SWIFTが国内の資金決済システムや証券決済システムにネットワークを提供している場合には、SWIFTにトラブルが生じた場合には、そのトラブルは、その国の資金決済や証券決済に即時かつ深刻な混乱をもたらすことになる。他行から資金を受け取る予定であった金融機関では、予期せざる資金不足に陥ることになり、流動性リスクや信用リスクの顕現化を引き起こすことになる。また、こうした個別行の混乱が金融市場全体の混乱につながり、「システミック・リスク[1]」の発生に発展する可能性も否定できない。

②市場の混乱と中央銀行の役割

こうした事態が発生した場合には、その国の金融市場に対して責任を有する中央銀行では、緊急の流動性不足に陥った個別の金融機関に対して「最後の貸し手」(LLR：Lender of Last Resort)として緊急融資を行ったり、混乱した金融市場に対して潤沢な流動性を供給したりして、危機の発生を回避する必要に迫られることになる。

つまり、こうした市場の混乱は、中央銀行に即座に、緊急的な信用供与や流動性供給といった対応を迫る性格のものである。SWIFTのトラブルと「金融システムの安定性を守る」という中央銀行の使命との距離は、意外にも近いのである。

③SWIFTとの協議

こうした認識のもと、中央銀行では、1990年代初頭から、SWIFTにトラブルが生じた場合の金融市場への影響について懸念を抱くようになった[2]。

しかしながら、SWIFTは銀行業務を行っているわけではないため、銀行監督当局の監督を受ける必要はなく、またそれ自身が決済システムでもないため、中央銀行のオーバーサイトを受ける必然性もなかった。

このため、先進国の中央銀行は1990年代にSWIFTと継続的に協議を重ね、

---

[1] 1つの銀行が支払不能になることにより、他の銀行の支払が連鎖的にストップし、これが金融システム全体の混乱に波及するリスク。

1998年にはSWIFTの了解も得て，中央銀行がSWIFTに対して共同でオーバーサイトを行う仕組みを構築した[3]．

(2) 中央銀行による協調オーバーサイトの枠組み

現在行われている中央銀行による協調オーバーサイトの仕組みの概要は，以下のとおりである．

①オーバーサイトの目的

SWIFTに対する中央銀行の「協調オーバーサイト[4]」(cooperative oversight) は，1998年に導入され，2004年には枠組みの強化が行われた．

協調オーバーサイトの目的は，「SWIFTが，金融安定化や金融インフラの健全性に対して及ぼしうるリスクを実効的に管理することを可能にするような，適切な内部統制やリスク管理の体制を備えていることを確保するため[5]」とされている．つまり，上記のような中央銀行の懸念を払拭することを目的としている．

②オーバーサイトへの参加中銀

SWIFTに対してオーバーサイトを行う主体は，先進主要国の中央銀行からなる「G10中央銀行」である．SWIFTはベルギーに設立されているため，このうち，ベルギー中央銀行（NBB：National Bank of Belgium）が，「首席監

---

[2] こうした背景には，①この時期までに，金融機関および金融市場のSWIFTへの依存が高まっていたこと，②代替的なサービス提供者（競合会社）がほとんどなく，事実上の独占的なサービス提供者となっていたこと，③新システムへの移行プロジェクトであった「SWIFT II」の開発段階（1986～1990年）において様々な問題が発生し，SWIFTのシステムの設計と運営面についての懸念が生じていたこと，④米国のGAO（General Accounting Office：会計検査院）が1990年1月に，SWIFTに対するオーバーサイトの強化を提唱するレポートを公表したこと，などがあった．

[3] 正式なオーバーサイトの枠組みができる前には，年に2～3回のSWIFTサイドと中銀サイドのハイレベル会合が行われた．

[4] G10中央銀行では，クロスボーダーの多通貨決済メカニズムである「CLS銀行」に対しても，同様に中央銀行による協調オーバーサイトを行っている．CLS銀行への協調オーバーサイトには，CLS銀行の決済対象である通貨を発行する中央銀行（日本銀行を含む）が参加しており，ニューヨーク連銀が首席監督機関（lead overseer）となっている．

[5] 『決済システムレポート2005』（日本銀行，2006年3月）による．

督機関」(lead overseer) となっている.

このほか，G10中央銀行としてオーバーサイトに参加しているのは，米国・Fed（連邦準備制度理事会〈FRB〉およびニューヨーク連銀），英国・イングランド銀行，ドイツ・ブンデスバンク，フランス中銀，欧州中央銀行（ECB），イタリア中銀，日本銀行，カナダ中銀，オランダ中銀，スウェーデン・リクスバンク，スイス中銀である．この顔ぶれをみてわかるとおり，アジア太平洋地域から，この枠組みに直接参加しているのは，日本銀行のみである．

G10中銀以外の中央銀行に対しては，必要に応じて（国内の決済システムで利用している場合など），NBB等からフィードバックが行われる．

③オーバーサイトの性格

この協調オーバーサイトは，法的な権限（legal framework）に基づくものではなく，「道徳的な説得」(moral suasion) によるものである．SWIFT理事会やSWIFT幹部との対話を通じて，改善すべき点が見つかれば，中銀サイドは，「勧告」(recommendation) というかたちで改善要望を出すことになる．

G10中央銀行は，法的認可や事前承認，罰金や制裁といったかたちで，SWIFTに勧告を強制する直接的な法的権限は有していない．しかし，中銀は他の手段（たとえば，SWIFTユーザーや金融監督当局に対して監督上の懸念を表明するなど）により，SWIFTが勧告を履行するように間接的な影響力を及ぼすことができるものとされている．

ただし，協調オーバーサイトは，中央銀行がSWIFTに対して，何らかの「お墨付き」を与えるものではなく，SWIFTはあくまでも自らの責任において，サービス内容やシステムの安全性と信頼性を確保すべきであるとされている．

④オーバーサイトの手続き

オーバーサイトの進め方については，SWIFTとNBBとの間で，手続き規定（protocol arrangement）が定められている．また，NBBは，オーバーサイトに参加する中銀との間で，SWIFTより入手した機密情報の取扱いなどを規定するバイラテラルな覚書（MoU：Memorandum of Understanding）を締結している．

（3）協調オーバーサイトを実施する3つのグループ

SWIFTに対する協調オーバーサイトを行うための組織的な枠組みとして，以下のような「階層的アプローチ」がとられており，3つのグループが組織されている．

①SWIFT協調オーバーサイト・グループ（OG）

「SWIFT協調オーバーサイト・グループ」（SWIFT Cooperative Oversight Group）は，中銀サイドの最も上位の組織であり，G10のすべての中央銀行と欧州中央銀行のシニア・スタッフ，およびCPSS[6]（決済システム委員会）の議長によって構成される．OGは，協調オーバーサイトの戦略やSWIFTに関連する政策を策定する機能を果たす．OGの会合は，年に2回程度開催される．

②執行グループ（EG）

「執行グループ」（Executive Group）は，OGの一部メンバー（5行程度）によって構成され，中央銀行の方針，懸念すべき点，SWIFTの経営戦略などについて，SWIFTの理事会や幹部との間で議論の場をもつ．NBBは，首席監督機関として，日常のモニタリングやSWIFTから提出された書類の分析などにより，こうした議論の準備にあたるほか，EGの議長を務める．また，SWIFTとの議論の結果をOGへ報告する役割を担う．EGは，SWIFTのリスク管理に懸念があるなど，必要と認められる場合には，SWIFTに対する勧告を発出することができることとされている．EGの会合は，年に4回程度開催される．

③技術オーバーサイト・グループ（TG）

「技術オーバーサイト・グループ」（Technical Oversight Group）は，技術的な側面を担当し，SWIFT幹部，内部監査部署，SWIFT職員との意見交換などを通じて，技術的な面の課題について調査を行う．SWIFTのコンピュータ

---

[6] 「CPSS」（Committee on Payment and Settlement Systems）は，G10中央銀行の総裁会議の下に置かれた資金・証券の決済システムに関する委員会であり，事務局はBIS（国際決済銀行）に置かれている．

やネットワークに関する技術やそれに関するリスクを理解するために，TGには中央銀行サイドの技術的な専門知識を有するスタッフが参加する．TGは，NBBが議長を務め，調査結果や必要な勧告をOGに対して報告する．

このように，SWIFTに対するオーバーサイトは，OGの定める方針のもとで，EGによるシニア・レベルのポリシー・マターに関する協議と，TGによるテクニカル・レベルの協議との2つのレベルで行われる．

(4) オーバーサイト基準の見直し
①コア・プリンシプルの援用

SWIFTに対するオーバーサイトの基準については，従来は，決済システムに関する「コア・プリンシプル[7]」を援用するかたちで考えられてきた．コア・プリンシプルは，BISのCPSS（決済システム委員会）が，2001年1月に公表した資金決済システムに関する基準である．コア・プリンシプルは，各国の重要な決済システムの設計と運営が，安全で効率的なものとなるようにするための普遍的なガイドラインとすることを目的として策定された10項目の原則であり，資金決済システムに関するグローバル・スタンダードとなっている[8]．

コア・プリンシプルには，「高度のセキュリティと運行上の信頼性の確保」などSWIFTにそのまま該当する原則もあるが，SWIFT自身は決済システムではないため，部分的にしか当てはまらない原則も少なくなかった（決済リスクの管理に関する項目など）．

②新たな基準：「ハイレベルの期待」

このため，SWIFT協調オーバーサイト・グループ（OG）では，SWIFTに対するオーバーサイト基準の見直しを行い，2007年6月に「SWIFTオーバーサイトに対するハイレベルの期待」（High level expectations for the oversight of SWIFT）を公表した[9]．

[7) 正式名は，「システミックな影響の大きい資金決済システムに関するコア・プリンシプル」である．
[8) 詳細は，『決済システムのすべて（第2版）』（東洋経済新報社）の第4章2を参照のこと．

第14章　SWIFTに対する規制・監督

表14-1　SWIFTオーバーサイトに対するハイレベルの期待

基準	内容
基準1：リスクの特定と管理	SWIFTは，重要なサービスに関するオペレーショナル・リスクと財務リスクについて特定し，管理すべきである．また，そのリスク管理プロセスが有効であることを保証すべきである．
基準2：情報セキュリティ	SWIFTは，情報の機密性（confidentiality）や完全性（integrity）と，重要なサービスの可用性（availability）を確保するために，適切な方針や手続きを定め，十分なリソースを投入すべきである．
基準3：信頼性と障害回復力	SWIFTは，グローバルな金融システムにおける重要な役割に比例するかたちで，重要なサービスが利用可能であり，信頼でき，障害に強いことが確保されるとともに，業務継続計画や災害復旧計画により，障害に陥った場合にも重要なサービスがタイムリーに復旧できるようにするため，適切な方針や手続きを定め，十分なリソースを投入すべきである．
基準4：技術的な企画立案	SWIFTは，技術の利用に関する企画立案を行い，技術的な標準を選択するための堅固な手法を用いるべきである．
基準5：ユーザーとのコミュニケーション	SWIFTは，ユーザーに十分な情報を提供して，ユーザーに対する透明性を確保すべきである．提供する情報は，各ユーザーがSWIFT利用に関するリスク管理について，自らの役割と責任を十分理解するために十分なものでなくてはならない．

（出所）"High Level Expectations for the Oversight of SWIFT," NBB, June 2007をもとに筆者作成．

　OGでは，SWIFTへのオーバーサイトにおける主な焦点は，「オペレーショナル・リスク」であることを明確にしたうえで，表14-1のような5つの基準を定めた．このうち，基準1と基準5は，リスクの管理方法についてであり，基準2～4は，管理すべきリスクの種類について定めている．

　これらの基準が対象としている「重要なサービス」（critical services）とは，中心的な金融メッセージング・サービスである「FINサービス」とそのためのネットワークである「SWIFTNet」である．また，SWIFTの影響力の大きさからみて，達成すべき水準は，「業界のベスト・プラクティス」（industry best practice）を上回るレベルであるとされる．

　SWIFTでは，これらの基準に基づいて自己評価（self-assessment）を行う

---

[9] ここでいう「期待」（expectation）とは，中銀サイドがSWIFTに達成を求めるものという意味であり，より直截には「SWIFTが達成すべきこと」を意味する．また，「ハイレベル」とは，これらの基準をSWIFTがどのように達成すべきかまで指図するものではないことを意味している．

とともに，この枠組みに沿って，定期的にG10中央銀行のオーバーサイトを受けることになっている．

❷ データ・プライバシー問題

2006～2007年にかけて，SWIFTのネットワーク上で交換されている決済情報が，米国のCIA（中央情報局）などによってテロ資金対策に利用されていたとして，SWIFTのデータ・プライバシーが問題となる事件が起きた．

この問題は，最終的には，米国財務省と欧州委員会との合意等によって無事に解決されたが，一時的にはSWIFTの利用者や関係する国の当局に，データ・プライバシー（情報保護）に関わる深刻な懸念を与え，またこれを機にSWIFTがデータ・センターの再編に踏み切るなど，SWIFTの運営にも大きなインパクトを与えた．ここでは，この問題の経緯と解決までのプロセスを振り返っておくこととしよう．

（1）問題の発端

問題の発端となったのは，2006年6月23日付の『ニューヨーク・タイムズ』紙の記事であった[10]．同紙では，同日のトップ記事で，米CIA（中央情報局）が，SWIFTの決済情報をテロ対策のために利用していることを伝えた．同記事によると，2001年9月に発生した同時多発テロ（いわゆる「September 11」）後に，「テロ資金追跡プログラム」（TFTP：Terrorist Finance Tracking Program）が，ブッシュ政権の秘密プログラムとして導入され，テロ組織への資金の出入りなどがSWIFTにおける銀行間の送金データを使って調べられていたとされた．

同紙では，(a) TFTPの適法性に対する懸念，(b) データ・プライバシー問題の可能性，(c) 政府による権限濫用の危険性，などの点を指摘した．とくに，米国議会の承認などの手続きを経ずに，5年間にわたってこうした活動が行わ

---

10) 同紙では，すでに2005年12月にも，米国NSA（国家安全保障局）がテロリスト活動についての捜索を目的に，裁判所の令状なしに電話の盗聴を行っていたことを問題にする記事を掲載しており，一貫して米国政府のテロ対策の行き過ぎを牽制するスタンスで臨んでいた．

れてきたことを問題視した．これに対して，米国財務省筋のコメントとして，「SWIFTはメッセージ・サービス会社であり，金融機関ではないため，政府が個人の金融取引のデータにアクセスすることを禁止する米国法の対象には含まれず，法律違反ではない」との見解が伝えられた．同記事によると，このテロ資金対策プログラムにより，アルカイダに関係する複数の人物が逮捕されるなど，一定の成果につながっている．

なお，この記事は，後述のように謝罪記事により後日否定されることになるが，この記事により，送金データが金融機関側が与り知らないところで当局によって利用されていたのではないかとの疑念が広がり，SWIFTのユーザー・コミュニティや欧州のデータ・プライバシー当局において大きな問題となった．

(2) SWIFTの対応
①即時のコメント

これに対して，SWIFTでは，即座（同日）にコメント[11]を出し，①SWIFTでは，各国の中央銀行や財務省，FATF[12]などの国際機関との間で，従来から協力関係を築いてきており，今回の行動もその一環であること，②米国財務省の海外資産管理局（Office of Foreign Assets Control）からの強制力のある召喚状（subpoenas）に応じたものであり，違法なアクセスではないこと，③ユーザーのデータの機密性を保持することはSWIFTの根本方針であるが，一方で業務を展開している国の当局の指示には従う必要があること，④データの提供にあたっては，制限的なデータ（a limited set of data）が，召喚状の目的の範囲内で，秘密性保持と適切なコントロールをもって利用されるように保護されることを米財務省との間で確約していること，⑤今回の行動は，法律の専門家（国際法務および米国法）の助言を受け，SWIFT社内のコンプライアンス基準に基づいて行われていること，⑥本件は，SWIFTに対する協調オーバーサイトを行っているG10中央銀行に対しても事前に通知されていること，

---

[11] "SWIFT Statement on Compliance Policy," 23 June 2006.
[12] FATF（Financial Action Task Force：金融活動作業部会）は，マネーロンダリング対策における国際協調のために設立された政府間機関である．

などの見解を明らかにし，データの提供は，違法や不適切なものではなかったものとした．

②質疑応答集

また，2カ月後の2006年8月には，その後のメディアなど関係者からの問合せを受けて，本件に対する「質疑応答集[13]」(Q&A) を出して，一層の説明の明確化に務めた．

そのなかでSWIFTでは，①SWIFTのデータに対して，米国財務省は無制限なアクセス（unlimited access）ができるわけではないこと，②テロ資金の調査目的のために，関係する個人・組織についての関連データのサーチのみが可能であり，サーチの履歴が残されること，③データの乱用（misuse）を防止するために，監査メカニズム（SWIFTの社内監査者と外部監査人の双方による）を導入していること，④召喚状は，SWIFTの米国データ・センターに対するものであり，十分な法的根拠を有していること，⑤今回の行動は，データ・プライバシー法に違反するものではないこと，などを述べている．

(3) データ・プライバシー当局の対応

こうした事態に敏感に反応したのが，欧州のデータ・プライバシー当局であった．送金データには，当然，送金人や受取人の名前，口座番号などの個人情報が含まれるためである．

まず，「ベルギー・データ保護委員会」では，2006年9月に調査報告書を公表し，米国の召喚状に応じた行為は適法であったが，ベルギーとEUのデータ・プライバシー保護法には抵触しているものとした[14]．しかし，これは，ベルギー・EU法と米国法との不一致（conflict）に問題の根源があるとした．

---

[13] "Update and Q&A to SWIFT's 23 June 2006 Statement on Compliance," 25 August 2006.

[14] SWIFTでは，2006年11月にこの報告書に対する反論書を提出している．このなかでSWIFTは，SWIFTを「データ管理者」（data controller）であるとした報告書の解釈は誤りであり，SWIFTはデータの伝送を行うのみでデータの中身へのアクセスは行わない「データ処理者」（data processor）であるとしており，データ処理者としてはベルギー法を完全に遵守しているものとした．結局，同年12月に，ベルギーの検察当局は，本件について，SWIFTを訴追しないとの決定を行った．

また，翌10月には，欧州議会において，本件についての公聴会が開かれた．SWIFTでは，上記の質疑応答集にあるようなデータ利用の制限性や召喚状の適法性などの点を指摘したうえで，上記ベルギー当局によるデータ保護法違反との見解を強く否定した．また，SWIFTとしては，米国とEUの両方の要請に従わざるをえない立場にあることから，法的な差異について，両方の当局間での調整を進めることを求めた．ECB（欧州中央銀行）のトリシェ総裁は，同じ公聴会において，この方向を支持し，米国・EU当局の協力による「グローバルな解決策」（global solution）を求めた．

2006年11月には，データ・プライバシーに関するEUレベルのグループである「WP29」（Article 29 Working Party）が，SWIFTの行動は，「EUデータ保護指令」（EU Data Protection Directive 95/46/EC）に反するとの見解を発表した．当然，SWIFTでは，こうした見解に強く反発し，EUと米国の当局間の話し合いを早く進めるべきであるとした．

(4) ニューヨーク・タイムズ紙の謝罪

こうした欧州のデータ・プライバシー当局の調査が続けられるなか，問題の発端となった『ニューヨーク・タイムズ』紙では，当初の記事掲載から4カ月後の2006年10月22日に，編集委員（public editor）の名前で，「正式謝罪」（Mea Culpa）の記事を掲載した．

この謝罪記事においては，①米財務省のテロ資金追跡プログラム（TFTP）は，明らかに適法なものであること，②SWIFTの提供したデータが乱用された形跡はまったくないこと，③本来秘密であるべきテロ資金対策のプログラムの存在を明らかにしてしまったこと，などをあげて，当初の記事は掲載されるべきではなかったとして全面的に謝罪した．このように問題の発端であった記事が否定されたことは，SWIFTにとって有利な材料ではあったが，データ・プライバシー当局との関係では，問題は終わったわけではなかった．

(5) 問題の解決に向けたEU・米国間の合意

SWIFTをはじめとする各方面からの要請を受けて，2007年初より，EUと米国の当局間の話し合いが行われ，2007年7月になって，両者は合意に達した．

すなわち，米財務省は欧州委員会に対して，SWIFTから入手したデータの取扱いについては，EUのデータ保護法制に適合した方法で行うとの「保証」（guarantee）を行った．これは，召喚状によるデータが，(a) 厳密にテロ対策目的にのみ利用されること，(b) またそれに必要な期間に限定して使用されること，(c) その間，データは安全な環境において適切に取り扱われること，などを保証するものであった．欧州委員会では，米国からこの保証を受けたことを公表し，EU・米国間におけるデータ・プライバシー問題にはようやく決着がついたかたちとなった．

また，同年7月にSWIFTは，米国商務省の「セーフ・ハーバー・プログラム」に参加した．同プログラムは，セーフ・ハーバー方針に沿ってデータを取り扱っている企業について，EUと同等のデータ保護が行われていることを商務省が保証し，それをEUが認める仕組みである（詳細は，BOX14-1を参照）．

こうしたEUと米国の当局間の合意やセーフ・ハーバー・プログラムへの参加により，データ・プライバシーに関する法的な安定性（legal certainty）が確保されることとなり，1年あまりにわたって続いたデータ・プライバシー問題にはようやく終止符が打たれた．

【BOX14-1】セーフ・ハーバー・プログラム

EUにおける「データ保護指令」（Directive on Data Protection）が1998年10月に発効した．これにより，EUレベルのプライバシー保護を達成していない国に対して，EUから個人データを送付することが禁止され，欧州と米国にまたがる活動を行っている米国企業の活動が大きな制約を受ける可能性が発生した．こうしたEUと米国のプライバシー保護政策の違いを埋めるために，米国商務省がEUとの調整のうえで導入したのが「セーフ・ハーバー・プログラム」である．

米国内で事業を営む企業体が「セーフ・ハーバー」として認められると，その企業は，EU基準のプライバシー保護を達成しているものとみなされ，その企業へのEUからの個人データの送付が認められる制度である．この制度は，2000年7月にEUによって承認された．このプログラムに参加す

るためには，必要とされるデータ保護体制の要件を満たし，その旨を対外的に公表することが必要とされている．米商務省では，参加企業のリストを公表している．

　SWIFTの米国オフィス（含む米国データ・センター）は，2007年7月にセーフ・ハーバー・プログラムに参加し，EUと同様のデータ保護を行っているものとみなされるようになった．

(6) データ・プライバシー当局の調査結果

　その後，ベルギー・データ保護委員会では，2008年12月に本件についての最終報告書をまとめ，そのなかで，「SWIFTは，個人情報の保護に十分な配慮を行って行動しており，ベルギーのすべての個人データ保護法制に適合している」ものと結論づけた[15]．

　また，欧州委員会（European Commission）でも，EUレベルでの再調査を行い，その報告書が2009年2月に欧州議会に報告された．この報告書においても，「米国当局は，当初より個人情報の取扱いには十分な注意を払って作業を進め，データはテロリスト対策に限定して利用された」として，個人データ保護上問題はなかったものと結論づけた[16]．

　このように，TFTP問題は，欧州のデータ・プライバシー当局に一時的には懸念を引き起こしたが，最終的には，米国当局のデータの取扱いおよびSWIFTの対応のいずれについても「問題なし」と判断されて終結した．

(7) データ・センターの再編計画

　上記のような一連のデータ・プライバシー問題を受けて，SWIFTでは，2007年7月に「データ・センターの再編計画」（messaging re-architecture）を発表した（詳細は第15章を参照）．

---

[15] "SWIFT respects data protection legislation," 10 December 2008, SWIFT Press release.
[16] "Subpoenaed SWIFT message data is adequately protected," 18 February 2009, SWIFT Press release.

これまで，SWIFTのデータ・センターは，欧州センターと米国センターの2センター体制をとっており，相互にバックアップを行っていたため，すべてのデータが米国センターにも蓄積された．このため，米国財務省からの召喚状を受けると，SWIFTでは，世界中の送金に関するデータを提出の対象とする必要があった（すなわち，欧州内のデータも含まれるため，EUのデータ・プライバシー法制に抵触する危険性があった）．

　これに対して，データ・センターの再編計画では，欧州内（スイス）に第2センターを設置し，欧州センターのバックアップを行うことを計画している．これが実現すると，欧州域内のメッセージ（intra-European message）については，欧州内の2つのセンターだけに蓄積されることになり，欧州域外に持ち出す必要がなくなるため，上記のようなデータ・プライバシー問題（data privacy concern）を懸念する必要がなくなる．

　データ・センターの再編には，かなりのコストが必要であり[17]，またこれまで長年にわたって維持してきたグローバルなネットワーク構成を抜本的に見直すことになるため，SWIFTとしてはかなり大きな決断であったものとみられる．逆にいうと，データ・プライバシー問題は，SWIFTの業務の根幹やSWIFTに対する信頼感を揺るがしかねない，それだけ深刻な問題であったとみることができよう．

---

[17]　5年間で1.5億ユーロ（130円／ユーロ換算で195億円）が必要とされている（香港のコマンド・コントロール・センター建設の費用を含む）．

第15章 SWIFTの新しい動き

　SWIFTでは，CEOの交代や環境の変化を受けて，新しい方向へ舵を切ろうとしている．とくに，ラザロ・カンポス氏のCEO就任（2007年4月）以降は，「顧客中心主義」（customer-centric）を標榜しており，より多くのユーザーにとって使いやすいSWIFTとすることにより，顧客ベースやマーケット・シェアを拡大する方向を目指している．

　本章では，SWIFTが進めている新しい動きのうち，主なものについてみることとする．

１　ネットワークの再編計画

　前章で述べたように，米国CIAによるSWIFTの送金データ利用に端を発したデータ・プライバシー問題を受けて，SWIFTではオペレーティング・センター（OPC：Operating Center）の再編計画を決めた．この計画は，「メッセージ・ネットワークの再構成」（messaging re-architecture）または「システムの分散化」（DA：Distributed Architecture）と呼ばれており，スイスに欧州で2番目となるオペレーティング・センターを建設し，センター間のバックアップ関係を変更することが柱になっている．

（1）現行のシステム構成と問題点

　SWIFTの現行のシステム構成は，米国センターと欧州センターの2センタ

図15-1 SWIFTのシステム構成（現行，概念図）

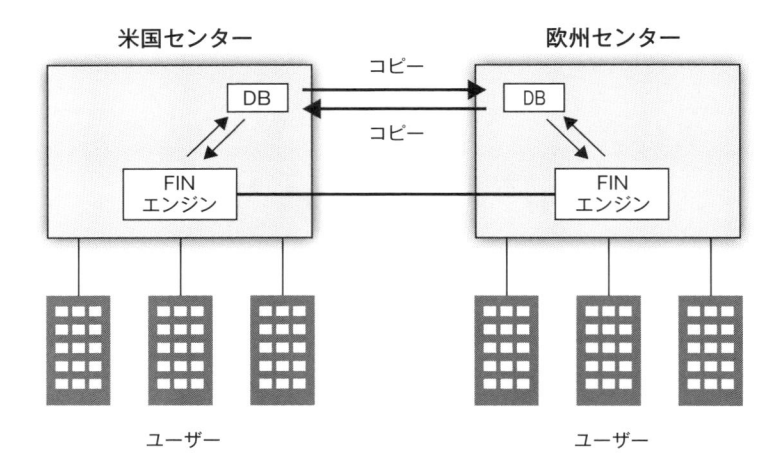

一体制となっている[1]．両センターのDB（データベース）は，相互にコピーをとってバックアップを行う体制となっている（図15-1参照）．こうした2センターによる相互バックアップ体制は，頑強性（resilience）の面ではメリットがあったが，データ・プライバシーの面では欠点があることが，2006年の『ニューヨーク・タイムズ』紙の事件（詳細は第14章を参照）によって明らかになった．すなわち現行体制では，欧州内の金融機関同士でやりとりされるメッセージであっても，米国のセンターにバックアップがなされる．このため，米国の当局によるデータ提出命令があれば，欧州内のメッセージを提出せざるをえないのである．

こうした事態を回避し，欧州域内で欧州内のメッセージのバックアップが完結するようにするため，SWIFTでは，スイスに第2センターを建設することを決めたものである．

（2）新センターの構築

スイスの新センターは，米国センターと欧州センターの両方のバックアッ

---

1) このほかに，コールド・バックアップ・サイトがある．

第15章 SWIFTの新しい動き

図15-2 SWIFTのシステム構成（ネットワークの再編後，概念図）

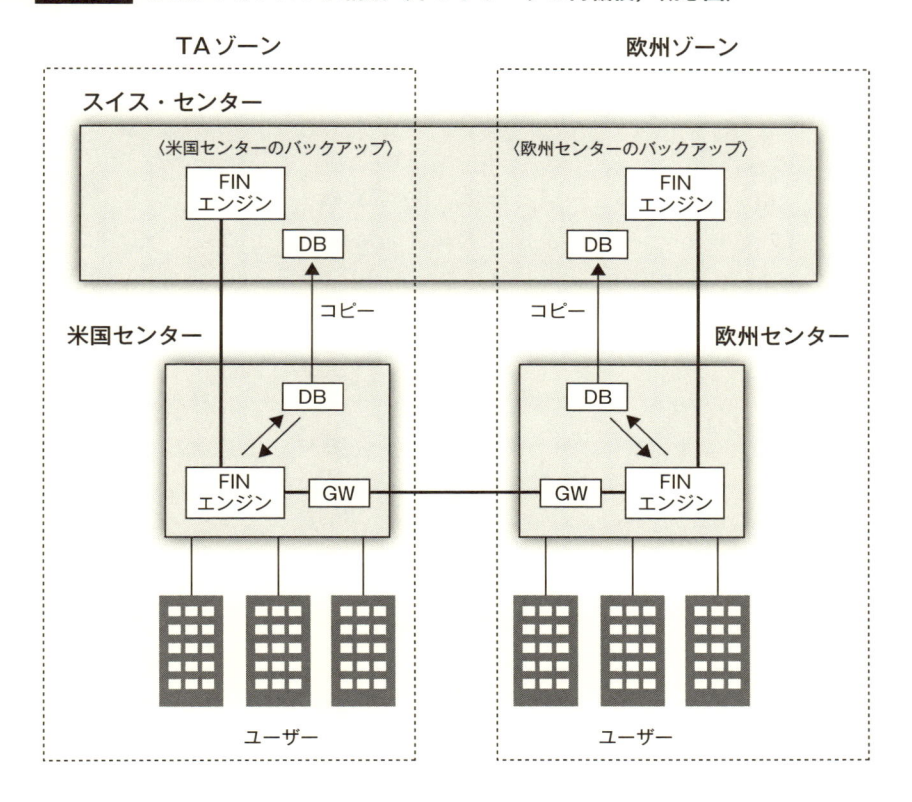

```
        TAゾーン                                欧州ゾーン
  ┌──────────────────────────┬──────────────────────────┐
  │  スイス・センター                                      │
  │    〈米国センターのバックアップ〉   〈欧州センターのバックアップ〉│
  │         [FINエンジン]              [FINエンジン]         │
  │            [DB]                      [DB]             │
  │             ↑                         ↑              │
  │          コピー                      コピー            │
  │  米国センター                              欧州センター  │
  │         [DB]                         [DB]            │
  │      [FINエンジン][GW]──────[GW][FINエンジン]         │
  │          │  │  │                │  │  │            │
  │        [ユーザー]                [ユーザー]           │
  └──────────────────────────┴──────────────────────────┘
```

プ・センターとして機能することになる（図15-2参照）．また，米国センターと欧州センターは，ゲートウェイ（GW）を通じて結ばれる．

このネットワークの再編により，SWIFTのメッセージ処理は，①欧州ゾーン（European messaging zone）と②TAゾーン（大西洋横断ゾーン：Trans-Atlantic messaging zone）の2つに分かれることになる．各国は，国ごとにどちらかのゾーンに属することになり，①欧州地域は欧州ゾーンに，②米州地域はTAゾーンに属する．また，それ以外の地域は，原則としてTAゾーンに属するが，国ごとに選択が可能とされた（日本は，時差の関係等から欧州ゾーンを選択）．

欧州に2つのセンターができたことにより，欧州内でやりとりされるメッセージ（intra-European message）については，欧州域内の2つのセンター（メインとバックアップ）にとどまることになり，欧州域外には出ないため，データ・プライバシー問題の懸念からは解放されることになる．

(3) プロジェクトのフェーズと新センターの意義

スイスの新センターは，2009年末の稼働開始を予定している．ただし，この段階（フェーズⅠ）では，リースで借りたサイトでの稼働であり，2012年末を目処に，自前のオペレーティング・センターを建設する計画である（フェーズⅡ）．

ネットワークの再編により，SWIFTのネットワークは，2センターをリンクしたものから，より分散化された構成へと発展を遂げることになる．これらは，発端となったデータ・プライバシー問題への対応策として機能するほか，メッセージ処理能力の向上や，災害等に対する耐障害性（resilience）の向上[2]，事業継続性（BCP：Business Continuity Planning）の強化にもつながるものである．

SWIFTでは，1979年に第2センターとして米国センターを開設して以来，長年にわたって米・欧の2センターによる運営体制を維持してきており，新たなオペレーティング・センターの建設は約30年ぶりとなる．

(4) 香港のコマンド・コントロール・センターの新設

SWIFTでは，スイスにおけるオペレーティング・センター（OPC）の新設とともに，香港に「コマンド・コントロール・センター」（CCC：Command and Control Center）を新設することを決めた．CCCは，データ・センターとしての機能はないが，全世界のSWIFTのネットワーク（SWIFTNet）のオペレーションをモニターできる機能をもつセンターであり，従来は，欧州と米国

---

[2] 現行の2センター体制では，もし1つのセンター（OPC）が稼働できなくなった場合には，30分以内に他方のセンターに業務を移管し，4時間以内にメッセージング・サービスを復旧させることになっている．3センター体制ではこうした復旧までの時間が短縮されることになる予定である．

の2センターのみとなっていた.

　これにより, アジアの時間帯については, 香港のセンターからSWIFTNetのコントロールやモニタリングなどを行うことが可能となる. 香港のCCCは, 2009年末までに稼働を開始する予定である.

❷ SWIFTへの接続に対する改善

　SWIFTでは, SWIFTNetへの接続に対する改善策として, ①小口ユーザー向けの簡便な接続方法である「アライアンス・ライト」(Alliance Lite) の導入と, ②超大口ユーザー向けの「固定料金プログラム」(Fixed Fee Pricing) の導入, の2つを進めている.

(1) アライアンス・ライトの導入

　「アライアンス・ライト」(Alliance Lite) は, 導入手続きを簡素化し, 初期費用を抑えたSWIFT接続用のインターフェースであり, 受送信件数が少ない小口ユーザー向けの接続ツールである. アライアンス・ライトは, ユーザーがSWIFTに簡便に低コストでアクセスできるようにすることを目指す「イージーSWIFT戦略」の一環である[3].

①アライアンス・ライトの特徴

　アライアンス・ライトは, ①インターネットを通じたSWIFTNetへの接続, ②導入手続きの簡素化, ③低ボリュームの顧客向けへの特化, などが特徴となっている.

(a) インターネットを通じたSWIFTNetへの接続

　アライアンス・ライトは, インターネットを通じて, SWIFTのネットワークに接続することを可能としている点が, まず第1の特徴である. ユーザーは

---

[3] CEOのラザロ・カンポス氏は, 2007年のSibosにおいて「FAXのボタンを押すように簡単にSWIFTにアクセスできるようにするためのインターフェースを導入する」と宣言していた. それが, このアライアンス・ライトである.

図15-3 アライアンス・ライトの概要

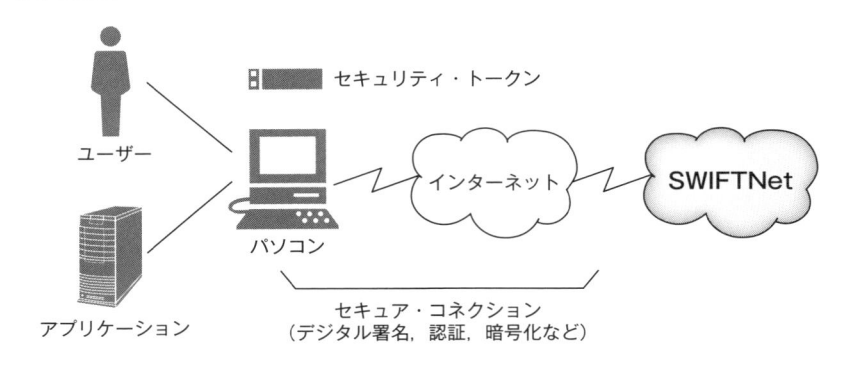

SWIFTの提供するハードウェアである「セキュリティ・トークン[4]」(security token)と通常のインターネット接続があれば，SWIFTにアクセスすることができる．

インターネット上の通信については，セキュリティ・トークンの暗号技術により，デジタル署名，認証，メッセージの暗号化などを行うことによって，安全な通信（セキュア・コネクション）を可能としている．なお，SWIFTの通信において，インターネットを利用するのは，初めてのことである．

(b) 導入手続きの簡素化

アライアンス・ライトでは，「10日, 5分」を謳い文句としている．「10日」は，手続きに要する日数であり，申込みを行ってから原則として10日程度の期間で導入用のキット[5]が到着するものとされている．従来，SWIFTの導入には3カ月程度を要しており，これに比べると，かなり短期間での導入が可能となっている．

また「5分」は，アライアンス・ライトの導入（インストール）に要する時

---

4) USBメモリーに暗号ソフトウェアなどが埋め込まれたもの．
5) 導入用の「標準キット」(standard orderと呼ばれる)は，パソコンにインストールを行うためのCDと10本のセキュリティ・トークンからなる．このうち，2本のトークンは管理者用，残り8本はオペレーター用である．

間である．導入キットに入っているCDをパソコンに入れてインストール作業を行えばすべての作業が完了し，「子供にもできる」というインストール作業の簡便さ（easy to install）が特徴である．このため，これまでSWIFTの導入には必須とされていた「SWIFT認定サービス・プロバイダーによるサポート」は必要とされず，独力での導入が可能となっている．

(c) 低ボリュームの顧客向け

アライアンス・ライトは，ロー・ボリュームの顧客向けであり，1日の受送信件数が200メッセージ以下のユーザーに適するものとされている．これまでSWIFTを利用していない新規顧客をターゲットとしており，中小金融機関やコーポレート（事業法人）などを対象としている．

アライアンス・ライトでは，FINサービスの一部（送金指図，残高報告，外為取引など）とFileActサービスをサポートしている．利用できるMTには制限があるが，中小のユーザーには十分な内容とされている[6]．

アライアンス・ライトでは，①手作業によるオペレーション（manual operation）と，②「AutoClient[7]」と呼ばれる統合用ソフトウェアによる社内システムとの連動処理，の両方をサポートしている．

②アライアンス・ライトの料金体系

アライアンス・ライトでは，定額制と従量制の2つの料金体系を設けている（図15-4参照）．「定額制」（flat fee）は，月4000件までの受送信について，利用料金を月額850ユーロの定額とするものである．ただし，月4000件を超えた部分については，1件[8]当たり1ユーロの従量制となる．

一方，「従量制」（pay as you go）は，基本料金（200ユーロ）に加えて，1

---

6) 2009年10〜12月に予定されているリリース2では，対象とするMTなどを拡大し，ファンド・マネージャーなどをターゲットとして，証券系業務での利用を可能とする予定である．
7) AutoClientでは，多くのバックオフィスで使われている「RJE」（Remote Job Entry）というフォーマットのファイルで，データの入出力を行うことができる．
8) FileActサービスについては，ファイル容量が100キロバイト（KB）ごとに1件としてカウントされる．

図15-4 アライアンス・ライトの料金体系

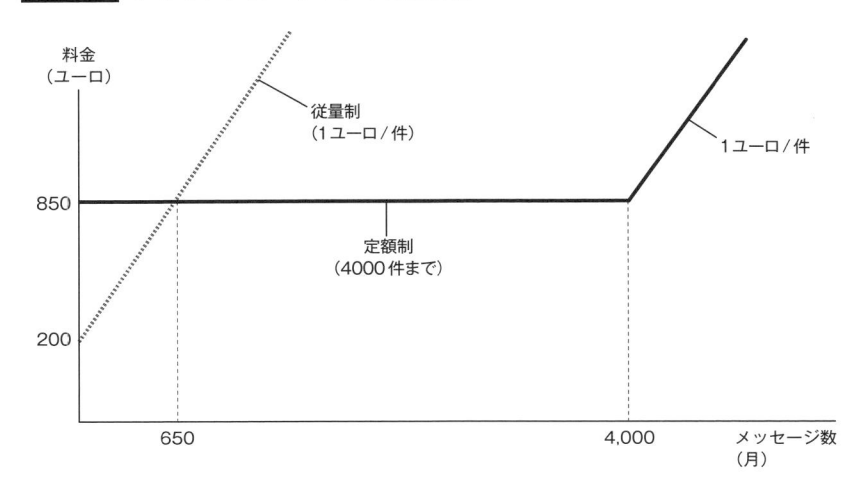

料金
(ユーロ)

従量制
(1ユーロ/件)

1ユーロ/件

850

定額制
(4000件まで)

200

650　　　　　　　　　　　　　　　4,000　　メッセージ数
(月)

件当たり1ユーロの従量制とするものであり，月間の受送信が650件以下であれば，こちらの方が割安となる．ユーザーは，自分の利用件数に応じて，どちらかの料金体系を選択することができる．

これまでコストの観点からSWIFTの導入に二の足を踏んできた小口ユーザーにとっては，アライアンス・ライトによって，低コストで容易なSWIFT接続が実現される．このため，アライアンス・ライトの普及により，SWIFTユーザーの裾野は広がりをみせるものとみられる．

アライアンス・ライトは，20社によるパイロット・テストを経て，2008年10月に一般利用が開始された．すでに日本でも，アライアンス・ライトによってSWIFTを導入する先がみられている．

(2) 固定料金プログラムの導入

「固定料金プログラム」(Fixed Fee Pricing) は，超大口のユーザーを対象とするもので，ユーザーは，3年契約を結んで，一定の範囲内で固定料金によりSWIFTメッセージの受送信を行うことができる[9]．大規模ユーザーは，このプログラムを選択すれば，①メッセージ[10]の50％以内の増加であれば定額で利用することができ，追加料金が発生しないほか，②SWIFTの利用コスト

の先行きの見積りが容易になるというメリットがある.

　固定料金プログラムはオプションであり,従来どおりの従量課金体系とこの固定料金体系のどちらを選ぶかは,各ユーザーの選択に任されている.この固定料金プログラムは,2008年1月から導入されており,対象となる超大口の55ユーザーのうち,2008年10月時点で33のユーザーが同プログラムに参加している.日本でも,すでに固定料金プログラムを導入する先がみられている.

③ コミュニティ内の意見交換の充実化

　SWIFTでは,「利用者による共同体」としてのSWIFTの「コミュニティ」の側面を重視しており,ユーザーとの協力関係や意見交換などに力を入れている.

(1) Sibos

①Sibosの概要

　SWIFTでは,毎年秋にSWIFTのユーザーを対象にした「Sibos[11]」という会合を開催している.Sibosは,毎年,金融機関やITベンダーなど7000～8000名が集まる金融界の一大イベントとなっており,金融関係のコンファレンスとしては,世界でも最大規模のものとなっている[12].

　Sibosの開催地は,欧州,アジア太平洋,米州の3地域の持ち回りとなっており,2009年の開催地は香港である.また,2012年には,わが国で初となる

---

9) 固定料金は,直近12カ月のメッセージング・サービスの利用料金の95%の水準に設定される.契約期間の3年間は,毎月のメッセージ件数が,一定の範囲内(直近12カ月の平均件数より50%増以内)であれば,追加料金は必要なく,この固定料金で利用することができる.また,50%以上増加した部分については,△50%の割引料金が適用される.

10) 「トラフィック・アグリゲーション」(携帯電話の家族割引に相当)が適用となり,本部のほか,支店や子会社のメッセージも対象に含まれる.

11) 「サイボス」と発音する.Sibosは,もともと"SWIFT International Banking Operations Seminar"の略語であったが,最近では,その略語がそのまま会合のブランド名として用いられるようになっている.

12) ウィーンで開催された2008年のSibosには,全世界から約8100名が参加した.日本からも約120名が参加.

表15-1 Sibosの開催地

開催実績		開催予定	
開催年	開催地	開催年	開催地
2002年	ジュネーブ（スイス）	2009年	香港（中国）
2003年	シンガポール	2010年	アムステルダム（オランダ）
2004年	アトランタ（米国）	2011年	トロント（カナダ）
2005年	コペンハーゲン（デンマーク）	2012年	大阪（日本）
2006年	シドニー（豪州）		
2007年	ボストン（米国）		
2008年	ウィーン（オーストリア）		

大阪での開催が予定されている（表15-1参照）．

Sibosでは，1週間にわたり，①SWIFTの業務内容・機能の変更についての説明会，②SWIFTに密接に関連する業界（資金決済，証券決済，外為取引，デリバティブ取引等）の関係者によるプレゼンテーションやディスカッション，③金融機関やITベンダー（ソフトウェア・サプライヤー）がブースを出して自社のサービスや製品を紹介する展示会[13]（exhibition）などが，同時並行的に行われる[14]．

金融機関やベンダーでは，新しいプロジェクトや製品・サービス，提携関係などの発表の場としてSibosを選ぶことが多く，例年，Sibos期間中に多くのプレス発表が行われる．また，展示会では，ECB，Fedなどの中央銀行でもブースを出して，決済システムなどの説明を行っている．

②Sibosへの参加者

Sibosへの参加者を地域別にみると（2007年のボストンSibos），参加者の地域別では，欧州が49％，北米が35％，アジア太平洋が10％，中東・アフリカが6％となっている．また，役職別にみると，CEO・役員（board member）

---

[13] 全世界から240社以上が出展を行う．わが国からも，メガバンク，SWIFTパートナー企業などがブースを出している．
[14] このほか，標準化に関する専門家会議である「スタンダード・フォーラム」も，Sibos期間中に併設して開催される．

第15章 SWIFTの新しい動き

図15-5 Sibos参加者の属性（2008年，ウィーンSibos）

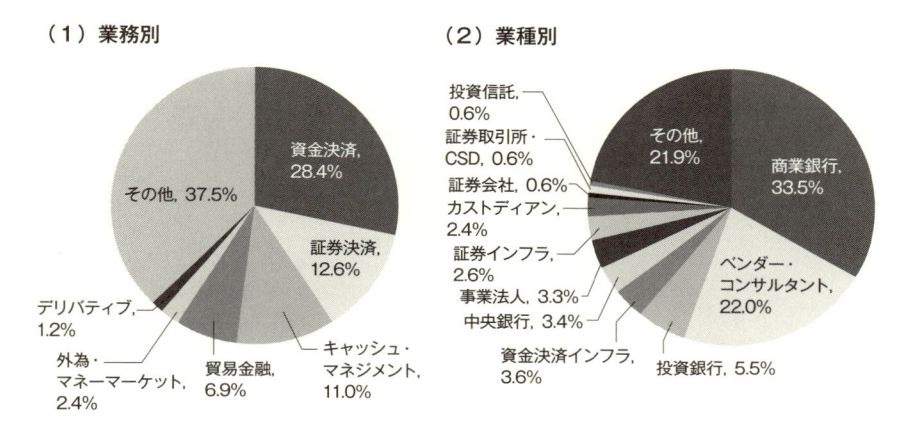

(1) 業務別

- 資金決済, 28.4%
- 証券決済, 12.6%
- キャッシュ・マネジメント, 11.0%
- 貿易金融, 6.9%
- 外為・マネーマーケット, 2.4%
- デリバティブ, 1.2%
- その他, 37.5%

(2) 業種別

- 商業銀行, 33.5%
- ベンダー・コンサルタント, 22.0%
- 投資銀行, 5.5%
- 資金決済インフラ, 3.6%
- 中央銀行, 3.4%
- 事業法人, 3.3%
- 証券インフラ, 2.6%
- カストディアン, 2.4%
- 証券会社, 0.6%
- 証券取引所・CSD, 0.6%
- 投資信託, 0.6%
- その他, 21.9%

クラスが8％，取締役（MD/Director）クラスが26％，部長（Department manager）クラスが21％，部署の統括責任者（VP/Functional Head）クラスが24％などとなっており，実際にビジネス上の判断を行う経営層・マネジメント層の参加が目立っている．

また，Sibosへの参加者の属性をみると（2008年のウィーンSibos），まず業務別については，①資金決済，②証券決済が2大業務分野となっており，これに③キャッシュ・マネジメント，④貿易金融などの業務が次いでいる．一方，外為，デリバティブなどの関係者の参加は，比較的限定的である（図15-5の（1）を参照）．

次に，所属企業の業種別でみると，①商業銀行，②ベンダー・コンサルタントが2大業種となっている．また，資金決済インフラ，証券決済インフラ，中央銀行，証券取引所など公的な色彩の強い先からの参加も一定数みられている（図15-5の（2）を参照）．なお，コーポレートのSWIFT参加が広く認められるようになったことを受けて，事業法人からの参加が増えてきているのが最近の特徴である．

Sibosでは，資金，証券，外為，デリバティブなどの取引・決済やSWIFTの動きなどに関して，その時点での世界的な最新動向が鳥瞰できるほか，金融

表15-2 ビジネス・ソリューション関連のコミュニティ

事業法人向けのSWIFT	金利デリバティブ
E&Iサービス	ノンデリバラブル・フォワード（NDF）
ファンド・マネージャー	エキゾチック・オプションの取引確認
銀行取引コード	ファンドの自動化
証券データ配信コミュニティ	E&I運営グループ
メール・コミュニティ	代理投票と株主総会
メール・ユーザー・コミュニティ	ファンド分配の自動化

関係の製品（ソフトウェアなど）やサービスが一堂に会する場となっている．また，関係者とのネットワーク作り（networking）の場としても高い評価を受けており，この場での人脈作りを目的に参加する関係者も多い．日本からも，実務者レベルのみならず，経営層からの参加がさらに拡大することが望まれる．

(2) swiftcommunity.net

SWIFTでは，2007年10月に「swiftcommunity.net」というユーザー間の意見交換のためのウェブサイトを構築した．このウェブサイトでは，さまざまなテーマについて「コミュニティ」を作って意見交換をしたり，ドキュメントを共有したりすることができる．

すでに7000人以上が登録して，100以上のコミュニティで活発な議論が行われている．コミュニティは，①ビジネス・ソリューション，②イベント，③プロダクト，④スタンダーズ，⑤サポートなどのカテゴリーに分かれている．ちなみに，ビジネス・ソリューション関連のコミュニティとしては，表15-2のようなものがある．

SWIFTでは，このプラットフォームをユーザーからの意見を吸収する場としても活用していく意向である．

4 わが国におけるSWIFT対応の動き

わが国におけるSWIFTの利用は，経済規模や市場規模のわりには過小であ

り，発展余力のあるマーケットであるものとみられている．CEOであるラザロ・カンポス氏も，SWIFTにとって大きな発展可能性のある国として，とくに日本と米国の名前をあげており[15]，重点マーケットとして力を入れている．わが国においても，SWIFT対応に向けて，以下のような動きがみられている．

(1) 保振機構とSWIFTとの協力関係
①保振機構と決済照合システム

わが国においては，「証券保管振替機構」（英文略称はJASDEC[16]，以下，「保振機構」という）が，株式，一般債[17]，CP[18]，投資信託受益証券などについての証券決済機関（CSD）となっている．

保振機構では，CSDとしての機能のほか，証券取引の「照合機関」（マッチング機関）としての役割も果たしている．すなわち，機関投資家が株式，国債等の取引を行った場合の約定照合，決済照合を行う「決済照合システム」を2001年から運営している．同システムは，わが国における「セントラル・マッチング・システム」（中央照合システム）であり，機関投資家，証券会社，カストディアンなどの間を結んで取引の照合を行い，わが国における証券決済のSTP化に多大な貢献を行っている[19]．

②決済照合システムの国際標準化とSWIFT採用への動き

保振機構では，2007年10月にSWIFTとの間で，「証券メッセージの標準化に関する覚書」（MoU）に調印を行った．この覚書によると，保振機構では，決済照合システムにおいて，金融メッセージの次期国際標準であるISO 20022を採用する方針であり，それに向けてSWIFTがサポートを行うこととされている．

現在，決済照合システムのメッセージには，ISO 15022が採用されている．

---

15) Sibos2007でのスピーチによる．
16) Japan Securities Depository Centerの略．
17) 社債，地方債，政府保証債，円建て外債など．
18) コマーシャル・ペーパーの略．短期社債，電子CPとも呼ばれる．
19) 決済照合システムの概要，対象商品，参加者，照合フローなどについては，『証券決済システムのすべて（第2版）』（東洋経済新報社）の第7章3を参照のこと．

ただし，わが国特有の法制，マーケット慣行などから，ISO 15022をカスタマイズしたバージョン（JASDECバージョン）が用いられており，グローバルなISO 15022のフォーマットとは乖離が生じている．保振機構では，ISO 20022対応により，こうした乖離をなくし，内外の金融機関が変換などに煩わされることなく，決済照合システムと通信できる環境作りを目指すこととしている．これは，とくに非居住者の対日投資についての照合プロセスの合理化を進めるうえで効果が大きいものとみられている．

ISO 20022対応に向けては，①ISO 15022（スタンダード・バージョン）とJASDECバージョンとのギャップ分析，②特定されたギャップのISO 20022への取込み，③決済照合システムでのISO 20022ベースでのサービスの追加，といった手順で進める方針である．保振機構では，2011年ごろを目処にISO 20022への移行を進めることを予定している．

こうした動きは，SWIFTのMX（ISO 20022を採用）への移行とも方向性が一致している．このため，保振機構では，決済照合システムのネットワークの1つとしてSWIFTNetを採用することも検討している．これが実現すれば，わが国の証券決済インフラにおいては，初めてのSWIFTネットワークの採用となる．

(2) SWIFT-ANSERゲートウェイ・サービス

①SWIFT-ANSERゲートウェイ・サービスの概要

（株）NTTデータでは，SWIFTのネットワークと各銀行の勘定系システムとの間を，同社の運営する「ANSER[20]」のネットワークを通じて接続するパイロット・サービスを構築した．このサービスは，「SWIFT-ANSERゲートウェイ・サービス」と呼ばれ，海外のグローバル企業（いわゆる多国籍企業）の日本子会社が保有している居住者口座の円資金管理の効率化ニーズに対応するためのものである．同サービスは，基本的にはSWIFTメッセージとANSER電文との相互変換処理を行うものであるが，2008年3月には実証実験

---

20) ANSER®は，Automatic answer Network System for Electrical Requestの略．各種金融業務（顧客への入出金通知，顧客からの残高照会等への応答，顧客の口座からの振込指図など）を自動化するサービス．

が行われ[21]，変換処理が可能であることが確認された．

　SWIFTのメッセージとわが国の資金決済システムである「全銀システム」のメッセージとは互換性がないため，日本所在の金融機関が，海外の企業または金融機関からSWIFTを通じて居住者円資金の送金メッセージを受け取った場合には，自動的に直接全銀システムへ送信することができず，これを全銀システムのフォーマットに変換する作業が必要となっていた（完全なシステム化が難しく，人手が介在）．

　同サービスでは，SWIFT-ANSERゲートウェイが，①SWIFTメッセージからANSER電文への変換（マッピング），②受取人名（カナ）の自動補正，③国際的に利用されるBIC（銀行識別コード）から国内の全銀コードへの自動変換，などを行うため，メッセージを受け取った金融機関では，人手を介することなく，全銀システムに送金指図のメッセージを送ることができ，海外からの指図と国内における居住者間送金とのリンク部分のSTP化が図れることになる．

　このサービスを利用すると，海外企業（SWIFTの利用先）では海外本社から，①日本国内の子会社が保有している口座を通じた送金の依頼（内国為替送金依頼），②日本国内の子会社が保有する複数銀行の口座に分散した資金の集中管理（資金集中送金依頼），③日本国内の子会社が保有する銀行口座の残高・入出金などの確認（入出金明細照会），などを行うことができる．

　グローバル企業にとっては，同サービスにより，海外から直接，日本国内の子会社が管理する複数銀行・複数口座にわたる円資金を一元的に把握し，集中管理できるというメリットがある．また，日本の金融機関にとっては，グローバル企業の円資金管理に関するビジネスを拡大できるというメリットが期待される．現在，同サービスは，商用化に向けた提案活動が進められている．

②内国為替送金依頼のケース

　SWIFT-ANSERゲートウェイ・サービスを，内国為替送金依頼のケースについてみると，以下のとおりである（図15-6を参照）．

---

[21]　三井住友銀行，シティバンク銀行，多国籍企業などが参加．

図15-6 SWIFT-ANSERゲートウェイ・サービスによる内国為替送金依頼

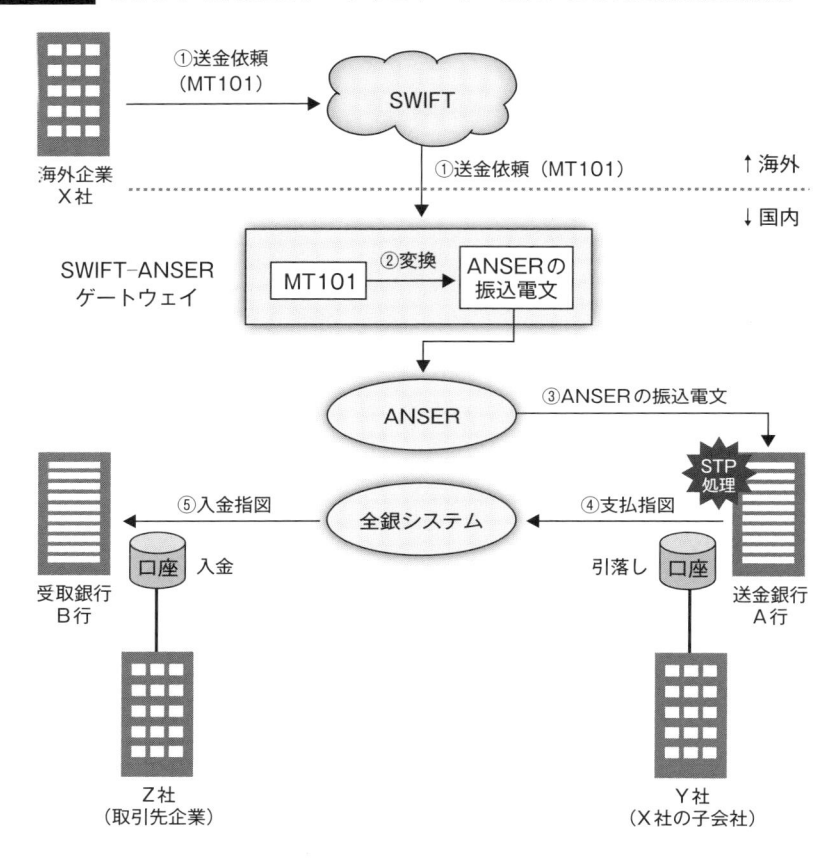

（出所）　NTTデータ資料をもとに筆者作成．

a) 海外企業では，SWIFTのFINメッセージ（MT101）により，送金指図（A行→B行）を送る．
b) SWIFT-ANSERゲートウェイでは，SWIFTのFINメッセージを受信すると，ANSERの振込電文に変換を行う．この際に，受取人名，全銀コードなどの変換・補正も同時に行う．ゲートウェイでは，ANSERを通じて電文を送金銀行（仕向銀行）に送る．

c) 送金銀行では，ANSER電文を受けて，全銀システムに対して，受取銀行（被仕向銀行）への支払指図を送る（STP処理による）．
　d) 受取銀行では，全銀システムを通じて，送金を受け取る．

(3) 全銀システムの国際標準への対応
①全銀システムの概要

　全銀システム（正式名は「全国銀行データ通信システム」）は，全国の金融機関の間で，内国為替（国内の振込，送金）の決済を行うシステムであり，社団法人東京銀行協会が運営している．全銀システムは，わが国の金融機関のほとんどが接続し[22]，1428の金融機関の3万3190店舗を網羅する全国的なネットワークを形成しており（2008年末），1日平均で500万件以上，10兆円以上の決済を行っている．

　全銀システムでは，取扱件数の増大などに対応するため，8年ごとにシステムのレベルアップを行ってきており，現行の第5次全銀システム（2003年11月より稼働）の後継となる第6次全銀システムが2011年11月から稼働する予定となっている．

②全銀システムにおけるISO 20022の採用

　全銀システムにおいては，これまで，メッセージ・フォーマットとして，わが国独自の「全銀フォーマット[23]」が用いられてきたが，第6次全銀システムにおいては，これに加えて，次世代の金融メッセージの国際標準である「ISO 20022」によるXML電文を採用する予定である[24]．これは，SWIFTが，従来の「MT」からISO 20022ベースの「MX」への移行を行うのと，同じ方向性にあるものといえる．

　欧州の決済システムなどとは異なり，当面，ネットワークそのものとして，SWIFTを採用するという動きにはないが，参加金融機関のニーズや「資金決

---

[22] 2009年1月には，ゆうちょ銀行が接続し，他の金融機関との間で振込みができるようになった．
[23] 電文フォーマットとしては，1件ごとの送金に用いる「テレ為替」と大量データの一括送信に用いる「MTデータ伝送」とがある．
[24] 現行の全銀フォーマットとXML電文との並存となる．

済システムにおける国際標準化への対応」が当局の方針[25]として打ち出されていることなどを受けて，こうした対応を行うものである．決済インフラにおける国際標準化を進めることは，海外業務とのリンクにおいて，国内金融機関や日本所在の外銀の接続の負担を軽減し，ひいては東京市場の国際競争力の強化につながるものと期待される．

5 SWIFTの中期経営計画

（1）SWIFT2010の概要

SWIFTでは，5年ごとに中期経営計画を策定している．現在は，2010年を達成年度とする「SWIFT2010」を遂行中である[26]．これは「SWIFT2001」，「SWIFT2006」に続く3つ目の中期経営計画である．

SWIFT2010は，「より多くを一緒に成し遂げよう」（Achieve more, together）をスローガンとしている（SWIFTでは，これを「Vision」と呼んでいる）．このうち，「more」（もっと）の部分は，SWIFTのメッセージ量（economies of scale）とビジネス分野（economies of scope）を一段と拡大することを意味している．また，「together」（一緒に）の部分は，SWIFTのコミュニティ機能の強化を表している．

（2）4つの戦略分野

「SWIFT2010」では，以下の4つを重点戦略分野（strategic growth thrusts）としている．

①顧客基盤の拡大

1つめは，コーポレートや貿易金融分野での「顧客基盤の拡大」（extending client reach）である．金融機関以外のコーポレート（事業法人）は，従来からあったMA-CUG（Member-Administered Closed User Group）のほかに，2007年から「SCORE」という新たな方法によってSWIFTにアクセスし，多

---

[25]　「金融・資本市場競争力強化プラン」金融庁，2007年12月．
[26]　「SWIFT2010」は，2006年6月の理事会で承認された．

くの銀行とメッセージ通信ができるようになっている（第9章を参照）．

また銀行では，「TSU」（Trade Services Utility）という貿易金融サービスによって，企業のサプライ・チェーン・マネジメントをサポートすることが可能となっている（第8章を参照）．

SWIFTでは，こうした新たなサービスを梃子として，コーポレートや貿易金融分野でのSWIFT利用の拡大を図っていくことを重点戦略の1つとしている．

②欧州の市場統合へのサポート

欧州では，ユーロ導入後の市場の調和（harmonisation）に向けて，「SEPA」（単一ユーロ決済圏：Single Euro Payments Area），「TARGET2」，「ジョバンニーニ・レポート」，「MiFID」（金融商品市場指令），「T2S」（TARGET2-Securities）など，数多くのプロジェクトが進行中である[27]．

SWIFTでは，ネットワーク・プロバイダーとして，あるいは標準化の主体として，これらのプロジェクトの多くに深く関与しており，これらの市場統合プロジェクトをサポートしていくことも重要課題であると位置づけている．

③新興市場でのビジネス・チャンスの確保

ブラジル，ロシア，インド，中国のBRICs諸国のほか，アフリカ諸国，中南米，中近東などの新興市場（SWIFTでは，これらを合わせて「BRIC＋」と呼んでいる）での利用拡大を図っていくことも，重要な課題とされている．SWIFTでは，これらの新興市場では，市場インフラ（決済システム）のネットワークとしての利用のチャンスがあるほか，出稼ぎ労働者の送金（workers' remittances）への利用もビジネス・チャンスであるとしている．

④証券分野とデリバティブ分野でのプレゼンスの確立

SWIFTでは，今後の一段の成長が見込まれる「証券分野」と「デリバティブ分野」を2大戦略分野としている．

---

[27] これらのプロジェクトの詳細については，『証券決済システムのすべて（第2版）』（東洋経済新報社）の第6章を参照のこと．

証券分野では,これまでSWIFTの利用があまり進んでいなかった「約定締結後分野[28]」(post trade area) での利用促進を図っていく方針である.また,デリバティブの分野では,オルタナティブ投資[29]やデリバティブ取引のサポートを強化していく方針である.そのために,これらの分野での取引や取引後処理の自動化や標準化を進めていくことが重要であるとしている.

---

[28]　証券売買の約定を締結した後,決済を行うまでのプロセス(大口注文を配分するアロケーション,分配後取引の取引確認であるコンファメーション,それに対するアファメーションなど)であり,「決済前分野」(pre-settlement area) とも言う.

[29]　株式や債券といった伝統的な資産への投資以外への投資全般のこと.具体的には,ヘッジファンド,未公開株,貴金属ファンド,不動産ファンドなどへの投資を指す.空売りや先物・オプションなどを活用した運用手法も含まれる.

おわりに

　SWIFTとの出会いは，バブル景気が終わりを告げた1991年のことであり，かれこれ20年近くも前のことになる．このとき，日本銀行の金融研究所の若手研究員であった著者は，「SWIFTの仕組みとわが国における利用状況について，至急調査レポートをまとめるように」との命を受けたのである．

　当時，金融機関や決済システムが急速にSWIFTへの依存度を高めるなかで，先進国の中央銀行では，SWIFTに万が一システム・トラブルが発生した場合の金融市場への影響について懸念を抱きはじめており，そのため，BIS（国際決済銀行）のペイメント・システム会議（現在のCPSSの前身）において，SWIFTに対する中央銀行の監督のあり方が議論されていた．このレポートは，この議論に参加するための日銀側の基礎資料ともいうべき位置づけであったものとみられる．

　当時はそうした背景を知る由もなかったが，スイフト・ジャパンや主要な金融機関へのヒアリングを行い，他の部局の協力も得て，なんとか「SWIFTの概要とわが国金融機関の利用状況について」という稚拙なレポートをまとめあげることができた．このレポートは今も手元に残っているが，これは日本銀行においてSWIFTについてまとめた初めての調査物であったものと思われる．

　その後，資金や証券の決済システムについて調査・研究を行うことになったが，多くの市場インフラでSWIFTが採用されるようになったため，折に触れてSWIFTに出会うことになった．また，決済システムの機能が，SWIFTの機能に直接関係していることも少なくなかったため，決済システムについて調べるために，まずSWIFTについて理解を深めることが必要なケースも多かった．

　その後，SWIFTの主催する「Sibos」にも何度か出席する機会を得て，SWIFTの変貌ぶりをフォローしていくこととなった．

　また，2003〜2005年にかけては，BISのCPSS（決済システム委員会）事務局に勤務する機会を得たが，この際には，CPSS会合において，各国中央銀行の決済システム局長たちが，SWIFTへの協調オーバーサイトのあり方をめ

ぐって丁々発止のやりとりを行う姿を間近でみることとなった．

　このように初めての出会いから，SWIFTは，常に著者にとって気になる存在であり続けた．今回，本書をまとめて，20年前の宿題をようやく仕上げることができ，肩の荷を降ろしたような気がしている．本書が，すでにSWIFTを使って業務を行っている方，あるいはこれからSWIFTの利用を考えている方など，SWIFTに関心をもつすべての方にとって参考になることを心より祈念している．

【参考文献】

(注) SWIFT関連の資料は膨大な量に上るため，主なもののみにとどめた．

（決済システム関連）

黒田晃生編『金融システム論の新展開』金融財政事情研究会，2008年
中島真志・宿輪純一『決済システムのすべて（第2版）』東洋経済新報社，2005年
中島真志・宿輪純一『証券決済システムのすべて（第2版）』東洋経済新報社，2008年
中島真志「欧州中央銀行の進める証券決済インフラ統合の動き」，『麗澤経済研究』Vol.16, No.1, 2008年3月
中島真志「日欧で同時進行する次世代RTGSプロジェクト」，『麗澤経済研究』Vol.15, No.1, 2007年3月
日本銀行「決済システムレポート」2005年版，2006年版，2007-2008年版

（SWIFT全般関連）

SWIFT "Annual Report," 各年
SWIFT "Brochures and Factsheets," 各種
SWIFT "Corporate Rules," July 2008
SWIFT "Simplification SWIFT User Categories," September 2008
SWIFT "Member-Administered Closed User Group," November 2007
SWIFT "SWIFTNet 6.1： Service Description," December 2007
SWIFT "SWIFTNet Connectivity Packs," December 2007
SWIFT "SWIFTAlliance Gateway 6.1： Service Description," December 2007
SWIFT "SWIFTAlliance WebStation 6.1： Service Description," December 2007
SWIFT "SWIFTNet Link 6.1： Service Description," November 2007
SWIFT "SWIFT for Corporates： Introductory Guide," September 2007
SWIFT "SWIFT for Corporates： SCORE 2.0： Service Description," September 2007
SWIFT "SWIFT and TARGET2," 2005
SWIFT "SWIFTNet Messaging on TARGET2," September 2007
SWIFT Japan "SWIFT Japan News," 各号
上総英男「SWIFTボードメンバーレポート」2008年7月
金融情報システムセンター「SWIFTの新しい挑戦（Sibos2007）」，『金融情報システム』No.294, 2008年冬号

金融情報システムセンター「決済ビジネスの最近の潮流―― Sibos2008から――」,『金融情報システム』No.301, 2009年冬号

(メッセージング・サービスとメッセージ標準関連)
SWIFT "SWIFTNet FIN: Service Description," February 2008
SWIFT "SWIFTNet FINCopy: Service Description," February 2007
SWIFT "SWIFTNet FINInform: Service Description," March 2008
SWIFT "Category 1—Customer Payments and Cheques: Message Reference Guide," September 2006
SWIFT "SWIFTStandards MT October 2007: General Information," November 2007
SWIFT "SWIFTStandards MX: General Information," October 2007
SWIFT "Simple XML," 2007
SWIFT "The SWIFTStandards Story," 2007
SWIFT "MT-MX Coexistence," September 2008

(ソリューション関連)
SWIFT "SWIFTNet Expectations and Investigations 1.1: Service Description," October 2006
SWIFT "SWIFTNet Cash Reporting 3.2: Service Description," February 2008
SWIFT "SWIFTNet Trade Services Utility 2.0," September 2008
SWIFT "SWIFTNet Data Distribution 2.1: Service Description," August 2006
SWIFT "SWIFTNet FpML 2.0: Service Description," January 2008
SWIFT "SWIFTNet Funds 4.0: Service Description," April 2007
SWIFT "SWIFTNet Mail 1.0: Service Description," June 2007
佐藤武男(三菱東京UFJ銀行)「Trade Services Utility」2007年7月
堀明彦(三井住友銀行)「サプライチェーンファイナンスにおけるTSUの活用」2008年7月

(標準化関連)
ISO "Financial Services – International Bank Account Number (IBAN)," March 2007
SWIFT "IBAN Registry," March 2009
SWIFT "BICPlusIBAN Directory: Product Description," May 2008
森毅「金融業務で利用される通信メッセージの国際標準化動向」日本銀行金融研究

所ディスカッションペーパー 2007-J-5，2007年2月

(情報セキュリティ関係)

SWIFT "FIN Security Guide," August 2004"

SWIFT "SWIFTNet PKI： Certificate Administration Guide," November 2007

SWIFT "SWIFTNet Phase 2： Planning Guide," January 2006

SWIFT "SWIFTNet Phase 2： Detailed Overview," February 2006

SWIFT "SWIFTNet RMA Service： RMA Planning Guide," August 2007

サイモン・シン『暗号解読』青木薫訳，新潮文庫，2007年

今井秀樹『暗号のおはなし』日本規格協会，1993年

熊谷直樹『ウェブ時代の暗号――ネットセキュリティの挑戦』ちくま新書，2007年

結城浩『新版暗号技術入門』ソフトバンククリエイティブ，2008年

(SWIFTオーバーサイト関係)

Bank for International Settlements "The Interdependencies of Payment and Settlement Systems," June 2008

Jean-Claude Trichet "Interception of Bank Transfer Data from the SWIFT System by the US Secret Services," October 2006

National Bank of Belgium "Cooperative Oversight of Euroclear and SWIFT," June 2005

National Bank of Belgium "Cooperative Oversight Principles and Implementation for Euroclear SA and SWIFT," June 2007

National Bank of Belgium "High Level Expectations for the Oversight of SWIFT," June 2007

【SWIFT関係の略語リスト】

ACH	Automated Clearing House
ACK	Acknowledgement
AFC	Audit and Finance Committee
AGM	Annual General Meeting
ANNA	Association of National Numbering Agencies
ANSER	Automatic answer Network System for Electrical Request
ANSI	American National Standards Institute
ASB	ANNA Service Bureau
BBAN	Basic Bank Account Number
BCP	Business Continuity Planning
BCR	Basic Card Reader
BEI	Business Entity Identifier
BIC	Bank Identifier Code
BIS	Bank for International Settlements
BKE	Bilateral Key Exchange
B/L	Bill of Lading
Bolero	Bill of Lading Electronic Register Organization
BPO	Bank Payment Obligation
BSI	British Standards Institution
CA	Certification Authority
CA	Corporate Action
CAST	Corporate Action on STandards
CBT	Computer-Based Terminal
CCBM	Correspondent Central Banking Model
CCC	Command and Control Center
CCI	Common Communication Interface
CCP	Central Counterparty
CDS	Credit Default Swap
CI	Central Institution
CIA	Central Intelligence Agency
CIVIC	Collective Investment Vehicle Identification Code
CLS	Continuous Linked Settlement

CPSS	Committee on Payment and Settlement Systems
CSD	Central Securities Depository
CUG	Closed User Group
DA	Distributed Architecture
DES	Data Encryption Standard
DFD	Data Field Dictionary
DVP	Delivery versus Payment
DTCC	Depository Trust & Clearing Corporation
EACB	European Association of Co-operative Banks
EACT	European Associations of Corporate Treasurers
EAI	Enterprise Application Integration
EB	Executing Broker
EBA	Euro Banking Association
EBF	European Banking Federation
EBPP	Electronic Bill Presentment and Payment
ECB	European Central Bank
ECU	European Currency Unit
EDI	Electronic Data Interchange
EDIFACT	Electronic Data Interchange For Administration, Commerce, and Transport
EG	Executive Group
EIG	Event Interpretation Grid
EMEA	Europe, Middle East and Africa
EPC	European Payments Council
ERP	Enterprise Resource Planning
ESBG	European Saving Banks Group
ESG	Executive Steering Group
ESI	Eurosystem Single Interface
E&I	Exceptions and Investigations
FATF	Financial Action Task Force on Money Laundering
FIN	Financial Messaging
FIX	Financial Information eXchange
FIXML	Financial Information eXchange Markup Language
FNAO	Failure is not an option

FOP	Free of Payment	
FpML	Financial products Markup Language	
GDI	Gross Direct Input	
GPA	General Purpose Application	
GUI	Graphical User Interface	
HSM	Hardware Security Module	
HTML	HyperText Markup Language	
HTTPS	HyperText Transfer Protocol Secure	
IBAN	International Bank Account Number	
ICC	Integrated Circuit Card	
ICC	International Chamber of Commerce	
ICLOCA	International Center for Letter of Credit Arbitration	
ICSD	International Central Securities Depository	
IFSA	International Financial Services Association	
IFT	Interbank File Transfer	
IFX Forum	Interactive Financial eXchange Forum	
IIBLP	Institute of International Banking Law and Practice	
IMSDG	Investment Managers Straight-through-processing Development Group	
IP	Internet Protocol	
IP-VPN	Internet Protocol-Virtual Private Network	
IRS	Interest Rate Swap	
ISDA	International Swaps and Derivatives Association	
ISDN	Integrated Services Digital Network	
ISIN	International Securities Identification Number	
ISITC	International Securities Association for Institutional Trade Communication	
ISO	International Organization for Standardization	
ISP	International Standby Practices	
ISTH	International Standards Team for Harmonisation	
JASDEC	Japan Securities Depository Center	
Kbps	Kilobits per second	
KYC	Know Your Customer	
L/C	Letter of Credit	

LLR		Lender of Last Resort
LRA		Local Registration Application
LTA		Long Term Archive
MAC		Message Authentication Code
MA-CUG		Member-Administered Closed User Group
Mbps		Megabit per second
MBVG		Maintenance Business Validation Group
MDS		Message Data Services
MI		Market Infrastructure
MiFID		Markets in Financial Instruments Directive
MoU		Memorandum of Understanding
MT		Message Type
MUG		Message User Group
MV-SIPN		Multi-Vendor Secure IP Network
MWG		Maintenance Working Group
MX		XML message type
NAK		Negative Acknowledgement
NBB		National Bank of Belgium
NMG		National Member Group
NMPG		National Market Practice Group
NNA		National Numbering Agency
OAGi		Open Applications Group Inc.
OG		Oversight Group
OPC		Operating Center
PB		Prime Broker
PIN		Personal Identification Number
PKI		Public Key Infrastructure
PMPG		Payments Market Practice Group
PSTN		Public Switched Telephone Network
RA		Registration Authority
RAC		Resilience Advisory Council
RJE		Remote Job Entry
RMA		Relationship Management Application
RMG		Registration Management Group

RTGS	Real-time Gross Settlement
SAA	SWIFTAlliance Access
SAB	SWIFTAlliance Webstation
SAE	SWIFTAlliance Entry
SAG	SWIFTAlliance Gateway
SAM	SWIFTAlliance Messenger
SAS	SWIFTAlliance Starter Set
SAS70	Statement on Auditing Standards No.70
SAW	SWIFTAlliance Workstation
SC4	Sub-committee 4
SCE	SWIFT-Certified Expert
SCORE	Standardised CORporate Environment
SCR	Secure Card Reader
SEG	Standards Evaluations Group
SEPA	Single Euro Payments Area
SGML	Standard Generalized Markup Language
SICC	Securities Identification Code Committee
SIPN	Secure IP Network
SLS	Secure LOGIN and SELECT
SMPG	Securities Market Practice Group
SMS	Secure Messaging Service
SNL	SWIFTNet Link
SO	Security Officer
S&R	Settlement and Reconciliation
SRG	Standards Release Guide
SSL	Secure Socket Layer
SSOs	Shared Security Officers
STaQS	Simulation Testing and Qualification Service
STP	Straight Through Processing
SUG	SWIFT User Group of Japan
SWIFT	Society for Worldwide Interbank Financial Telecommunication
T2C	Trade to CCP
T2S	TARGET2-Securities
TA zone	Trans-Atlantic messaging zone

TC68	Technical Committee 68
TCH	The Clearing House
TEDI	Trade Electronic Data Interchange
TFTP	Terrorist Finance Tracking Program
TG	Technical Oversight Group
TIC	Trade Initiation and Confirmation
TID	Transaction Identifier
TPS	Transactions Per Second
TRCO	Treasury Counterparty
TSAG	Trade Servicess Advisory Group
TSU	Trade Services Utility
TWIST	Transaction Workflow Innovation Standards Team
UCP	Uniform Customs and Practice for Documentary Credits
UNIFI	UNIversal Financial Industry message scheme
VPN	Virtual Private Network
WWW	World Wide Web
XML	eXtensible Markup Language

【SWIFT関連のウェブサイト】

(SWIFT関連)

SWIFT（英語）	http://www.swift.com
SWIFT（日本語）	http://www.swift.com/jp/
swiftcommunity.net	https://www.swiftcommunity.net/
日本スイフトユーザーグループ	http://www.jade.dti.ne.jp/sugjpjba/

(標準化関連)

ANNA（ISIN付番機関の国際協会）	http://www.anna-web.com
証券コード協議会（日本の付番機関）	http://www.tse.or.jp/sicc/
BIC（銀行識別コード）	http://www.swift.com/biconline/
EACT（欧州企業財務担当者協会）	http://www.eact.eu/
EPC（欧州決済協議会）	http://www.europeanpaymentscouncil.eu/
FIXプロトコル	http://www.fixprotocol.org
ICC（国際商業会議所）	http://www.iccwbo.org/
IFSA（国際金融サービス協会）	https://www.ifsaonline.org/eweb
IIBLP（国際銀行法銀行業務協会）	http://www.iiblp.org/
ISDA（国際スワップデリバティブ協会）	http://www.isda.org/
ISITC（機関投資家取引処理のための国際証券協会）	http://www.isitc.org

ISO 3166（国名コード）
　　　　http://www.iso.org/iso/english_country_names_and_code_elements

ISO 4217（通貨コード）
　　　　http://www.iso.org/iso/support/faqs/faqs_widely_used_standards/widely_used_standards_other/currency_codes/currency_codes_list-1.htm

ISO 13616（IBAN）
　　　　http://www.swift.com/solutions/messaging/information_products/directory_products/iban_format_registry/index.page

ISO 15022（証券メッセージ・フォーマット）	http://www.iso15022.org/
ISO 20022（UNIFI）	http://www.iso20022.org/
PMPG（資金決済市場慣行グループ）	http://pmpg.webexone.com/
SMPG（証券市場慣行グループ）	http://smpg.webexone.com/

【索　引】

ア　行

アクセス・コントロール　238
アクセス・ネットワーク　43
アクセスポート回線容量　58
アライアンス・ライト　317
アルゴリズム　239
暗号　239
暗号化　238
暗号文　239
イージーSWIFT　32
一斉通知機能　68
ウォルフスバーグ・グループ　116
受取銀行　98
欧州企業財務担当者協会（EACT）　291
欧州決済協議会（EPC）　290
欧州ゾーン　315
オブリゲーション・ネッティング　164
オペレーティング・センター　313
オンライン・メッセージ保存機能　68

カ　行

鍵　239
鍵交換（BKE）　245
仮想私設通信網（VPN）　42
カードリーダー　247
カバー送金　100
可用性　238
監査・財務委員会（AFC）　35
間接接続　45
カンポス（ラザロ）　35
基幹アクセスポイント　43
機関投資家取引処理のための国際証券協会（ISITC）　288
基幹ネットワーク　44
企業識別コード（BEI）　146
議決権の代理行使サービス　198
技術製品委員会　35
基礎ラテン文字セット　128
キャッシュ・レポーティング　169
協調オーバーサイト　301
共通鍵暗号　240
業務特定メッセージ　127
共有接続　45
銀行識別コード（BIC）　144
銀行ペイメント委員会　35
グループ制　38
クローズド・ユーザー・グループ（CUG）　28
グローバル・カストディアン　105
グローバル・パートナー　61
決済照合システム　325
検索サービス　297
限定子　114
コア・データ　187
コア・プリンシプル　304
公開鍵暗号　241
公開鍵基盤（PKI）　254
口座サービス提供者　107
口座保有者　107
高速リカバリー機能　52
国際銀行口座番号（IBAN）　151
国際銀行法銀行業務協会（IIBLP）　289
国際金融サービス協会（IFSA）　289
国際商業会議所（ICC）　290
国際証券識別コード（ISIN）　150
国際スワップデリバティブ協会（ISDA）　199,289
国際標準間の調和のためのグループ（ISTH）　287
国名コード　148
固定料金プログラム　320
コーポレートアクション・サービス　195
コーポレート・フォーラム　219
コマンド・コントロール・センター　316
コミュニティ　7
コルレス銀行　12
コルレス・バンキング　299
コンファメーション　109,158

サ 行

最後の貸し手（LLR） 300
最大メッセージ長 89
サービス・アドミニストレーター 28
サービスビューロー 45
サブ・カストディアン 105
サブ・シーケンス 111
サブメンバー 26
3コーナー・モデル 183
識別子 111
資金決済市場慣行グループ（PMPG） 286
シーケンス 94,111
市場インフラ（MI） 265
システミック・リスク 300
システムTPS 48
支払意向通知 190
首席監督機関 301
シュランク（レオナルド） 22
証券委員会 35
証券市場慣行グループ（SMPG） 286
証券保管振替機構 325
証券メッセージ 102
　——のフォーマット 154
情報セキュリティ 237
情報の完全性 238
情報の機密性 238
書式仕様 102
シリアル 99
人事委員会 35
シンジケート・ローン 201
信用状（L/C） 179
スイフト委員会 234
スイフト・ジャパン株式会社 11,37
ステイタス 91
ストア＆フォワード方式 66
スワップクリア 163
責任追跡性 238
セキュアIPネットワーク（SIPN） 42
セキュリティ・オフィサー（SO） 255
セキュリティ・トークン 318
接続パック 47
セーフ・ハーバー・プログラム 310
全銀システム 329
全銀フォーマット 329
送金銀行 98
ソリューション・プロバイダー 61

タ 行

対称鍵暗号 240
大西洋横断ゾーン（TAゾーン） 315
ダイヤルアップ接続 55
大量データ保存機能 68
タグ 91,118
単一ユーロ決済圏（SEPA） 290
地域性 37
地域統括役員 37
中継銀行 99
直接接続 44
通貨コード 149
ディレクトリ・サービス 293
デジタル署名 250
データ・タイプ 129
データ提出銀行 184
データ配信サービス 194
データ・プライバシー問題 306
デリバティブ・サービス 199
テロ資金追跡プログラム（TFTP） 306
店頭取引（OTC） 199
当事者銀行 184
登録機関（RA） 125
トランスファー・エージェント 203
取引関係管理ツール（RMA） 257
トレイラー 86

ナ 行

ナショナル・メンバー・グループ（NMG） 36
ナショナルメンバーグループ協議会 234
日本スイフトユーザーグループ（SUG） 234
認証局（CA） 254
認証子（MAC） 243
ネッティング 164
ネットワーク機器（M-CPE） 43
ネットワーク検証ルール 95

索引

ネットワークの再編計画　313
年次総会（AGM）　36

ハ 行

配信通知　67
配信不能警告　68
バイラテラル・ネッティング　164
バージョン番号　131
バックアップ・サイト機能　53
ハッシュ化　243
ハッシュ関数　243
パーティシパント　26
ハードウェア安全モジュール（HSM）　53,249
バルク・ペイメント・サービス　273
ビジネス・エリア・コード　131
ビジネス項目　129
非対称鍵暗号　241
否定応答（NAK）　95
非DVP決済　107
否認防止　238
秘密鍵暗号　240
標準化委員会　35,114
平文　239
ファンドサービス　202
ファンド識別コード（CIVIC）　147
フィールド名　91
付加価値サービス　157
船荷証券（B/L）　179
　　──の危機　179
付番機関（NNA）　150
フリー・フォーマット　88
ペイメント・ネッティング　164
ヘッダー　86
貿易金融EDI　179
包括的フィールド　113

マ 行

マークアップ言語　118
マトリクス組織　38
メタデータ　120
メッセージID　131
メッセージ項目　129

メッセージタイプ（MT）　86
メッセージ認証　239,243
メッセージの拡張性　127
メッセージの変形　126
メッセージ・フレームワーク　128
メッセージ名　130
メッセージ・ユーザー・グループ（MUG）　89
メンテナンス・ワーキング・グループ　114
メンバー　25
メンバー管理CUG（MA-CUG）　28,210
メンバー・コンセントレーター　45
文字セットX　92

ヤ・ラ行

ユーザー・カテゴリー　29
ユーザーグループ協議会　234
ユーロクリア・グループ　279
4コーナー・モデル　183
リージョナル・パートナー　60
リーダーシップ会議　35
リンクアップ・マーケット　279
レポジトリ　123
ローカル・ループ　43
ローン・サービス　201

A〜Z

Accordサービス　158
AFC（監査・財務委員会）　35
AGM（年次総会）　36
ANNA　150
ANNAサービス・ビューロー　151
ANSER　326
ANSI-X12　98
BEI（企業識別コード）　146
BENオプション　101
BIC（銀行識別コード）　144
BIC 8　144
BIC 11　144
BICオンライン・プロフェッショナル　297
BIC検索ツール　298

BICサーチ　297
BICディレクトリ　294
BICプラスIBANディレクトリ　295
BIC名鑑　144
BKE（鍵交換）　245
B/L（船荷証券）　179
Bolero　179
BPO　190
BRIC+　331
Browseサービス　81
CA（認証局）　254
CAST　291
CBT　49
CCBM　283
CCBM2　284
CCI　279
CIVIC（ファンド識別コード）　147
CLS銀行　269
CPSS　303
CUG（クローズド・ユーザー・グループ）　28
Dual-I接続　56
Dual-P接続　57
DVP決済　107
EACT（欧州企業財務担当者協会）　291
E&Iサービス　165
EBPP　291
ECUクリアリング・サービス　13
EDIFACT　98
EPC（欧州決済協議会）　290
ESI　281
EURO1/STEP1ディレクトリ　296
FATF　215
FileActコピー　80
FileActサービス　77
FINインフォーム　70
FINコピー・サービス　69,267
FINサービス　65,192
FIXプロトコル　192
FNAO　23
FpML　199
G10中央銀行　301
HSM（ハードウェア安全モジュール）　53,249
HSMカード　54
HSMトークン　54
HSMボックス　54
IBAN（国際銀行口座番号）　151
IBAN登録簿　153,295
ICC（国際商業会議所）　290
ICカード　247
IFSA（国際金融サービス協会）　289
IIBLP（国際銀行法銀行業務協会）　289
InterActサービス　73
ISDA（国際スワップデリバティブ協会）　199,289
ISIN（国際証券識別コード）　150
ISITC（機関投資家取引処理のための国際証券協会）　288
ISO 15022　122,154
ISO 20022　121
ISO 3166　148
ISO 4217　149
ISO 6166　150
ISO 9362　144
ISTH（国際標準間の調和のためのグループ）　287
L/C（信用状）　179
LLR（最後の貸し手）　300
LOGINコマンド　248
MAC（認証子）　243
MA-CUG（メンバー管理CUG）　28,210
M-CPE（ネットワーク機器）　43
MI（市場インフラ）　265
MT（メッセージタイプ）　86
　——とMXとの並存　137
　——のカテゴリー　86
　——のメンテナンス　114
MT100　97
MT103　96
MT103 Core　97
MT103+　97
MT103 REMIT　98
MT202 COV　115
MT548　110
MUG（メッセージ・ユーザー・グループ）

索引

89
MX　118
　　——のメンテナンス　136
　　——への移行フェーズ　138
NAK（否定応答）　95
NMG（ナショナル・メンバー・グループ）　36
NNA（付番機関）　150
OTC（店頭取引）　199
OURオプション　101
PB/EBマッチング　165
PKI（公開鍵基盤）　254
PMPG（資金決済市場慣行グループ）　286
RA（登録機関）　125
RMA（取引関係管理ツール）　257
RMA管理　263
RMAフィルタリング　264
RMAレコード　260
RSA暗号　242
SAA（SWIFTAlliance Access）　49
SAB（SWIFTAlliance Webstation）　51
SAE（SWIFTAlliance Entry）　49
SAG（SWIFTAlliance Gateway）　50
SAS（SWIFTAlliance Starter Set）　50
SCE（SWIFT公認エキスパート）　62
SCORE　213
SELECTコマンド　248
SEPA（単一ユーロ決済圏）　290
SEPA経路ディレクトリ　296
SHAオプション　101
Sibos　321
Single-P接続　57
SIPN（セキュアIPネットワーク）　42
SLSサービス　248
SMPG（証券市場慣行グループ）　286
SNL（SWIFTNet Link）　48
SNL耐障害性　52
SO（セキュリティ・オフィサー）　255
STaQS　198
SUG（日本スイフトユーザーグループ）　234
swifcommunity.net　324

SWIFT　11
　　——の国内利用　229
SWIFT2010　330
SWIFTAlliance Access（SAA）　49
SWIFTAlliance Entry（SAE）　49
SWIFTAlliance Gateway（SAG）　50
SWIFTAlliance Starter Set（SAS）　50
SWIFTAlliance Webstation（SAB）　51
SWIFT-ANSERゲートウェイ・サービス　326
SWIFTNet　41
SWIFTNet Link（SNL）　48
SWIFTNetキット　51
SWIFTNetサービス・ディレクトリ　298
SWIFTNet認証局　254
SWIFTNetフェーズ1　237
SWIFTNetフェーズ2　249
SWIFTNetメール　203
SWIFT公認エキスパート（SCE）　62
SWIFTソリューション　157
SWIFTパートナー　59
SWIFT理事　33
SWIFT理事会　34
T2C　282
T2S（TARGET2-Securities）　281
TARGET2　275
TAゾーン（大西洋横断ゾーン）　315
TEDI　179
TFTP（テロ資金追跡プログラム）　306
TRCO　212
TSUサービス　179
Tコピー　70,269
UL NET　193
UNIFI　122
VPN（仮想私設通信網）　42
Vシェイプ　270
Watchアナライザー　206
Watchサービス　205
Watchレポート　206
XML　118
Yコピー　69,268

349

著者紹介

1958年生まれ．一橋大学法学部卒業．博士（経済学）．
職　歴　1981年日本銀行入行（調査統計局，金融研究所，国際局，金融機構局等勤務）．国際決済銀行（BIS）決済システム委員会（CPSS），金融情報システムセンター（FISC）などを経て，
現　在　麗澤大学経済学部教授
単　著　『Payment System Technologies and Functions』, IGI Global.
　　　　『入門 企業金融論』
共　著　『決済システムのすべて（第3版）』
　　　　『証券決済システムのすべて（第2版）』
　　　　『金融読本（第29版）』（以上，東洋経済新報社）．
　　　　『金融システム論の新展開』
　　　　『金融リスクマネジメントバイブル』（以上，金融財政事情研究会）．
ウェブサイト　http://nakajipark.com/
連絡先　nakajipark@mercury.ne.jp

SWIFTのすべて

2009年7月16日　第1刷発行
2015年3月13日　第6刷発行

著　者　中島　真志
発行者　山縣裕一郎

〒103-8345
発行所　東京都中央区日本橋本石町1-2-1　東洋経済新報社
　　　　電話 東洋経済コールセンター03(5605)7021
　　　　　　　　　　　　　印刷・製本　東港出版印刷

本書のコピー，スキャン，デジタル化等の無断複製は，著作権法上での例外である私的利用を除き禁じられています．本書を代行業者等の第三者に依頼してコピー，スキャンやデジタル化することは，たとえ個人や家庭内での利用であっても一切認められておりません．
Ⓒ 2009〈検印省略〉落丁・乱丁本はお取替えいたします．
Printed in Japan　　ISBN 978-4-492-68130-5　　http://toyokeizai.net/